Avertissement : ce roman pour jeunes adultes comporte des scènes explicites de sexe. Il s'inscrit dans un nouveau genre appelé « new adult ».

Nous succomber

Jasinda Wilder

Nous succomber

Traduit de l'anglais (États-Unis) par Anna Souillac

Du même auteur :
Te succomber, Michel Lafon, 2014

Titre original
Falling Into Us

118, avenue Achille-Peretti – CS 70024
92521 Neuilly-Sur-Seine Cedex
www.lire-en-serie.com

Si ceux qui étaient censés vous aimer le plus
sont ceux qui vont ont fait le plus de mal,
si vous avez déjà recherché le plaisir de la douleur
pour soulager votre agonie,
si on vous a rejeté à cause de votre apparence imparfaite,
alors ce livre est pour vous.
Vous êtes aimé, vous n'êtes pas seul,
vous êtes magnifique.

1

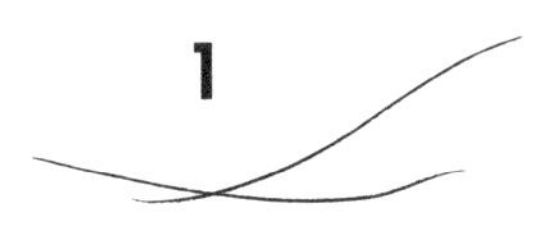

Un début, ou un pari

Jason Dorsey
Septembre, classe de seconde du lycée

– Arrête de faire chier, Malcolm.

Je repoussai violemment Malcolm Henry, qui bascula en arrière.

– C'est une question légitime, Dorsey. Bon sang, tu kiffes Nell Hawthorne depuis la nuit des temps ! Quand est-ce que tu va devenir un homme et l'inviteras à sortir ?

Malcolm était le seul Black de l'équipe de football américain du lycée. Le coureur le plus rapide, notre arrière vedette et le troisième membre du trio star de l'équipe régionale, avec Kyle, le *quarterback*, et moi, le receveur.

Malcolm était charpenté comme moi, petit, trapu et musclé. Il prenait grand soin de sa coupe afro des années 1970. Quitte à être le seul Black de l'équipe de football d'une communauté rurale où il n'y avait que des Blancs, autant jouer le jeu à fond, devait-il se dire.

– T'es qu'une foutue poule mouillée, dit-il, provocateur. Tu le feras jamais.

– Ferme-la, Malc, répondis-je en le regardant droit dans les yeux.

On s'entraînait à faire quelques passes sur le terrain en attendant que les autres finissent de se changer. Malcolm et moi étions déjà prêts, vu qu'on sortait du cours de sport et que le prof de gym n'était autre que le coach Donaldson.

– Je ne suis pas une poule mouillée. C'est juste que j'ai pas trouvé le bon moment. Déjà que c'est la meilleure amie de Kyle, je suis pas sûr de savoir comment il le prendrait. Et puis tu sais ce qu'il s'est passé entre son père et Aaron Swarnicki. M. Hawthorne m'aurait coupé les couilles si je l'avais invitée à sortir. Elle a eu seize ans il y a tout juste une semaine.

– Ce qui veut dire que tu as eu une semaine pour te préparer, putain ! Allez, Jay, c'est trop tard pour faire ta mauviette. Depuis la cinquième, tu pleurniches et ressasses que tu aimerais avoir ta chance avec Nell. La voilà, ta chance !

Il me lança le ballon, puis se mit à zigzaguer. Je lui renvoyai la balle aussi fort que possible et le manquai d'un bon kilomètre.

– Putain, heureusement que t'es pas quarterback, Jason. T'es nul.

– Comme si tu pouvais faire mieux ! Tu manquerais le flanc d'une montagne.

Il me lança violemment le ballon, qui m'atteignit en plein dans la poitrine.

– Je parie que je pourrais atteindre le cul sublime de Nell à cinquante mètres.

Je savais qu'il disait ça pour me faire enrager, mais ça marchait.

– Ne parle pas d'elle comme ça, espèce d'enfoiré.

Je lui renvoyai la balle et l'imitai, courant avant de me retourner pour réceptionner sa passe.

– Alors, sois un homme, putain. In-vi-te-la-à-sor-tir.

Malcolm shoota et le ballon atterrit pile dans mes bras. Il était bien meilleur lanceur que moi, mais jamais je ne l'aurais reconnu devant lui.

– Je vais le faire, dis-je, je vais le faire. Quand je serai prêt.

C'est à ce moment-là que Blain, Nick, Chuck et Frankie déboulèrent en trottinant sur le terrain, après avoir négligemment balancé leur équipement de protection sur la touche. J'envoyai le ballon à Frankie, qui fonça vers moi, la balle bien calée sous son aisselle. Je le laissai passer à proximité, puis le rattrapai et le taclai, le clouant violemment au sol. On s'écrasa tous les deux en riant, mais Frankie mit plus de temps à se relever, il avait le souffle coupé.

– T'es vraiment une poule mouillée, Dorsey.

Frankie appuya sa main sur ses côtes avec une grimace.

– Putain, mec, je crois que tu m'as froissé une côte. J'ai pas mon équipement, mon pote, vas-y mollo.

– Tu supportes même pas ça? Peut-être que tu devrais essayer de jouer pour de vrai, te faire sérieusement tacler une ou deux fois pour voir. Ça t'aiderait peut-être à devenir un homme, espèce d'abruti.

En même temps, je lui lançai un sourire ironique, parce qu'on savait l'un et l'autre que c'était lui le joueur offensif, en charge de protéger mes miches pour que je ne me fasse pas défoncer en tentant une percée dans le camp adverse. C'était un putain de bon joueur, et un de mes meilleurs amis, après Kyle et Malcolm.

– Ouais, ouais, c'est moi l'abruti, et toi tu es une gazelle du désert.

Il s'approcha de moi en feintant, puis passa son bras musclé autour de mon cou et serra. Frankie était massif, un vrai mammouth. À dix-sept ans, il dépassait déjà le mètre quatre-vingt-dix et pesait dans les cent dix kilos. C'était le genre de type qui donnait l'impression d'être en surpoids quand on le voyait pour la première fois. Mais s'il arrivait qu'il vous tacle, vous réalisiez qu'il s'agissait de cent dix kilos de pur muscle.

– Peut-être que tu devrais arrêter de sautiller sur le terrain comme une putain de gazelle et t'intéresser au cul de ta chérie.

Il serra plus fort. Manquant d'air, je dus lui planter mon poing dans les côtes pour qu'il me lâche. Blain, le défenseur et le pacifiste de l'équipe, nous tira tous les deux sur le côté.

– Arrêtez ça, les mecs. Vous savez que le coach n'aime pas quand on fait les cons.

– La ferme, Blain! crièrent Malcolm et Frankie à l'unisson avec moi.

– Revenons plutôt sur le fait que tu sois trop trouillard pour inviter Nell à sortir, dit Malcolm.

– Ou pas.

Je lançai le ballon au second receveur, Chuck, qui se tenait à l'autre bout du terrain. Il l'attrapa puis le renvoya à Nick, un autre attaquant.

– T'es pas cap' de l'inviter, dit Frankie. Si tu le fais pas, c'est moi qui le ferai.

Je me mis à rire.

– On est où, là? En CE1? Si je le fais pas, tu le feras? Sérieux?

Frankie ne riait pas.

– Ouais. Je te défie de proposer un rencard à Nell Hawthorne. J'en ai marre de te voir te comporter comme si ton béguin pour elle était un grand secret. Tout le monde le sait, à part elle et Kyle. Fais quelque chose, ou alors ferme-la.

– Je vais pimenter un peu les choses, reprit Malcolm. Je te parie cent dollars que t'es pas foutu de le faire.

– C'est débile. Je ne vais pas parier là-dessus, ni relever aucun défi. C'est une amie. Je l'inviterai quand je serai prêt, et si je le suis.

J'enfilai mon épaulière pour me donner une contenance et cacher ma gêne.

– Ouais, une amie… Parce que c'est comme ça qu'elle te considère, et rien de plus.

C'est Malcolm qui avait dit ça.

– Salaud. C'est pas comme ça qu'elle me considère.

Je serrai mes crampons alors que ce n'était pas vraiment nécessaire, et tirai si fort sur mes lacets que mes pieds me firent mal. Je dus les défaire pour les rattacher.

Malcolm lisait toujours en moi.

– Si, c'est comme ça qu'elle te voit et tu le sais, dit-il, nez à nez avec moi. Cent dollars. Accepte, ou alors ferme-la une fois pour toutes.

Je le poussai en arrière, mais il se redressa aussitôt et me poussa à son tour.

– Il n'y a pas moyen que je parie là-dessus, putain, dis-je.

– C'est parce que t'es un petit chaton tétanisé, s'exclama Frankie.

Ce qui provoqua une vague de rires parmi tous les attaquants qui s'étaient rassemblés autour de nous.

– Un chaton tétanisé ? répondis-je, moqueur. T'as vraiment osé dire ça ?

Frankie marcha d'un pas lourd jusqu'à moi, gonflé à bloc et prêt à en découdre.

– Ouais, j'ai dit ça. Parce que c'est ce que tu es.

Je soutins son regard, mais on savait lui et moi que je n'oserais jamais vraiment me confronter à lui, car on aurait tous les deux fini à l'hosto.

– Tu ne me fais pas peur, dis-je en serrant les dents. C'est faux.

La vérité, c'est que j'avais vraiment peur. Nell Hawthorne et moi étions amis depuis le CE2, et j'avais le béguin pour elle depuis à peu près aussi longtemps. Frankie avait raison, hélas, quand il avait dit que tout le monde le savait à part Nell elle-même, et Kyle. Et il était possible que Kyle le sache, mais qu'il ait choisi de l'ignorer. Quand on a depuis presque dix ans le béguin pour quelqu'un sans rien oser faire, l'idée de l'inviter est absolument terrifiante. Mais je savais par ailleurs que si je n'acceptais pas ce pari, je serais la risée de toute l'équipe de foot.

– Putain. OK, je l'inviterai demain.

Je détestais qu'on me mette la pression, mais je savais aussi que je ne l'aurais probablement jamais fait autrement.

– Vous me devrez tous un beau billet d'ici l'entraînement de demain.

Frankie et Malcolm me serrèrent tous les deux la main, puisqu'ils étaient les deux seuls à vraiment participer au pari. Je passai le reste de l'entraînement en pilotage automatique. Je répétais les tactiques, attrapais la balle sans vraiment réfléchir. Mon cerveau tournait à plein régime, j'essayais de savoir ce que j'allais bien pouvoir dire à Nell, terrifié à l'idée de me planter.

Le lendemain, j'arrivai à l'école complètement stressé. Le fait que mon père soit rentré plus tôt du travail la veille et m'ait foutu une branlée n'avait pas aidé. J'allais en baver à l'entraînement aujourd'hui, avec ces bleus qui me criblaient les côtes et le dos. Mais j'en avais désormais l'habitude. Il disait que ça me rendait plus résistant. Que c'était pour mon bien. Il avait raison, d'une certaine façon, ça me rendait vraiment plus résistant. Aucun tacle ne me ferait jamais aussi mal que ses poings.

J'avais un cours de civilisation occidentale, suivi d'un cours d'éducation civique avec Nell. J'avais prévu de passer à l'action pendant la pause. Je l'accompagnerais jusqu'à son casier et l'inviterais pendant que nous changerions de livres. Je me plantai devant la porte de la classe de Mme Hasting, au premier étage, en attendant que Nell se pointe pour le cours d'éducation civique. Je dus me mordre la joue pour ne pas grimacer de douleur, quand Malcolm s'amusa à me tacler les côtes et me planta son épaule musclée en plein dans un bleu. Je fis comme si de rien n'était, me forçant à rire. On se balança quelques claques, jusqu'à ce que Cool Raoul, le surveillant baba cool, passe devant nous et nous lance un «Arrêtez ça, vous deux, bande de canailles» plein d'entrain.

Tout le monde aimait Cool Raoul. Il ressemblait à John Lennon, avec ses longs cheveux bruns emmêlés et sa barbe hirsute surmontée de lunettes rondes. C'était le frère du principal Bowman. Il avait fumé beaucoup trop de beuh dans les années 1960, et son esprit n'avait jamais vraiment quitté cette décennie. D'une placidité inébranlable, gentil avec tout le monde, presque à l'excès, il avait toujours le sourire. Il n'avait jamais à répéter deux fois la même chose, vu que même les plus gros bras des gothiques appréciaient Raoul.

– Alors, tu vas le faire après les cours, hein ? murmura Malcolm en agitant sous mon nez un billet de cent dollars plié entre l'index et le majeur.

Je tendis la main vers le billet, mais il recula souplement.

– Ouais, je vais le faire, dis-je. Tiens-toi près des casiers à midi.

Je me tenais la hanche, là où un bleu jaune violacé, gros comme un pamplemousse, me recouvrait les côtes et une partie du dos, exactement à l'endroit où Malcolm m'avait atteint. J'entendis la voix de Kyle derrière moi.

– Ton père s'en est encore pris à toi ?

Kyle était la seule personne, avec ma mère, à savoir que mon père me battait. Mais je lui avais fait promettre de ne jamais rien dire à qui que ce soit. Le dire n'aurait servi à rien, puisque mon père était capitaine de la police municipale. Il aurait enterré le moindre rapport et intimidé toute assistante sociale tentant de se mettre en travers de son chemin. C'était déjà arrivé. J'avais fait l'erreur de dire à mon prof de gym en quatrième que c'était mon père qui m'avait fait un bleu sur le ventre, et il avait été voir une assistante sociale. La semaine d'après, le prof de gym avait été muté dans une autre académie, et l'assistante sociale renvoyée.

J'avais manqué une semaine de cours parce que j'étais « malade ». La vérité, c'est que j'avais trop mal pour pouvoir sortir de mon lit. Les bleus sur mon corps avaient mis plus d'un mois à disparaître. Depuis, je n'avais plus jamais essayé de dire quelque chose à qui que ce soit. Je passais autant de temps que possible à l'école, à l'entraînement de football ou chez Kyle. Tout était bon pour ne pas croiser le chemin de mon père. Ça lui allait à lui aussi, étant donné qu'il n'avait jamais voulu d'enfant au départ. Il affirmait que je n'étais pour lui qu'une source de déceptions. Même quand j'avais intégré l'équipe du lycée alors que je n'étais encore qu'en troisième, je l'avais déçu. Même l'année où j'avais battu le record régional du plus grand nombre de passes réceptionnées en une seule saison, je n'étais qu'une merde inutile à ses yeux. Je n'avais pas battu son propre record, et c'était tout ce qui comptait pour lui.

Vous voyez, mon père avait été champion de l'État trois années de suite au lycée. Puis il était allé jouer pour l'université de Michigan State comme receveur dans la première équipe. Il avait été largement encensé comme un des meilleurs joueurs du football universitaire. Il avait ensuite été repéré par les City Chiefs du Kansas, les Vikings du Minnesota et les Giants de New York. Mais il s'était déchiré les ligaments croisés lors de son premier match avec les Giants, et cette blessure avait mis fin à sa carrière. Il était rentré dans sa ville d'origine ici, au Michigan. C'était un homme aigri et en colère qui avait intégré les forces de police.

Quand la première guerre du Golfe éclata, il rejoignit l'armée et fit deux missions au sein de l'infanterie. Il était revenu encore plus foutu en l'air qu'auparavant, à cause de ce qu'il y avait vu et fait. Il aimait se saouler après le travail et me raconter des histoires horribles. Contrairement à la plupart des vétérans que je connaissais, mon père aimait parler de son expérience. Mais seulement avec moi, et seulement à sa cinquième bière. Il me racontait ses potes qui s'étaient fait tirer dessus sous ses yeux, qui avaient été dépecés par des explosifs improvisés, touchés par des *snipers* et des lance-roquettes. Si j'essayais de m'en aller, il s'en prenait à moi. Même ivre, mon père était redoutable. Sa blessure aux ligaments avait mis fin à sa carrière professionnelle de receveur, mais elle ne l'avait pas rendu moins intimidant physiquement.

Il faisait bien dix centimètres de plus que moi, avec de larges épaules, des biceps épais et des avant-bras noueux, des cheveux en brosse poivre et sel qui perlaient de sueur dès qu'il s'agitait devant moi. Il avait un coup de poing agile et dur et, même ivre, il atteignait sa cible avec précision. Il savait frapper là où ça faisait le plus mal. Je le contrais et l'évitais de mieux en mieux avec le temps, ce qu'il m'encourageait à faire de lui-même. Il voulait que je sois un homme, un guerrier. Un homme, ça ne ressent pas la douleur. Un homme, ça assure tout un match avec des côtes froissées et des reins cassés en deux. Un homme, ça ne pleure pas. Un homme, ça ne raconte rien. Un homme, ça bat des records.

Kyle savait tout ça, il comprenait. Enfin, aussi bien que le peut quelqu'un qui ne vit pas ce genre de chose. Et il n'avait jamais rien répété.

– Ouais, mais ça va.

Je détestais la compassion. Kyle me regarda simplement droit dans les yeux pendant un bon moment, comme pour analyser la situation. Il savait que je n'aurais jamais admis avoir mal, alors il était devenu très fort pour évaluer à quel point mon état était critique.

– T'es sûr ? Le coach veut qu'on fasse des claquettes, aujourd'hui.

– Merde, murmurai-je.

Les « claquettes », c'était un exercice consistant, pour le coach ou le quarterback, à lancer le ballon au receveur, qui devait l'attraper près de la ligne de touche en sautillant sur un pied ou sur deux, comme un danseur de claquettes, pour rester dans les limites du terrain. Le coach aimait faire cet exercice avec le plus d'interférences possibles, pour que j'apprenne à réceptionner pendant qu'un défenseur essayait de m'en empêcher. Ce qui voulait dire que j'allais passer le plus clair de l'entraînement à me faire tacler, encore et encore. Avec des côtes déjà froissées, j'aurais de la chance si j'arrivais à quitter le terrain sur mes deux jambes.

– Non, je vais bien, dis-je. On joue contre Brighton vendredi, et ils aiment bien me coller deux défenseurs. J'ai besoin de m'entraîner.

Kyle se contenta de secouer la tête.

– T'es vraiment qu'un gros con borné.

Je me mis à rire.

– Ouais, mais je suis le putain de meilleur receveur de l'État. À croire que le «programme» d'entraînement mis au point par mon père n'est pas sans effets.

J'avais tracé des guillemets avec les doigts en prononçant le mot «programme».

– C'était quoi, le mot qu'a employé M. Lang, hier? Quand il parlait des Spartes et de leur façon de former leurs guerriers?

Kyle sortit une barre de céréales de son sac, l'ouvrit et m'en tendit la moitié.

– *Agogé*, répondis-je.

– C'est ça, dit Kyle en mâchonnant bruyamment. T'as qu'à prétendre être un Spartiate, et qu'on est dans un *agogé*.

– Je crois pas que ça désigne un bâtiment, dis-je en avalant ma moitié. Il s'agit plus d'un style de vie, d'une éducation. Mais bon, c'est à peu près ça. Mike Dorsey, formateur à l'*agogé* spartiate.

– Il va encore falloir que je te porte en sortant du terrain?

Il ne riait qu'à moitié.

– Probablement, répondis-je.

– Alors, on ira faire un tour à la planque, après l'entraînement.

– Ça marche, dis-je, alors qu'il partait déjà rejoindre son cours de sciences à l'autre bout de l'école, se dépêchant pour ne pas le rater.

La «planque» était un coin au milieu des bois derrière chez moi. Un vieux chêne frappé par la foudre, dont les branches énormes tombaient sur le sol, formant une sorte d'auvent, un abri. Au fil des années, on en avait fait une espèce de cabane en assemblant autour du tronc épais des branches, des vieilles planches et des pièces métalliques récupérées à la décharge, afin de créer un coin fermé. On avait apporté des vieux fauteuils, quelques caisses, et même un vieux canapé miteux. Ç'avait été – et c'était toujours – notre secret, alors que nous étions suffisamment grands pour que le fait d'avoir une cabane secrète nous foute la honte. Mon cousin Doug avait réussi un jour, Dieu sait comment, à faucher plusieurs caisses d'une bière bon marché à un barman, et il m'en avait filé deux. Kyle et moi nous rendions donc souvent à la cabane tous les deux pour boire.

Mais, pour moi, la planque ne représentait pas grand-chose de plus qu'une cachette, un endroit où je pouvais échapper à mon père. Il m'était arrivé plusieurs fois d'y passer la nuit, de sorte que j'avais fini par laisser une veille couverture en laine dans l'une des caisses.

Mes bavardages avec Malcolm et Kyle avaient presque meublé l'intégralité des sept minutes de pause entre les cours. J'étais donc surpris que Nell ne soit toujours pas là. Je me dis que j'allais vraiment devenir fou si elle ne se pointait pas en classe, moi qui avais vraiment rassemblé tout mon courage pour oser l'inviter.

Et puis elle apparut. Ses cheveux tombaient sur ses épaules, elle souriait, elle riait, Becca à sa droite, Jill à sa gauche. C'étaient, selon moi, les trois plus belles filles de tout le lycée. Je n'arrivais jamais à décider laquelle était la plus dingue. Ça dépendait de mon humeur, la plupart du temps. C'est Nell que je connaissais le mieux, puisque j'avais passé la plus grande partie de ma vie à fantasmer sur elle comme un chiot. Mais Becca aussi était vraiment sublime, complètement différente. Elle était plus petite que Nell, elle avait plus de formes aussi. Ses longs cheveux noirs étaient si bouclés qu'on aurait dit une masse de ressorts élastiques, alors que les cheveux de Nell était d'un blond vénitien impeccable. Becca avait la peau caramel, une couleur chaude, quand celle de Nell était d'ivoire, blanche et pâle. Autant Nell était extravertie et joyeuse, autant Becca était discrète et d'une timidité maladive – mais d'une intelligence rare.

Quant à Jill, elle semblait presque se fondre dans la masse en présence de Becca et de Nell. Selon moi, elle ne soutenait pas la comparaison. Seule ou avec d'autres, Jill paraissait sexy, ça ne faisait aucun doute. Mais elles ne jouaient simplement pas dans la même cour. Jill était une vraie poupée Barbie, grande, avec des proportions invraisemblables, des cheveux naturellement blond platine et des yeux bleus. C'était la fille la plus chou qui soit. Et ouais, je sais que les mecs ne devraient pas employer le terme «chou», mais c'est vraiment ce qu'elle était. Aussi chou qu'une pâtisserie, et le parfait cliché de la blonde écervelée, incroyablement couillonne et assez superficielle. Mais il n'y avait pas plus loyale qu'elle envers ses amis, et c'est ce que j'aimais chez elle.

C'était comme une scène de *High School Musical*: les trois plus belles filles du lycée avançant de front dans le hall principal baigné de soleil. Avec Nell au milieu, que tout le monde regardait, admirait, dont tout le monde parlait. Elle s'arrêta pile devant moi pour me saluer, et je me figeai, bouche bée, pétrifié.

Quelqu'un me bouscula par-derrière et me tira violemment de ma rêverie. Malcolm. Il passa devant moi, trébuchant et toussant.

– Désolé, mec. Je t'avais pas vu.

Il fit un signe de tête à Nell et aux autres.

– Wesh, les meufs, bien ou bien? Vous êtes grave sexy aujourd'hui, à ce que je vois. Vraiment grave sexy, t'es pas d'accord avec moi, Jason?

Malcolm aimait bien se la «jouer ghetto», selon sa formule, surtout quand il essayait d'être drôle, c'est-à-dire à peu près tout le temps.

Je le fixai, puis me retournai vers Nell.

– Salut, Nell. Quoi de neuf?

Nul, nul. Tellement nul.

Elle me fit un sourire.

– Salut, Jason.

Becca et Jill avaient continué jusqu'à leurs casiers, quelques mètres plus loin. Cet endroit, le couloir des casiers du premier étage, près de la cafétéria et de la cour adjacente, constituait le point névralgique du lycée. C'était là que tout se passait. Là qu'on invitait une fille à sortir, là qu'on défiait un mec pour une baston, là que les couples se séparaient. Si vous étiez populaire, c'était là que vous traîniez pour qu'on vous voie, là que les chefs de file des différentes cliques s'entouraient de leur cour. Donc, bien évidemment, en tant que membre des joueurs vedettes de l'équipe de foot, c'était à cet endroit que je devais l'inviter. Nell était populaire, mais c'était le genre de fille qui n'appartenait à aucune bande. Elle était cool avec tout le monde, populaire parce qu'elle était belle, intelligente, et qu'elle était la fille du second homme le plus influent de la ville – juste après le père de Kyle, dont elle était la meilleure amie.

Kyle, lui, était bien entendu le dieu du lycée. C'était le quarterback star, champion d'État à seize ans, fils de sénateur, et tellement beau que c'en était presque du délire. Il avait la vie parfaite. Le meilleur ami de la plus belle fille du lycée, riche, beau, populaire, sportif, et des parents géniaux. Il avait même une voiture de dingue, une Camaro SS vintage que son grand frère avait retapée, puis laissée derrière lui quand il s'était enfui de la maison à dix-sept ans. La seule raison pour laquelle je ne détestais pas Kyle, c'est qu'il était mon meilleur ami et que je le connaissais depuis la maternelle. S'il me cherchait des noises, je pouvais toujours raconter à tout le monde qu'il avait fait pipi dans son pantalon en CE2 et que je l'avais couvert.

Tous les regards étaient braqués sur moi. Tout le monde semblait savoir ce qui se tramait. Malcolm et Frankie avaient, de toute évidence, annoncé aux gens qu'ils connaissaient, à savoir tout le monde, que j'allais inviter Nell à sortir. Toute la bande des cools s'était donc agglutinée dans le couloir, personne ne prenant la peine de faire semblant de regarder ailleurs.

Je ne pouvais plus me dégonfler, à ce stade. Et merde. J'avalai la boule que j'avais dans la gorge et serrai mes poings tremblants le long de mon corps.

– Écoute, Nell, je me demandais si tu voulais dîner avec moi ce soir ? Vers 7 heures ?

Ma voix n'avait pas tremblé, elle n'était pas montée dans les aigus, et j'avais eu l'air plutôt détaché.

Les yeux de Nell s'écarquillèrent, elle eut un hoquet de surprise et laissa échapper un gloussement d'excitation avant de serrer les dents pour couper court.

– Oui ! Je veux dire, ouais, bien sûr, ça me ferait plaisir. Où veux-tu aller ?

Pour être honnête, j'avais préparé mon coup, Dieu merci.

– Je me disais qu'on pouvait aller chez Bravo.

Elle sourit. C'était un endroit pas vraiment abordable pour des lycéens, et il fallait une réservation, particulièrement le vendredi soir. J'avais un accord avec mon père : je me concentrais sur mes études et sur le football, et lui s'assurait que je n'aie pas à travailler pour vivre. J'avais un bonus de deux cents dollars pour chaque match qu'on gagnait, plus vingt dollars par *touchdown*. Notre équipe n'avait pas perdu depuis le début de la saison, et j'avais marqué six fois au cours des quatre matchs qu'on avait joués.

Ouais. Mon père me poussait vraiment pour que je réussisse dans le football. Gagner, c'était tout ce qui comptait, enfin, juste après le fait d'être un homme, un vrai.

– Il ne faut pas une réservation pour avoir une table un vendredi ? demanda Nell.

Je me contentai de sourire fièrement en enfonçant mon poing dans la poche de mon jean.

– Si.

Elle plissa les yeux.

– Comment pouvais-tu être si sûr que j'allais dire oui ?

Je lui lançai un sourire encore plus grand, pour couvrir le bruit de mon cœur qui battait à cent à l'heure.

– Tu as dit oui, non?

Elle ne garda pas son sérieux très longtemps.

– On se voit à 7 heures, alors?

J'acquiesçai et entrai dans la classe, essayant d'ignorer les murmures étouffés. Je m'affalai sur ma chaise qui se trouvait au fond près de la fenêtre, et fis semblant de ne pas voir Nell qui chuchotait avec excitation à l'intention de Becca et Jill. Moi aussi, j'aurais voulu chuchoter d'excitation, mais j'étais un homme, et les hommes ne montrent pas leurs sentiments.

Nell s'installa avec grâce sur sa chaise à quelques rangs devant moi. Elle posa son sac à dos par terre près de ses pieds, se pencha pour l'ouvrir, en profitant pour me lancer un regard. Voyant que je la fixais, elle me sourit en rougissant. Un coin de mon cerveau se demandait si elle me laisserait l'embrasser. Probablement pas, mais bon sang, ce que ça serait cool qu'elle le fasse…

Par chance, le coach nous passa une vidéo au lieu de l'entraînement habituel. Il permit à Kyle de sécher le film, sachant qu'il l'étudierait de son côté chez lui. Le reste de l'équipe n'eut pas cette chance. On resta donc coincés, à regarder les matchs de l'équipe de Brighton jusqu'à presque 18 h 30.

De toute façon, j'avais prévu d'aller chercher Nell directement après l'entraînement. J'avais donc fourré un jean et une chemise dans mon sac à dos. La chemise était froissée, mais je ne pouvais pas y faire grand-chose. Je pris ma douche après que tous les gars furent partis, puis sautai dans mon camion.

Je l'avais acheté tout seul, ce camion. Pour ce faire, j'avais économisé tous mes gains de la dernière saison de football, plus mon bonus de fin d'année pour n'avoir eu que des A. C'était un Ford 150 noir d'il y a dix ans, avec une boîte manuelle, une grande plateforme arrière et quatre roues motrices. C'était mon bébé. Ce n'était pas grand-chose, mais c'était à moi. Mon père ne pouvait pas me le prendre, et il ne l'aurait fait en aucun cas, parce que je me l'étais payé tout seul en économisant. Il respectait ça.

Il avait son propre code de l'honneur, aussi tordu soit-il. Il n'avait aucun scrupule à me tabasser jusqu'à ce que je pisse le sang, mais il respectait mon espace et mes affaires, et il me soutenait financièrement du moment que je le méritais. Ses *leçons* duraient en général un peu moins longtemps quand je me défendais. Bien sûr, la leçon était aussi plus brève quand il me mettait KO, mais se défendre limitait le passage à tabac. J'avais donc commencé à lui rendre plus régulièrement ses coups.

Je conduisais en direction de chez Nell et mes pneus crissaient sur la route de gravier. J'avais les nerfs complètement chamboulés. On y était pour de vrai. J'avais rencard avec Nell Hawthorne. J'essayais d'imaginer ce qu'elle allait porter. Une jupe discrète mais élégante qui lui arriverait en dessous du genou et un haut qui dévoilerait son incroyable paire de seins. Ses longs cheveux blond vénitien lâchés sur ses épaules, avec juste sa frange attachée en arrière, comme toujours. Elle aimait se vernir les ongles avec des couleurs vives, en général du rouge, de l'orange ou du rose. Parfois du bleu ou du vert, mais jamais de noir ni de gris, ni aucune couleur sombre.

Je m'arrêtai en plein milieu de la route, à un peu plus d'un kilomètre de chez elle, pour tenter de reprendre mes esprits. C'était juste un rencard. Nous n'étions rien de plus que deux amis qui avions rendez-vous. Rien de plus. Il n'y avait aucune raison de penser que j'aurais l'occasion de l'embrasser. Je n'allais même pas essayer de lui tenir la main. On allait juste… traîner ensemble et discuter. Pas besoin de s'exciter.

Mais je l'étais. J'étais à bloc, excité comme une puce.

Je laissai échapper un long soupir, frappai mon volant des deux mains et hurlai aussi fort que possible, afin de soulager toute cette tension emmagasinée. J'étais shooté à l'adrénaline.

J'étais tellement surexcité à l'idée d'aller dîner avec Nell que je ne sentais même plus mes bleus.

Je me remis en route et m'engageai dans l'allée de sa maison. Mon portable sonna juste quand j'éteignais le moteur. Je jetai un œil à l'écran, et enclenchai la touche *répondre* en voyant s'afficher le nom de Kyle. L'horloge numérique en haut de l'écran indiquait 18h54, j'avais donc un peu d'avance. J'avais évité d'y penser, mais il allait bien falloir que je lui dise que je m'apprêtais à sortir avec la fille pour laquelle il avait plus d'affection qu'il en aurait eu pour sa sœur. Mais maintenant qu'il m'appelait à quelques minutes du rencard, je n'avais plus vraiment envie de le lui annoncer.

– Hey, Kyle, mon frère ! Quoi de neuf ?

Je feignais l'enthousiasme pour cacher mes nerfs.

L'hésitation à l'autre bout du fil fut plus forte qu'un hurlement.

– En fait, c'est Nell, Jason. Je t'appelle du téléphone de Kyle... J'ai... j'ai oublié le mien.

La voix de Nell me frappa en plein cœur, aussi violemment qu'un boulet d'une tonne.

Puis je compris ce qu'elle avait dit.

– Oublié le tien ? T'es où ? Je suis en train de me garer devant chez toi.

Une hésitation encore plus longue. Mon estomac se serra, explosant quand elle dit :

– Écoute, je suis désolée, mais je ne peux pas sortir avec toi.

Merde. J'aurais dû savoir que ça n'allait pas être aussi simple.

– Oh, je vois, répondis-je, essayant de cacher ma déception même si j'étais sûr qu'elle pouvait quand même l'entendre. Tout va bien ? Je veux dire...

– J'ai juste... j'ai peut-être dit oui trop vite, Jason. Je suis désolée. Je ne crois pas... Je ne crois pas que ça marcherait.

– Donc ce n'est pas que partie remise, n'est-ce pas ?

Je ne pouvais plus masquer ma tristesse à ce stade.

– Non, je suis désolée.

– On va dire que ce n'est pas grave.

Je me mis à rire, réalisant combien ce que je venais de dire était stupide, surtout qu'elle savait de toute évidence que j'étais vexé.

– Merde, si, ça l'est. C'est un peu chelou, tout ça, Nell. J'étais super content.

Il fallait que je me reprenne. Je crispai ma main sur le volant et gardai les yeux fermés.

– Je suis vraiment, vraiment désolée, Jason. Je m'en suis rendu compte après avoir bien réfléchi… Je veux dire, je suis flattée, et j'étais vraiment contente que tu m'invites, mais…

Je l'interrompis :

– Il s'agit de Kyle, c'est ça ? Tu es avec lui ? Tu m'appelles de son portable, donc bien sûr qu'il s'agit de lui.

J'aurais dû le savoir. J'aurais vraiment dû. Tout le monde avait toujours pensé qu'ils étaient ensemble, de toute façon.

– Jason, ce n'est pas… Oui, je suis avec lui en ce moment, mais…

– C'est pas grave, je comprends. Je crois qu'on savait tous que ce jour arriverait, je ne devrais pas être surpris. J'aurais juste aimé que tu me le dises plus tôt.

J'avais l'air d'un connard, mais je ne pouvais pas m'en empêcher.

– Je suis désolée, Jason, je ne sais pas quoi te dire d'autre.

– Il n'y a rien à dire, tout va bien. Je suis juste… peu importe. On se voit lundi en chimie ?

J'étais sur le point de raccrocher, quand sa voix m'arrêta.

– Jason, attends.

– Quoi ?

– Je ne devrais probablement pas te le dire, mais… Becca craque pour toi depuis la cinquième. Je peux te garantir qu'elle te dira oui si tu l'invites.

– Becca ? (Mes mots trahirent ma surprise.) Ça ne serait pas bizarre ? Qu'est-ce que je vais lui dire ? Elle va penser que c'était mon deuxième choix, ou un truc du genre. Dans l'absolu, elle aura raison, mais c'est qu'elle était pas tout à fait vrai quand même.

Nell répondit, après une courte pause :

– Dis-lui juste la vérité. Je t'ai planté à la dernière minute. Tu as déjà une réservation et tu t'es dit qu'elle aimerait peut-être venir avec toi à ma place.

– Tu crois que ça marchera ? Sérieux ?

Becca ? Elle était cool, mais ce n'était pas Nell. Sans y faire attention, je dis à haute voix :

– Elle est assez sexy.

– Ça marchera. Appelle-la.

Elle me balança le numéro de Becca, que je lui épelai tout en le griffonnant sur un ticket de caisse de station essence.

– Merci… Mais la prochaine fois que tu brises le cœur d'un mec, Nell, préviens-le un peu auparavant, d'accord ?

J'essayai de prendre un ton ironique et amusé.

– Ne sois pas ridicule, Jason. Je ne t'ai pas brisé le cœur. On n'est même pas sortis ensemble. Mais je suis désolée de te planter comme ça.

– T'en fais pas. En plus, ça marchera peut-être entre Becca et moi. Elle est presque aussi sexy que toi. Attends, merde, c'est pas ce que je voulais dire. Ne lui dis pas que j'ai dit ça. Vous êtes toutes les deux aussi sexy, j'étais juste…

Mon Dieu, j'avais vraiment l'air d'un con. Que quelqu'un m'arrête, par pitié !

Nell se mit à rire et me coupa dans mon élan.

– Jason ? Tais-toi et appelle Becca.

Elle raccrocha. Je fixai le papier rectangulaire du ticket de caisse avec les chiffres gribouillés au dos à la va-vite. Becca ? Je ne savais pas si c'était une bonne idée de l'inviter. Je ne savais pas grand-chose d'elle, maintenant que j'y réfléchissais. J'avais le sentiment qu'elle venait d'une famille plutôt stricte, mais je me fondais sur le fait qu'elle était toujours habillée de façon assez classique, qu'elle ne découvrait jamais beaucoup son corps, à part ce qui dépassait de ses T-shirts à manches courtes et de ses jupes qui lui arrivaient au genou. Pas de décolleté, et rien au-dessus du genou. Elle ne traînait jamais avec des garçons, ne se la jouait jamais séductrice et ne se pointait jamais à aucune soirée. Elle était discrète, studieuse, gentille et polie quand on lui adressait la parole, et les gens avaient tendance à la laisser tranquille et à être sympas avec elle juste parce que c'était l'amie de Nell Hawthorne.

Elle craquait pour moi ? Sérieux ? Comment se faisait-il que je n'aie jamais rien remarqué ?

Je restai assis dans l'allée devant chez Nell pendant encore quelques minutes pour réfléchir. Je faillis me pisser dessus quand quelqu'un frappa à ma vitre. Je l'ouvris avec la manette. Le doux et beau visage de Mme Hawthorne faisait une grimace confuse.

– Jason ? Est-ce que tout va bien ? Nell n'est pas là. Elle est partie courir avec Kyle.

Mme Hawthorne était le genre de femme qu'on avait envie d'avoir pour mère. Mince, avec de beaux cheveux blonds et une peau claire, elle était l'incarnation du merveilleux, toujours souriante. Présente à tous les matchs pour nous soutenir tous, elle apportait en général des pâtisseries. Elle connaissait le prénom de presque tous les habitants de la ville et aimait prendre les gens dans ses bras. Elle avait une odeur de biscuit mélangée à une légère pointe de parfum.

Ma mère à moi était à peine un être humain. Elle se cachait dans sa chambre pour regarder des séries débiles et de la téléréalité, se tenant soigneusement éloignée du champ de bataille qu'était notre salon. Mon père la battait de temps en temps, mais dès que j'avais eu l'âge de prendre des coups à sa place, il s'était rabattu sur moi. Depuis, il la laissait tranquille, à l'exception du bruit sourd contre la tête de lit collée au mur qui séparait leur chambre et la mienne, qu'on entendait deux fois par semaine.

– Oh, ouais, dis-je. Tout va bien. Je pensais qu'on allait sortir, Kyle, elle et moi, mais je me suis trompé d'heure.

Mme Hawthorne fronça les sourcils en me regardant.

– Ce n'est pas bien de mentir, Jason Dorsey.

Je lui fis un sourire.

– Moi ? Pourquoi je mentirais ?

Elle fronça les sourcils encore plus.

– Je t'ai connu quand tu portais des couches, Jason. Je sais quand tu mens, affirma-t-elle, les commissures de ses lèvres se recourbant en un petit sourire suffisant qui me rappela beaucoup celui de Nell. Je sais aussi que Nell et Kyle se sont disputés, et je crois savoir à quel sujet.

– Ils se sont disputés ?

Ça, je ne le savais pas.

– Je viens juste de parler à Nell, qui m'appelait du portable de Kyle. Ils n'avaient pas l'air fâchés, ça, je peux vous le dire.

Je crois que mon ton était un peu aigri.

Elle baissa les yeux de façon un peu maladroite… comme si Mme Hawthorne était un être capable de maladresse.

– Je crois qu'ils se sont réconciliés.

Elle me regarda dans les yeux.

– Je sais que tu as toujours bien aimé Nell, Jason. Mais ce n'est pas réciproque.

Je soupirai de frustration. Il semblait que Frankie ait eu vraiment raison quand il avait dit que tout le monde savait que j'avais le béguin pour Nell, à part Nell.

– De toute façon, ça n'a plus d'importance, je crois qu'elle sort avec Kyle désormais.

Mme Hawthorne acquiesça.

– Oui, c'est ce que je crois aussi. Ça ne me surprendrait pas. Je suis désolée, Jason. Je sais que ça ne doit pas être très agréable pour toi.

Je haussai les épaules.

– Ça va. Ça a toujours semblé un peu inévitable que ces deux-là finissent ensemble, quand on y pense, non ?

Mme Hawthorne acquiesça à nouveau.

– Oui, c'est ce que je me suis toujours dit.

Elle me regarda attentivement.

– Que vas-tu faire, maintenant ?

Je me mis à tripoter le levier de vitesses, en suivant les lignes blanches et les chiffres.

– Je ne sais pas. Nell m'a dit d'inviter Becca, mais je ne sais pas trop. Je ne veux pas que Becca croie que je le fais parce que j'avais personne de mieux à inviter, vous comprenez ?

– Hum. Ce n'est pas une mauvaise idée, en réalité. Je pense que si tu dis la vérité à Becca, elle respectera ça. Ça sera peut-être un peu bizarre au début, mais c'est une fille très ouverte. Elle comprendra ta situation. Sois naturel, en revanche. Va simplement lui parler.

– Vous en êtes sûre ? demandai-je.

– Oui. Ça vaut la peine d'essayer, non ? demanda-t-elle en posant sa main sur la mienne. Jason, tu sais que si tu as besoin de quoi que ce soit, tu peux toujours venir ici, n'est-ce pas ?

Il y avait quelque chose dans sa voix, quelque chose de profond et sans équivoque. Comme si elle savait quelque chose dont seul Kyle était au courant.

Je me contentai de la fixer, je n'étais pas sûr de savoir quoi lui dire.

– Merci, madame Hawthorne. Vous assurez.

Elle me sourit, et j'étais sûr d'avoir vu une vague de tristesse dans ses yeux. Comme si elle se doutait de quelque chose. Mais elle n'aurait rien pu faire de toute façon, même si elle avait été au courant, même si je lui racontais ce qu'il se passait vraiment dans le salon des Dorsey.

Je savais que Becca habitait dans un des nouveaux lotissements à quelques kilomètres de là, je roulai donc dans cette direction après avoir quitté la maison de Nell. Je m'arrêtai près de l'entrée du lotissement et composai le numéro que Nell m'avait donné.

2

Second choix, premier rendez-vous

Becca de Rosa
Septembre, classe de seconde du lycée

Je jurai dans ma barbe tout en essayant de me dépêcher de finir les dix dernières questions de mon devoir de calcul. Je détestais le calcul. Je trouvais ça ennuyeux et difficile. Mais il fallait que je suive tous les cours d'option possibles pour faire plaisir à Père. Ou plutôt pour continuer d'avoir son approbation, car lui faire plaisir était une chose absolument impossible. Le bruit assourdissant de la basse de la chanson de rap stupide qu'écoutait Ben, mon frère, ne facilitait en rien ma concentration. Surtout qu'il avait monté le son depuis que je lui avais demandé de le baisser. J'aimais mon frère, mais il n'était vraiment pas facile, surtout quand il était de cette humeur-là, dans sa phase dépressive et en colère.

Il fallait que je finisse cet exercice. Parce que si je ne le faisais pas, je savais que je ne le ferais jamais, et cela aurait signifié ne pas pouvoir quitter la maison. Mes parents étaient horriblement exigeants dès qu'il s'agissait de ma scolarité. Ils me demandaient un rapport hebdomadaire faisant état de tous les contrôles à venir ainsi que les examens finaux, les devoirs rédigés et ceux à rendre, et tout ce qui pouvait concerner les matières optionnelles. Ce qui signifiait, étant donné que j'étais inscrite à toutes les options possibles et imaginables, qu'il m'arrivait souvent de ne pas avoir une seule minute à moi. En général, je suais sur mes devoirs jusqu'à 9 ou 10 heures du soir, tous les soirs, et je n'étais pas autorisée à quitter la maison après 10 heures. Je passais le plus clair de mon temps dans ma chambre, loin des disputes sans fin de mes parents. Quand je ne faisais pas mes devoirs, j'écrivais, lisais ou regardais une série télé sur mon ordinateur portable. Je n'avais absolument aucune vie sociale en dehors du lycée.

Je n'étais jamais sortie avec un garçon, et je me disais souvent avec désespoir que ça ne m'arriverait jamais. Ma vie allait être consumée par les études, les mots, les chiffres, les contrôles, les examens. Je laissai mon esprit gambader, tout en me pressant de finir le dernier problème. Puis je repris mes notes sur la leçon en question. Les termes de calcul se transformèrent, devinrent ce que la plupart des choses deviennent dans mon esprit.

De la poésie.

Je regardai mon Criterium gribouiller la page de mon carnet qui était toujours ouvert près de moi, où que je me trouve. Je n'essayais pas de comprendre les mots que je déversais sur la page. Quand mon crayon s'arrêta de bouger, je lus ce que j'avais écrit :

LE CALCUL DE L'ENNUI
Une fonction variable
Semble définir mon axe de rotation.
L'aire d'une ellipse
Définit avec certitude le terme constant
De ma vie.
Mon modèle quotidien d'existence
Est la courbe finale de ma
fonction limitée.
Discontinuité essentielle,

Dégénérée, dérivée, différentielle,
Approximation affine,
Fonction usuelle :
Décroissance exponentielle.
Il n'y a pas de moi,
Il y a seulement
La convergence ponctuelle
Du terme constant
De la fonction continue
De la désapprobation.
Chaque décision semble faire
Partie d'une réaction en chaîne,
Une couronne, un espace euclidien
C'est-à-dire
La partie entre deux sphères concentriques aux radius différents,
Ou en d'autres mots…
Mes
Putains
De parents.

Je soupirai. Les mots étaient comme un plaisir murmuré. Ils exprimaient une partie de moi. J'avais quatre carnets remplis de poésies de ces dernières années, et celui du moment était déjà plein aux deux tiers. La poésie était mon seul plaisir dans la vie, la seule chose qui m'autorisait à avoir un tant soit peu de personnalité, ma seule forme d'expression. Tout le reste concernait l'école, l'orthophonie ou les cours de piano. J'aimais bien le piano et je savais que je n'étais pas mauvaise, mais ce n'était pas mon truc. C'était ce qu'on attendait de moi, ce qu'on m'obligeait à faire.

Je secouai la tête pour me sortir de ma rêverie et me remis à mémoriser les termes de la leçon du jour, ainsi que de celle de la semaine prochaine. Si j'arrivais ne serait-ce qu'à commencer mes devoirs pour la semaine prochaine, voire à les finir, je serais peut-être en mesure d'avoir un peu de temps libre.

Je finis la leçon de calcul et passai à l'économie ; la leçon était suffisamment simple pour que je puisse enfiler mes écouteurs et écouter de la musique en même temps. La première chanson qui apparut sur ma *playlist* Pandora fut *Demons*, des Imagine Dragons, et Dieu qu'elle était à propos ! Vraiment parfaite.

J'avais fini l'éco, et j'étais en pleine lecture pour mon cours de littérature du XVIIe siècle, celui que je suivais pour l'université, quand mon téléphone sonna. Mon téléphone portable était la seule concession que mes parents m'avaient faite concernant ma vie sociale. J'avais le droit d'avoir un mobile avec un forfait SMS illimité, donc je pouvais envoyer autant de textos que je voulais. Le seul hic, c'était que mes parents pouvaient, sans avertissement, prendre mon téléphone et lires mes textos pour s'assurer qu'il ne se passait rien d'inopportun dans ma vie – et par inopportun, ils entendaient un truc qui aurait été drôle, excitant ou un tant soit peu intéressant.

Même mes pensées intimes ressemblaient à des équations mathématiques.

La seule chose que je cachais à mes parents, c'était ma poésie. Je cachais les carnets dans une boîte à chaussures que je fourrais au fond de mon placard. Le carnet que j'utilisais en ce moment était toujours à portée de main, soit dans mon sac à main, soit dans mon cartable, caché entre les manuels scolaires et les cahiers remplis de notes de cours. J'aurais préféré brûler les carnets plutôt que de laisser quiconque les lire. Ils exprimaient la moindre de mes pensées intimes, la moindre de mes émotions, le moindre de mes démons les plus profonds et les plus obscurs. Lire mes carnets, c'était comme lire la substance même de mon âme.

Je répondis au téléphone sans même regarder l'écran : seules Jill et Nell avaient mon numéro.

– Allô ?

– Hum… Salut, Becca, c'est Jason… euh… Jason Dorsey.

Jason Dorsey était la dernière personne sur terre de qui je me serais attendue à recevoir un coup de fil à 19 h 30 un vendredi, surtout que je savais qu'il avait un rencard avec Nell ce soir-là.

– Jason ? Comment as-tu eu mon numéro, et pourquoi m'appelles-tu ?

Je ne pus m'empêcher de prendre un ton un peu méchant. J'étais amoureuse de Jason Dorsey depuis le CM1, depuis le jour où il avait filé un coup de poing en plein dans la figure de Danny Morelli, parce qu'il s'était moqué de mon bégaiement. J'étais amoureuse de Jason Dorsey depuis la nuit des temps, mais il ne savait même pas que j'existais. Il ne me voyait que comme l'amie un peu bizarre de Nell.

J'étais donc peut-être un petit peu en colère contre Jason – de façon générale, je veux dire.

– Eh bien, je… tu comprends… (Il ne semblait pas être lui-même, il avait l'air hésitant, pas du tout le Jason arrogant et sûr de lui comme d'habitude.) Hum, mon Dieu, je suis en train de tout foirer.

– Je ne sais même pas ce que tu es en train de foirer, Jason. Dis-moi simplement pourquoi tu m'appelles.

J'étais nerveuse et j'essayais de ne pas avoir l'air d'une connasse, mais comme je faisais des efforts pour ne pas bégayer, mon ton était formel et guindé.

– OK. Voilà l'histoire. Tu sais que j'ai invité Nell à dîner aujourd'hui ?

– Oui.

– Eh bien, en vérité, le dîner n'a pas eu lieu.

– Je m'en doutais, si l'on considère que tu es en train de discuter avec moi, et non avec Nell.

Je n'arrivais pas à comprendre ce qu'il voulait. Pourquoi m'appelait-il ?

– Eh bien, elle est avec Kyle. Je crois qu'ils sont, genre… ensemble.

Je n'aurais pas pu être plus choquée si je l'avais voulu.

– Mais elle a accepté de sortir avec toi. Je ne comprends pas.

– Ouais, moi non plus. J'suis passé la prendre chez elle, et quand j'ai débarqué, elle n'était pas là. Elle m'a appelé du téléphone de Kyle pour annuler le dîner.

– Tu veux dire qu'elle l'a reprogrammé ?

Pourquoi Nell accepterait-elle une invitation de Jason si elle était avec Kyle ? Et depuis quand était-elle avec Kyle ? Rien de tout ça n'était logique. Et je ne savais toujours pas pourquoi Jason m'appelait, moi et pas quelqu'un d'autre, pour parler de ça. On n'était pas vraiment amis.

– Non, dit Jason sur un ton de toute évidence frustré. Je veux dire, elle m'a dit que ça n'allait pas marcher entre nous. Genre jamais.

– Je suis désolée de l'entendre. Je sais que tu l'aimais beaucoup.

Je ne savais pas quoi dire d'autre. Durant toutes mes années d'école primaire, de collège et de lycée, j'avais voulu que Jason me regarde, s'intéresse à moi, mais il n'avait eu d'yeux que pour Nell.

– Mon Dieu, est-ce que tout le monde sait ? Je n'avais pas réalisé que c'était si évident.

Il avait l'air irrité.

Je ne pus m'empêcher de rire.

– C'était assez évident, Jason. Ça fait très longtemps que tu as le béguin pour elle. Tous ceux qui vous connaissent, elle et toi, pouvaient le voir.

– Sauf elle.

– Oui, sauf elle, dis-je pour confirmer. Une fois encore, qu'est-ce que tout ça a à voir avec moi ?

Il y eut un long silence à l'autre bout du fil qui trahissait que Jason était de toute évidence embarrassé ou nerveux quant à la raison de son appel.

– Je… Eh bien, j'ai une réservation chez Bravo, dit-il. Et je me demandais si tu voulais venir avec moi.

Enfin, tout s'éclaircit.

– T… tu quoi ? Oh, bon sang, n-non, Jason ! Tu ne vi-viens pas juste de m'inviter comme b-bouche-trou à la place de Nell ?

Argh ! Je rugissais contre Jason, à la fois pour m'avoir insultée comme il venait de le faire et également pour m'avoir mise si en colère que les bégaiements incohérents m'avaient reprise.

– Non, Becca, ça n'a rien à voir, je te le promets !

Je pris plusieurs grandes inspirations et fis un effort pour prononcer distinctement mes mots.

– Explique-moi ton raisonnement, Jason, s'il te plaît. J'ai bien peur de ne pas voir comment tu as pu en arriver à la conclusion que tout cela était une bonne idée.

Jason maugréa, un son étouffé et lointain, comme s'il avait enfoui son visage dans ses mains en tenant le combiné loin de son oreille.

– Écoute, Becca, ce n'était pas mon idée. Rien de tout ça ne l'était.

– Eh bien, ça m'aide vraiment à me sentir mieux, ce que tu viens de dire. Je t'en prie, continue.

Jason se mit à rire.

– Mon Dieu, Becca. T'es marrante quand t'es énervée.

– Je suis tout le temps marrante. C'est juste que tu ne t'en rends compte que maintenant.

Il rit encore, ce qui n'aidait pas mes tentatives pour avoir l'air en colère.

– Tu vois ? Marrante. Tu as peut-être raison. Tu es peut-être drôle tout le temps, et je ne le savais simplement pas. Donne-moi une chance de le découvrir.

– Pourquoi ? Est-ce que tu comprends au moins à quel point tout ça est insultant ? (Je pris un ton moqueur et une voix grave.) Eh, salut, je me suis fait larguer, et tu es mon prix de consolation… Waouh, Jason, je serais tellement honorée. Ou pas.

– Je croyais que tu allais me donner une chance de m'expliquer, fit Jason.

– OK. Très bien, vas-y.

– Je suis déjà dans ton lotissement, donc tu peux me dire laquelle de ces maisons est la tienne et je passe te prendre, qu'est-ce que tu en penses ? Je t'expliquerai toute cette histoire alambiquée autour d'un dîner.

– Waouh, tu utilises des mots compliqués, Jason. Bravo !

Il eut l'air un peu blessé, à dire vrai, et je sentis un pincement de culpabilité.

– Bon sang, Becca. Ce n'est pas cool de dire ça. Tous les sportifs ne sont pas des abrutis, tu sais.

Il s'arrêta, puis reprit :

– De plus, « alambiqué » n'est pas un mot si compliqué. Bref, allez, quoi. Je sais de quoi tout ça a l'air, mais ce n'est pas ce que tu crois, sincèrement. Donne-moi une chance. S'il te plaît.

Je ris malgré moi.

– OK. Donne-moi quelques minutes pour voir ça avec mes parents. Et reste où tu es.

Il avait l'air perdu mais acquiesça.

– Bien sûr, d'accord. À tout de suite. Je suis à l'entrée de la résidence Harris Lake.

– Je ne suis pas sûre d'avoir envie de savoir comment tu as su où j'habitais.

Il gloussa.

– Un jour, j'avais ramené Jill après les cours, et elle m'avait dit que tu vivais dans le même quartier. Rien de très… déshonorant là-dedans.

Je me remis à rire.

– Bon, je raccroche.

– D'accord, j'avais plus rien à te dire, de toute façon.

Il rit et raccrocha avant moi.

On en venait donc à un obstacle de taille : mentir à mes parents. Jamais de leur vie ils ne m'auraient laissée aller dîner avec un garçon, peu importe lequel. Encore moins un garçon que ni eux ni moi ne connaissions. Jason et moi nous avions grandi ensemble, fréquenté les mêmes écoles, été de nombreuses fois dans les mêmes classes, mais je ne le connaissais pas vraiment.

Je fourrai mon carnet dans mon sac à main avec mon téléphone, et dévalai les escaliers. Mes parents étaient assis à la table de la salle à manger et se disputaient dans un mélange savant d'anglais, d'arabe et d'italien.

– Je sors avec Nell.

Mon père leva les yeux et haussa un sourcil, ce qui me coupa dans mon élan.

– Tu as fini tous tes devoirs ?

J'acquiesçai.

– Oui, Père.

Il baissa le menton dans un imperceptible mouvement d'approbation, comme l'aurait fait un roi.

– Très bien. Sois de retour à 10 heures.

– Je le serai. *Grazie.*

Je passai la porte d'entrée en vérifiant que j'avais bien mes clés dans mon sac avant de sortir. Si jamais j'osais rentrer après mon couvre-feu, il verrouillerait la porte, que j'aie la clé ou non. J'avais eu mon permis de conduire, mais Père m'avait interdit d'avoir une voiture avant d'être en première, et seulement si j'avais 20 de moyenne pendant tout le reste de l'année, auquel cas il accepterait de m'en acheter une. Pour être sincère, j'aurais préféré m'en acheter une toute seule, mais ça n'était pas permis non plus. Je n'avais pas le droit de travailler, parce que cela m'aurait détournée de mes études.

Je détestais dépendre de mes parents, mais je n'avais pas le choix.

Nell et moi nous retrouvions souvent au carrefour, car il y avait parfois des garçons dans la voiture et que, s'ils étaient passés me prendre à la maison, mon père aurait eu une rupture d'anévrisme. Même si c'était en toute innocence, juste des amis qui traînent ensemble, il serait devenu fou. J'étais devenue assez douée quand il s'agissait de lui cacher la vérité en ce qui concernait mes sorties avec Nell et Jill (qui impliquaient en général la présence de Kyle et de Nick, le petit ami de Jill, ainsi que celle de Jason, assez fréquemment). On allait tous ensemble traîner au centre commercial, et quand il était l'heure de leur passer un coup de fil (je devais toujours leur passer un coup de fil au milieu de la soirée), je faisais ce qu'il fallait pour que mes parents croient que j'étais seule avec Nell et Jill. Ce rendez-vous avec Jason allait cependant être plus compliqué.

Je décidai de me préoccuper du coup de fil de mi-parcours au moment venu. Pour l'instant, il fallait que je calme mon stress. Je ne vivais qu'à un demi-pâté de maisons de l'entrée de mon lotissement, donc, ce n'était pas vraiment un long trajet. Mais quand je vis le camion de Jason garée au bord de la route, lui avec ses cheveux blonds ébouriffés et sa peau dorée, le trajet me sembla tout à coup sans fin. Chaque pas résonnait dans mes oreilles, martelait comme le tonnerre. Chaque pas semblait me faire à la fois frémir et glousser. Je me demandai s'il allait trouver que j'étais trop grosse. Je savais de façon rationnelle que je ne l'étais pas. J'étais petite avec des formes généreuses, mais j'étais en forme et je mangeais correctement. Je le savais, et la plupart du temps, j'étais en paix avec mon physique. Mais de temps en temps, en général en présence de Jason, je me mettais à complexer sur mon corps. Je savais qu'il était attiré par Nell, ce qui me forçait à me demander s'il m'avait déjà regardée, ne serait-ce qu'une fois, vu que je ne ressemblais en rien à Nell. J'étais plus petite qu'elle, plus grosse aussi. J'avais la peau mate et les cheveux noirs. Nell était grande et mince avec une peau diaphane et des cheveux d'un blond parfait. Nell était dynamique, bavarde, populaire et sûre d'elle, et moi, j'étais… rien de tout ça. J'étais calme, timide et bègue.

Mon Dieu, je savais d'avance que j'allais bégayer en présence de Jason. Je le savais, c'est tout. Il allait me rendre nerveuse ou excitée, et j'allais me laisser aller et me mettre à bégayer. J'étais déjà nerveuse, et je n'étais même pas à cinq mètres de lui. Je pris plusieurs inspirations profondes et essayai de me remettre en colère. Il était quand même gonflé. Il me devait toujours une maudite explication, mais je savais déjà que je finirais par laisser tomber au bout d'un moment. Je le ferais d'abord chier, puis je lui pardonnerais. Un jour.

J'approchai de son camion noir et défroissai le devant de ma jupe en coton gris. Jason bondit hors du véhicule, le contourna et vint m'ouvrir la portière, un point pour ses bonnes manières. Il ne dit pas un mot jusqu'à ce qu'on ait pris le virage après la rue et qu'on soit en train de rouler sur la route principale.

– Alors, dis-je. Explique.

Jason se contenta de sourire avec malice, puis alluma la radio et s'arrêta sur une station de musique country. Je grimaçai et la changeai, mais Jason fronça les sourcils et la remit.

– J'aime bien cette chanson.

Je le dévisageai.

– Je déteste la musique country.

– Est-ce que tu en as déjà vraiment écouté ? demanda-t-il.

Je soupirai en secouant la tête.

– Non, pas vraiment, dus-je admettre.

Il augmenta le volume et la musique remplit la voiture. Un nouveau morceau démarra.

– Écoute cette chanson, c'est une de mes préférées. Elle raconte une histoire vraiment incroyable.

Je fermai les yeux et me concentrai sur les paroles… *Eighty-nine cents in the ashtray, half-empty bottle of Gatorade*[1]… Je fus aussitôt accrochée par ces images simples et vives. Je m'abandonnai dans la chanson. Chaque vers, chaque strophe, chaque répétition de refrain était chanté avec une émotion poignante. *I drive your truck*[2]… mon Dieu. Je prenais tout ça de plein fouet. Je ne

1. La phrase signifie : « 89 cents dans un cendrier, une bouteille de Gatorade à moitié vide… »

2. « Je conduis ton camion… »

savais pas pourquoi puisque je n'avais jamais perdu quelqu'un de la même façon que le chanteur, mais je trouvais vraiment cette chanson émouvante.

Quand elle se termina, Jason éteignit l'autoradio.

– Alors ? Qu'est-ce que t'en penses ?

– Qui est-ce qui chantait ? demandai-je.

– Lee Brice. La chanson s'appelle *I Drive Your Truck*, si tu ne t'en étais pas aperçue en écoutant le refrain.

Il me lança un sourire malicieux.

– Alors, j'avais raison ?

Je fis oui de la tête.

– Oui. Tu avais raison. C'est une chanson très émouvante. Ça n'était pas aussi nasillard que ce à quoi je m'attendais.

Il rit.

– Tu penses à la country de la vieille école. Les trucs qui sortent aujourd'hui ne sont plus comme ça, il y a une influence plus... Je crois qu'on peut dire rock. J'aime la musique country, parce que... je ne sais pas. Ça parle de trucs. La plupart des chansons racontent une histoire, ou évoquent des choses auxquelles on peut s'identifier. Des choses qu'on peut comprendre. Je veux dire, cette chanson, de toute évidence, elle parle d'un type qui a perdu un ami cher, ou un frère, ou son père, ou un autre. C'est là, dans les paroles.

– Les paroles étaient très poétiques.

Je lui souris.

– Mets-moi quelque chose d'autre.

Il sourit avec satisfaction et ralluma la radio. Il écouta quelques notes et acquiesça.

– Celle-ci est bien aussi. (Il pointa son doigt vers moi en me regardant dans les yeux, comme s'il allait me dédier son interprétation.) Celle-ci est pour toi, Becca.

Je ne pus m'empêcher de rire.

– Tu es bizarre.

Il monta le son et hurla par-dessus les guitares :

– Je te la dédicace ! Écoute bien !

Il baissa la vitre et sortit la main, agita la tête en rythme avec la musique et en tapant sur le flanc du camion avec sa paume, toujours en harmonie. C'était le même genre de chanson, la musique en fond avec la voix du chanteur. Elle avait peut-être une influence plus pop, me dis-je, et le chanteur avait un accent country moins prononcé, mais c'était toujours une chanson country, aucun doute là-dessus. Je me concentrai sur les paroles, le chanteur s'adressait à une femme et lui disait qu'elle n'avait pas besoin de faire tous ces trucs gentils et sexy, mais que bon sang ça serait quand même cool qu'elle les fasse. C'était une chanson intelligente, romantique et sincère.

Quand le morceau fut terminé, Jason baissa un peu le volume, tandis qu'un autre démarrait.

– Tu as aimé celle-là ? C'était *Sure Be Cool If You Did,* de Blake Shelton.

– C'est pas le type de l'émission de télé *X-factor,* ou *The Voice,* ou un truc comme ça ?

– Ouais. C'est celui de *The Voice.*

Je le fixai.

– Et de toute façon, pourquoi me dédier une chanson ?

Il rougit et détourna les yeux, continuant à me jeter des regards en coin tout en conduisant.

– Je ne sais pas. Je l'ai fait, c'est tout. Ça m'a semblé… approprié, je suppose. Toi et moi, et notre rendez-vous ?

Je soupirai.

– Tu ne m'as toujours rien expliqué du tout.

Il fit les gros yeux et se frotta la joue.

– Je sais, je sais. J'ai juste… tu es avec moi, maintenant, et je m'amuse. Pourquoi tout gâcher par une conversation sérieuse ?

Je lui lançai un regard du type *t'es sérieux, là ?.*

– Parce que la seule raison pour laquelle j'ai accepté de sortir avec toi, c'est parce que tu m'as promis une explication.

– Très bien. (Il baissa la radio.) Voilà. Apparemment, tous les habitants de cette ville, jusqu'au dernier, savaient que j'avais le béguin pour Nell. (Je notai son emploi du passé, mais ne l'interrompis pas.) Eh bien, hier, à l'entraînement, les mecs ont commencé à se foutre de ma gueule à ce sujet.

– Ce n'est pas très gentil. Ne sont-ils pas supposés être tes coéquipiers ?

Il me fixa comme si j'avais dit quelque chose d'incompréhensible.

– Ce *sont* mes coéquipiers. C'est un truc de mec, je suppose. On se cherche les uns les autres. C'est juste… c'est juste comme ça.

J'allais ouvrir la bouche pour poser une question, mais il leva la main pour m'arrêter.

– Je croyais que tu voulais que je t'explique ? Alors, tais-toi une seconde. Ils se foutaient de ma gueule, parce que j'avais le béguin pour Nell depuis toujours, mais que je n'avais jamais rien fait à ce sujet. Donc, bon, Frankie et Malcolm ont parié chacun cent dollars que je n'étais pas capable d'inviter Nell à sortir le le lendemain. Bref, on ne peut pas vraiment refuser ce genre de pari, donc je l'ai invitée. Je veux dire, j'en avais envie de toute façon, et comme ça j'ai gagné un peu d'argent par la même occasion.

– Mais l'aurais-tu invitée, si tes amis n'avaient pas fait ce pari ?

Jason ne répondit pas tout de suite.

– Probablement pas.

– Pourquoi pas ?

Il soupira.

– C'est flippant, tu sais ? Je veux dire inviter quelqu'un à sortir, c'est déjà stressant en soi, mais quand tu as eu des sentiments platoniques pour une personne depuis si longtemps, et qu'elle n'en a pas la moindre idée, c'est terrifiant.

– Reconnaîtrais-tu avoir peur ? demandai-je pour me moquer de lui.

Il me lança un regard noir.

– Oh que oui, putain. Mais je l'ai quand même fait. C'est ça, le courage, tu sais : avoir peur et faire ce qu'on a à faire de toute façon. C'est ce que mon père m'a dit, et je crois qu'il a raison.

Son visage s'assombrit quand il mentionna son père, et sa main se serra sur le volant.

– Mais putain, oui. J'avais peur quand je l'ai invitée. Je tremblais.

Je ris.

– Je n'y ai vu que du feu. Tu avais l'air aussi sûr de toi que d'habitude.

Il me regarda avec sincérité.

– Sûr de moi ? J'ai l'air d'être sûr de moi, d'habitude ?

Je fis oui de la tête.

– Ouais. Tu donnes l'impression que le monde t'appartient. Que rien ni personne ne te fait peur. (Je grattai le vernis écaillé turquoise de mon pouce.) Je ne sais pas comment tu fais. Comment tu arrives à être comme ça.

Il secoua la tête.

– Ce n'est pas volontaire. Je veux dire mon air sûr de moi. Je ne le suis pas, la majeure partie du temps, pour être sincère.

Je lui lançai un autre de mes regards.

– Tu veux dire que tu fais semblant ?

Il haussa les épaules.

– Parfois, oui. Souvent, à vrai dire. Je suis comme tout le monde. Il y a des choses qui me font peur, j'ai des secrets, des complexes, ce que tu veux. Tout le monde a ça. Peut-être que je cache mieux les miens.

Je ne répondis pas tout de suite. L'idée d'un Jason Dorsey complexé ou effrayé avait pour moi quelque chose de presque comique, voire d'absurde. Il n'hésitait jamais, ne doutait jamais de lui. Il était toujours plein d'aplomb, dans le contrôle, sûr de lui. Il savait qui il était, il connaissait ses talents et il savait que les gens l'appréciaient. Tout l'inverse de moi, pour résumer.

– Peut-être que oui, dis-je. Mais revenons à nos moutons. Comment en es-tu arrivé à m'inviter, moi?

Jason se tortilla sur son siège.

– Bref, je me pointe devant chez Nell pour notre rencard, et là mon téléphone sonne. Je réponds en pensant que c'est Kyle, vu que son nom est inscrit sur l'écran. En fait, c'était Nell qui annulait le rendez-vous. Apparemment, Kyle et elle se sont disputés, ce qui leur a fait réaliser qu'ils étaient faits l'un pour l'autre, ou une connerie mélodramatique du genre. Je ne sais pas. Tout ce que je sais, c'est que j'étais plutôt énervé, tu comprends?

Il me regarda, puis détourna les yeux comme s'il était sur le point de dire quelque chose d'embarrassant.

– Et puis là, Nell me dit que je devrais t'inviter, toi, à dîner. Pour information, je lui ai dit que tu allais réagir exactement comme tu as réagi. Elle était genre «Oh, contente-toi de lui dire ce qu'il s'est passé, ça ira». Donc, ce n'est pas comme si je m'étais pris un vent par Nell, et que je m'étais dit «Oh, et Becca, tiens, elle est presque aussi bien que Nell».

J'eus un soupir amer. C'était exactement l'impression que j'avais.

– Ah non? Alors, qu'est-ce que tu t'es dit?

Il ne répondit pas pendant un long moment. Après cinq bonnes minutes d'un silence inconfortable, il gara le camion sur le parking en face de chez Bravo. Il descendit et m'ouvrit la portière, puis la porte du restaurant. Mon cœur s'arrêta quand il posa sa main sur le creux de mes reins pour me guider à travers le hall d'entrée. Aucun de nous ne parla jusqu'à ce que l'on soit assis à une table ronde pour quatre, avec une corbeille de pain et une coupelle d'huile d'olive devant nous.

Après avoir passé commande, je lançai à Jason un regard sérieux.

– Tu ne m'as pas répondu. Qu'est-ce que tu t'es dit?

Jason refusait de me regarder.

– Je ne sais pas. Plein de choses. Je me suis dit que j'étais vexé, pour commencer. Je veux dire, je craque pour Nell depuis qu'on est gamins. Elle ne l'a jamais su, et elle ne le saura donc jamais. Elle et Kyle vont, genre… parfaitement ensemble, tu vois ? Elle m'a planté sans la moindre hésitation. Ça m'a fait mal. Puis elle m'a dit de t'inviter, toi, à sa place et là, je me suis mis à voir les choses différemment. Au début, c'était juste un « pourquoi pas ? ». Et, oui, j'ai conscience que ce n'est pas ce que tu as envie d'entendre, et je suis désolé. Tu voulais la vérité, la voilà.

Il trempa son pain dans l'huile d'olive, l'enfourna dans sa bouche, mâcha et avala avant de continuer. J'étais fascinée par la façon dont sa mâchoire bougeait, les lignes carnassières qui ressortaient, le mouvement assuré de ses mains, le vagabondage constant de ses yeux, qui passaient de la table à la porte puis se posaient sur moi.

– Mais plus j'y réfléchissais, plus je réalisais un truc. J'ai réalisé que je m'accrochais à l'idée d'avoir le béguin pour Nell. Et, sérieusement, le béguin, qu'est-ce que ça veut dire, de toute façon ? Elle ne m'a jamais remarqué parce qu'elle a toujours été amoureuse de Kyle. Ils sont juste absorbés l'un par l'autre. Il n'y avait peut-être rien de romantique jusqu'ici, mais ils ont toujours été ensemble. Donc, je crois que quelque part j'étais simplement amoureux de l'idée qu'elle me remarque, parce qu'elle ne l'avait jamais fait et qu'elle ne le ferait jamais.

– Et maintenant ?

Je sirotais mon Coca en attendant sa réponse. Si elle ne me plaisait pas, j'étais prête à déguerpir et à rentrer à pied. J'étais à deux doigts de ne plus pouvoir gérer cette situation, de toute façon.

J'avais l'impression qu'il me voyait, moi et ce que j'étais vraiment, et ça, c'était très dangereux pour mon bien-être psychique. J'avais presque envie qu'il n'ait pas envie de moi, parce que cela m'aurait obligée à faire quelque chose.

– Et maintenant ? (Jason fit tourner les glaçons de son verre avec sa paille.) Maintenant, je vois les choses un peu différemment.

J'ai pensé à toi, et je suppose que je me suis rendu compte que je ne te connaissais pas vraiment. On a fréquenté les mêmes personnes toute notre vie, non ? Et, bon, tu es une des meilleures amies de Nell, mais, pour Nell, à peu près tout le monde passera toujours après Kyle. Bref, j'ai réalisé que je ne te connaissais pas et que j'aimerais bien apprendre à le faire. Soit, je sais que tu es très intelligente, genre plus intelligente qu'à peu près tous les gens que je connais. Et je sais aussi que tu es vraiment très belle. Mais je ne sais pas grand-chose d'autre. Je crois que tes parents sont des immigrés, mais je n'en suis pas sûr. Je sais qu'il t'arrive de bégayer. Mais sincèrement, c'est tout.

Il me trouvait belle ? Je dus me concentrer sur ma respiration pour garder mon calme.

Je ris.

– Je ne suis pas sûre que le terme « immigrés » soit politiquement correct, Jason.

J'étais fière de moi, j'avais réussi à dire ça de façon détachée et sans bégaiement. J'étais encore toute retournée par son commentaire désinvolte sur le fait de me trouver très belle.

Il haussa les épaules.

– Tu sais ce que je veux dire. Ils ont quitté un autre pays pour venir vivre ici. (Il agita vaguement un bout de pain.) Immigré, ce n'est ni une bonne ni une mauvaise chose. C'est juste comme ça.

– Mon père est italien. Il vient d'une ville portuaire appelée Brindisi, qui fait partie de la province des Pouilles.

– C'est près de Rome ? demanda Jason

Je me mis à rire.

– Non, c'est à l'autre bout du pays, plus au sud. Il a débarqué ici à trente ans, et il a rencontré ma mère en sortant de l'aéroport de LaGuardia.

– Et ta mère, elle vient d'où ? D'Italie ?

Au même instant, le serveur posa nos assiettes sur la table, et je pris avec plaisir une bouchée de mon plat avant de répondre.

– Non, ma mère est de Beyrouth, au Liban. Elle a déménagé ici en même temps que mon père, mais elle était beaucoup plus jeune, elle avait à peine vingt-trois ans. Ils sont tombés amoureux et se sont mariés dans l'année. Ils ont fini par s'installer ici juste après ma naissance. Mon frère aîné, Benjamin, est né à New York, où il a passé les trois premières années de sa vie.

Jason avait arrêté de manger, il me regardait.

– Tu es arabe ?

– À moitié. (Je posai ma fourchette.) Pourquoi as-tu l'air aussi surpris ?

Il haussa les épaules.

– J' sais pas. Je crois que je n'avais pas vraiment réalisé. Tu parles les langues respectives de tes parents ?

Ce fut à mon tour de hausser les épaules en détournant les yeux.

– Ouais. C'est compliqué, mais nous parlons tous les trois langues. Ma mère parle l'italien presque aussi bien que l'arabe et l'anglais, mon père parle surtout l'italien, mais se débrouille dans les deux autres. Ben et moi parlons les trois. Mes parents ont insisté pour qu'on apprenne leurs langues maternelles. Et puis on part tous les ans en vacances en Italie et au Liban, pour voir la famille.

Il me regarda, bouche bée.

– Attends. Putain, tu parles *trois* langues ?

Il avait dit ça si fort que les gens autour de nous se retournèrent pour nous regarder.

– T'as besoin de crier ? demandai-je, la voix basse mais intense.

– Désolé, bafouilla-t-il.

– Hé oui, pour information, putain, je parle trois langues.

Les yeux de Jason paniquèrent quand il m'entendit jurer, ça le surprenait, apparemment.

– Et, oui, je peux dire « putain » dans les trois langues. Je peux, et je le fais. Ce n'est pas parce que je suis timide et que je bégaie que je n'aime pas dire de gros mots.

Jason fronça les sourcils en me regardant.

– Ce n'est pas ça qui me surprend. Tu as juste l'air… d'une fille bien. Le genre de personne qui ne dirait pas « putain » du tout. Pas parce qu'elle ne peut pas, mais parce qu'elle ne le veut pas. Je suis en réalité un peu vexé que tu croies que c'est l'idée que j'ai de toi.

Je sentis mes joues rougir d'embarras.

– Je suis désolée. C'était juste une supposition un peu hâtive. C'est juste que c'est ce que la plupart des gens pensent. Ils ne m'entendent jamais parler, ou seulement quand je suis énervée et que je bégaie. Alors ils pensent que je suis stupide ou un truc du genre, malgré le fait que j'aie 20 de moyenne, que je parle trois langues et que j'aie déjà validé des cours à l'université.

Jason me fixa de nouveau.

– Des cours à l'université ? Comment ça ?

J'agitai la main.

– Je suis des cours avancés. Mes parents n'ont pas voulu que je saute de classe, mais ils se sont arrangés avec la direction de l'école. Je suis toutes sortes de cours. Je suis le cours de terminale de littérature en ce moment, et ça compte pour la fac. Je participe aussi à la coopérative de l'université publique. J'y vais tous les mardis matin au lieu d'aller au lycée, et je prends un cours là-bas. C'est compliqué, et ce n'est pas une conversation très intéressante. Ça veut juste dire que j'ai une tonne de foutus devoirs.

– C'est impressionnant, Becca.

Il avait l'air sincèrement impressionné.

J'essayai de passer à autre chose, un peu gênée par son attention.

– Pas vraiment. Mes parents sont convaincus qu'il faut exploiter ce qu'on nous a donné. Il semblerait que je sois très maligne, alors je dois me surpasser. Être la meilleure ne suffit pas. Si je réussis à être la meilleure, je dois passer au niveau supérieur.

Le visage de Jason s'assombrit.

– Je connais ça, crois-moi.

– Tes parents te poussent aussi pour réussir à l'école? demandai-je.

Il ne m'avait jamais paru être du genre studieux. Non pas qu'il soit stupide, juste pas un type très scolaire.

Il se mit à rire.

– Ça va, n'aie pas l'air si surprise. Mais non, pas de la même manière que les tiens. Mon père exige que je sois parfait en tout. Et je dis bien en tout. J'ai vingt de moyenne aussi, mais je ne suis que les cours de seconde, rien d'autre, donc ce n'est pas aussi impressionnant que toi. Ça fait juste partie de notre accord. Je parlais du foot, c'est pareil pour moi. Ça ne suffit pas que j'aie intégré l'équipe première du lycée dès mon entrée en troisième[1] – ce qui est rare, soit dit en passant. Il faut que je batte les records de l'école, ceux pour les passes réceptionnées et les *touchdowns*. Et ça, ça ne suffit pas non plus. Non, il faut que je batte les records du comté. *Va plus loin, Jason.*

Sa voix devint plus grave et ses yeux se glacèrent quand il tenta d'imiter son père.

– *Arrête de te contenter d'être le second meilleur, espèce de petite merde. Joue plus fort. Bats le record de l'État, Jason.*

Je sentis quelque chose se serrer en moi en voyant la souffrance évidente qui imprégnait son visage.

– Il te dit ça? Ton propre père?

– Oui, mon père.

Il avait l'air de trouver le mot «père» drôle, d'une certaine façon, mais ça n'enlevait rien à la noirceur de son regard.

– Ouais. Il dit tout le temps ce genre de conneries. Peu importe. C'est un con, mais c'est aussi grâce à lui que je vais

---

1. Aux États-Unis, le lycée dure quatre ans. Techniquement, il commence donc en classe de troisième.

battre le record national du plus grand nombre de réceptions pour un joueur du lycée.

– Ah bon ?

Il explosa de rire.

– Ouais. Le record est détenu par Davis Howell qui, entre 2009 et 2012, a réceptionné 358 passes. C'est ce que dit le livre des records de l'association sportive de l'académie nationale des lycées, que mon père consulte quasi quotidiennement. Je n'en suis même pas à la moitié de ma deuxième saison, et j'en suis déjà à 150 passes réceptionnées. J'ai besoin d'une moyenne minimale de six réceptions par match pour battre le record, et je le fais sans problème. Je viens de rentrer en seconde, donc il me reste jusqu'à juin, plus mes années de première et de terminale. Mais ça, ça ne concerne que ce record-là. Mon père a des vues sur celui de meilleur receveur en distance parcourue. Lequel, soit dit en passant, est détenu par Dorial Green-Beckham, de Springfield, Missouri, avec 6 356 yards de distance. Pour le battre, il faut que j'aie une moyenne de 115 yards par match. Ce qui est absurde. Ce seraient des stats de joueurs pros, Becca. Les gamins qui battent ce genre de record, ils sont sélectionnés en NFL (National Football League) dès le premier tour. Ce sont les futurs vainqueurs du trophée Heisman[1]. Je suis… bref, je suis pas mauvais. Je peux le faire. Je dois le faire.

Je pouvais réellement l'entendre se motiver lui-même, essayer de se convaincre en prononçant ces mots.

Je n'avais pas la moindre idée de la différence entre les réceptions et la distance parcourue, ni de ce qu'était un premier tour de sélection, mais je pouvais voir la panique dans ses yeux. Et je pouvais reconnaître la détermination pure et dure de quelqu'un à qui on avait donné un objectif, et aucun autre

1. Le trophée Heisman est remis chaque année depuis 1935 au meilleur joueur universitaire de football américain.

choix que celui de l'atteindre. Je pouvais la voir, parce que je la voyais chez moi tous les jours.

– Et que se passerait-il si tu n'y arrivais pas ? demandai-je.

Son visage se ferma, ses traits étaient durs, glacés.

– Ce… n'est pas une option.

– Je n'aime pas ce genre de discours, Jason. Qu'est-ce que tu entends par « ce n'est pas une option » ? Il faut que tu battes le record national, ou alors quoi ?

Il ne répondit pas, il se contenta de picorer son poulet à la parmesane.

– Jason ? Ou alors quoi ?

Je me penchai en avant pour tenter de l'obliger à croiser mon regard.

Il leva les yeux d'un coup, et la haine qui s'y trouvait me fit reculer de peur.

– Ou rien, Becca. Je vais le battre. Parce qu'il le *faut*, d'accord ? C'est tout.

Il détourna les yeux, et je ne savais plus exactement quoi dire, quoi penser.

– Je suis désolé. Je… c'était… Je suis désolé. Je reviens tout de suite.

Il bondit sur ses deux pieds et se réfugia aux toilettes, me laissant avec une assiette de pesto à moitié mangée et aucun appétit.

On ne se contentait pas de le motiver, on le poussait si fort que ça le consumait. Je ne m'en serais jamais doutée. J'avais assisté à tous ses matchs, étant donné que Nell et Jill m'y traînaient chaque fois avec elles. Kyle, c'était le quarterback, la star de l'équipe, étincelant, beau, un demi-dieu parfait. Et le petit ami de Jill, Nick, faisait également partie de l'équipe, mais c'était un des attaquants, ceux qui se bagarraient contre la ligne offensive de l'équipe adverse. J'avais passé ma vie à regarder Jason jouer, et il avait en général l'air de s'amuser, comme s'il était dans son élément quand il était sur le terrain, comme s'il n'y avait pas d'autre endroit où il aurait préféré être. Je voyais désormais les choses sous un autre angle, à n'en pas douter.

Jason revint et semblait avoir repris le contrôle de lui-même. Il s'assit et effleura le dos de ma main avec la sienne.

– Je suis désolé d'avoir pété un câble, Becca. Ce n'est rien, vraiment. Ouais, mon père me pousse beaucoup, mais c'est pour la bonne cause. Ça me rend meilleur. Ne t'en fais pas, d'accord ?

Je savais reconnaître un mytho quand j'en voyais un.

– D'accord. Tout ça, c'est des conneries, mais je vais fermer les yeux pour cette fois.

Il sourit, et le Jason arrogant et sûr de lui réapparut.

– Alors, assez parlé de moi et de football. Dis-moi quelque chose te concernant.

– Comme quoi ? demandai-je, nerveuse.

– Comme je ne sais pas. Quelque chose que personne ne sait.

Je cherchai quelque chose d'anodin à lui raconter.

– J'ai les doigts anormalement souples.

Je pliai ma main à l'envers, en appuyant avec la paume de l'autre, afin que mes doigts touchent le dessus de mon avant-bras. Jason grimaça. Il grimaça encore quand je pliai mon pouce en deux.

– Ça aide pour le piano d'avoir des doigts agiles.

– Tu joues aussi du piano ? demanda-t-il.

– Ouais. Depuis que j'ai quatre ans. Je dois m'entraîner au moins deux heures par jour.

– Ça, plus les options et les cours de fac.

– Et n'oublie pas l'orthophonie.

– Quoi ?

Il se figea, la fourchette à moitié dans sa bouche.

– Mon handicap de langage. Les bégaiements. C'est pas comme si je m'étais réveillée un matin et que j'avais décidé de ne plus bégayer. Je vais chez l'orthophoniste deux fois par mois. Je dois constamment bosser pour ça.

Il pencha la tête sur le côté.

– Bosser comment ?

Je secouai la tête.

– Tu n'as pas envie de savoir.

Il sourit, pas de façon éclatante ni arrogante, un sourire doux et timide qui fit fondre quelque chose à l'intérieur de moi. J'avais fait des efforts pendant tout le dîner pour garder le crépitement de mon cœur sous contrôle, pour juste profiter du moment que j'avais l'opportunité de passer avec Jason sans rien attendre de particulier, mais ce sourire… il me donnait l'impression qu'il m'aimait bien. Comme si tout ça pouvait devenir quelque chose.

– Si, j'ai envie de savoir, dit-il en prenant ma main et en caressant mon pouce avec le sien.

Il y avait quelque chose d'intime dans son geste. Chaque pore de ma peau frissonna, mon cuir chevelu se hérissa, mon cœur martela. Je retirai ma main et enroulai une boucle de cheveux autour de mon index.

Je mis de l'ordre dans mes idées pour tenter de construire une réponse qu'il comprendrait.

– Bon. Pour être sincère, il y a beaucoup à dire. J'ai eu toute ma vie pour y réfléchir. Certains gamins bégaient quand ils sont jeunes puis s'en défont en grandissant. Pour eux, ce n'est qu'une difficulté dans le processus d'apprentissage de la langue. Pour d'autres comme moi, c'est une lutte éternelle, quelque chose dont je ne me débarrasserai jamais vraiment.

Jason était concentré et intéressé, il jouait avec sa paille en me regardant.

– Et est-ce qu'ils savent ce qui cause les bégaiements ?

– *Ils*, dont je ferai un jour partie, ne savent pas exactement, juste qu'il s'agit d'une combinaison de plusieurs facteurs. On dit que c'est à la fois génétique et environnemental. Il y a des preuves qui montrent également des différences dans la structure du cerveau. Ce n'est pas une indication du niveau d'intelligence, comme ne l'est pas la dyspraxie infantile, qui est un autre type de trouble du développement.

Jason se recala sur sa chaise, il avait l'air ébahi.

– Tu en sais vraiment beaucoup sur le sujet. On dirait… Je ne sais pas, un docteur ou un truc comme ça.

Je souris timidement.

– Eh bien, vu que je souffre moi-même de bégaiement, j'ai décidé il y a longtemps que je devais savoir de quoi il s'agit. J'ai prévu de me spécialiser en orthophonie à la fac, puis d'intégrer un troisième cycle pour éventuellement devenir chercheuse. Je veux trouver de nouvelles façons d'aider les enfants qui bégaient à s'en sortir, à défaut de trouver une solution miracle.

– Donc, tu vas vraiment devenir médecin ?

J'acquiesçai.

– Oui, assurément. Je sais depuis que j'ai onze ans que je veux faire le même métier que Mme Larson, mon orthophoniste. Il n'y a pas de mots pour dire à quel point elle m'a aidée. Pas seulement des techniques de diction, mais elle m'a appris à avoir confiance en moi malgré mon bégaiement.

Je m'arrêtai, je n'étais pas sûre de devoir partager ce que j'allais dire, mais quelque chose chez Jason m'attirait, me faisait avoir confiance en lui.

– C'est Mme Larson qui m'a suggéré d'écrire pour exprimer mes sentiments.

– Qu'est-ce que tu écris ? demanda Jason.

Je haussai les épaules en faisant tourner une boucle serrée entre mes doigts.

– Des trucs. Ce que je pense, ce que je ressens. Des choses que je ne peux pas forcément dire, ou n'ose pas dire.

– Donc, c'est genre un livre ? Ou de la poésie ?

Je me tortillais sur ma chaise. Nell savait que j'avais des carnets de poésie, mais même elle ne les avait jamais vus. Je connaissais à peine Jason, et tout ça devenait extrêmement intime et très difficile. Ses yeux vert pâle me transperçaient, ils étaient comme des lacs de jade baignés de soleil et me faisaient révéler mes secrets, dire des mots que je n'avais pas eu l'intention de prononcer.

– De la poésie, dis-je d'une voix à peine audible. Mais pas comme des sonnets de Shakespeare en rimes qui parlent de fleurs ou de trucs comme ça. C'est différent. Je crois qu'on appelle ça des « vers libres ». Juste des mots sur la page comme ils me viennent.

Mon cœur battait à cent à l'heure, j'avais la nausée.

Il se contenta de me sourire.

– Je trouve ça cool. J'aimerais être capable de faire ça. Écrire de la poésie ou quelque chose comme ça. Les mots, c'est pas vraiment mon fort, surtout à l'écrit. J'arrive à mettre mes idées en ordre dans ma tête, mais elles ne finissent jamais comme je l'avais imaginé sur le papier.

Il balança sa serviette dans son assiette et la repoussa, mais à aucun moment ses yeux ne quittèrent les miens.

– Tu me feras lire un truc que tu as écrit, un jour ?

Je me tortillais sur ma chaise.

– Je ne sais pas. C'est un peu un journal intime pour moi, tu comprends ? C'est... vraiment personnel. Ce n'est pas que je ne te fasse pas confiance, Jason. C'est...

Je sentis l'angoisse m'envahir, ce qui menaçait sérieusement ma capacité de parler.

– C'est, c'est... je ne l'ai jamais fait lire à personne. Pas même à Nell. A-a-alors, je ne sais pas. Je s-s-suis, je suis désolée.

Mon visage entier était rouge de honte, j'avais les yeux fermés et la tête penchée en avant. Je sentis un doigt hésitant repousser une boucle de mes cheveux, puis mon visage se redressa, délicatement soulevé par la main de Jason.

– Hé, tout va bien ! Ce n'est pas grave. Si c'est personnel, c'est personnel.

J'entendis le sourire dans sa voix, à quel point il voulait que je comprenne que tout allait bien pour de vrai.

– Vraiment, Becca, ne t'en fais pas. Je n'avais pas réalisé que c'était comme un journal intime. Je ne t'aurais jamais demandé ça, sinon.

Je ne pus que hausser les épaules et me concentrer sur ma respiration. Une fois que je fus assez calmée pour parler sans me couvrir de honte, je m'efforçai de le regarder dans les yeux. La compréhension et la compassion dans son regard vert étaient si palpables qu'elles parvenaient jusqu'à moi.

– Merci, dis-je.

Il se contenta d'un mouvement de main.

– Nan, je n'aurais rien dû demander.

Il regarda autour de lui et fit signe au serveur.

– Tu veux un tiramisu, un cheesecake ou autre ?

– J'adorerais un cheesecake, dis-je en souriant.

C'était ma faiblesse. Je ne pouvais simplement pas refuser, même si cela signifiait vingt minutes de plus sur le tapis de course dans mon sous-sol.

Jason sourit avec bonheur.

– Est-ce que j'ai l'air d'un connard si je dis que je suis content que tu ne sois pas le genre de fille qui mange comme un moineau ? Que tu aimes manger et que tu apprécies, ça me plaît. Je suis un *foodie*, et le dessert a toujours été mon moment préféré.

– Un *foodie* ? demandai-je – je n'avais jamais entendu cette expression.

Il haussa les épaules.

– J'adore la nourriture. J'adore manger. Je m'entraîne tellement qu'il me faut beaucoup de calories. Mon père mangerait à peu près tout ce qu'on pose sur la table, et ma mère serait capable de cramer une casserole d'eau. C'est donc surtout moi qui fais la cuisine à la maison.

Son regard se durcit quand il mentionna son père, et je me rendis compte que c'était sans doute un réflexe qu'il avait à chaque fois.

– Quel est le plat que tu préfères cuisiner ?

Il y réfléchit quelques secondes.

– C'est une bonne question. Je fais beaucoup de pâtes, parce que c'est plein de glucides, mais je peux varier les viandes que j'ajoute, quand je veux une protéine supplémentaire. Et puis à peu près tous les légumes se marient avec les pâtes. J'adore aussi les barbecues. On dit que je pourrais faire des steaks hachés au gril même sous la neige, emmitouflé dans mon manteau, mes gants et tout le tralala.

Il se mit à rire de lui-même, et je ris avec lui, imaginant sans difficulté Jason en train de bondir dans la neige avec un bonnet et des gants épais, en attendant que les steaks soient saisis sur le gril.

Le cheesecake arriva, et, toute conversation cessante, on s'attaqua à cette montagne succulente chapeautée de fraises. Elle fut avalée en quelques minutes. Jason paya l'addition, me tint à nouveau la porte du restaurant et attendit que j'aie rabattu ma jupe sur le siège avant de refermer celle du camion. Il sortit du parking, alluma la radio et baissa les vitres pour laisser pénétrer la brise chaude de cette fin d'été.

– C'est mon groupe préféré, hurla-t-il par-dessus la musique et le vent. Zac Brown Band. La chanson s'appelle *Whatever It Is.*

Je sortis un élastique de mon sac et attachai mes cheveux afin que le vent ne les emmêle pas, puis fermai les yeux et laissai la musique m'envahir. Il ne me dédicaça pas ce morceau, Dieu merci, mais je pouvais sentir son regard sur moi, en alternance avec la route, tandis qu'il conduisait. Je réalisai après quelque minutes que nous n'étions pas sur le chemin de la maison. On roulait sur une route de bitume à deux voies, loin de tout, la brume du soir passant d'un doré sombre à un gris profond.

– Où va-t-on ? demandai-je.

Il haussa juste les épaules.

– Je ne sais pas. Par là. (Il montra du doigt la route devant nous avec un sourire narquois.) On roule, c'est tout.

J'acquiesçai et laissai ma main droite pendre par la fenêtre, puis posai la gauche sur l'accoudoir entre nous deux. On passa à une autre chanson, une ballade lente et fatiguée. Jason la laissa passer, mais sans me dire de qui il s'agissait ni le titre. Je réalisai que je m'en moquais. C'était une musique parfaite pour un rendez-vous, douce et romantique. La proximité de Jason allumait en moi un brasier. Sa main pendait par la fenêtre comme la mienne, il conduisait de l'autre. Il ralentit et tourna sur une route étroite et poussiéreuse avec des arbres plantés le long de celle-ci. On voyait des champs s'étendre derrière les arbres, la route était sinueuse, en zigzag, le gravier rebondissait contre les enjoliveurs et la poussière recouvrait les rétroviseurs extérieurs.

Mon cœur palpita quand Jason changea de main sur le volant, posant ainsi sa main droite sur l'accoudoir à quelques centimètres de la mienne. Je me demandai s'il allait prendre ma main et ce que j'allais faire s'il le faisait. J'étais convaincue que sa main serait chaude, rugueuse et puissante. Je pouvais presque imaginer mes petits doigts sombres entremêlés aux siens, plus clairs et bronzés. Mon cœur se mit à battre, j'étais incapable de quitter sa main des yeux, main, comme par magie, plus proche de moi qu'une minute auparavant. Je vis les yeux de Jason chercher les miens, puis se baisser vers nos mains, puis sur la route à nouveau. Son pied gauche tremblait comme un fou, et sa main tapotait le volant en rythme avec une chanson de Carrie Underwood.

Je voulais lui tenir la main. Plus rien d'autre n'avait d'importance. Je ne savais pas exactement où on était, où nous allions, ni quelle heure il était, et je m'en moquais. Je tournai la tête pour croiser son regard et puis, en prenant une grande inspiration, je glissai ma main sous la sienne. Ses yeux s'écarquillèrent et son souffle se fit court, mais il n'hésita pas à refermer ses doigts entre les miens. Il sourit, et tout devint encore mieux que pas mal.

Il conduisit jusqu'à ce qu'il fasse complètement nuit, alternant chansons country et discussions. Jason me raconta son rêve de devenir joueur professionnel, en échange je lui racontai mon plan d'études pour ma carrière d'orthophoniste. On parla de l'école, des différentes bandes, et je réalisai que nous étions tous les deux dans le groupe des populaires seulement parce que nos amis l'étaient. Je n'arrivais pas à le croire, quand Jason m'expliqua qu'il avait appris à être direct pour ne pas se faire totalement bouffer par l'ombre de Kyle.

– Tu vois, Kyle ne le fait pas exprès, d'être sous le feu des projecteurs, dit Jason. Il est simplement comme ça. C'est une de ces personnes qui focalisent toujours l'attention sans rien faire pour ça. Je ne sais même plus à quand remonte notre amitié. Le CP, peut-être ? Depuis toujours. Ç'a a toujours été comme ça. Il m'est arrivé d'être super frustré, parce que tout le monde voulait être avec Kyle, être son ami, voulait son attention, parce qu'il est tellement cool. Moi, je n'étais pas ce genre de gamin. J'ai dû apprendre à m'imposer, à parler assez fort pour qu'on m'entende, tu comprends ? Juste pour ne pas fondre sous les rayons éclatants de Kyle Roi-Soleil.

– Entendrais-je une pointe d'amertume dans ta voix ? dis-je pour me moquer.

Il rit.

– Nan. Pas du tout.

Son ton était plein de sarcasme.

– Non, mais vraiment, Kyle est mon frère. Je ferais n'importe quoi pour lui. Peu importe ce dont il s'agit, il s'organise toujours pour que nous fassions tout ensemble, lui et moi. Mais c'est parfois difficile d'être le meilleur ami de la star de la ville.

J'acquiesçai.

– Je sais ce que tu veux dire, Nell est comme ça. Elle ne s'en rend même pas compte, pour elle, c'est naturel d'être cool, tout le monde l'aime. Elle est populaire et ne le sait même pas.

Il faisait nuit noire tout à coup, et on tournait de Jason nous frayant un chemin dans l'obscurité. La panique m'envahit soudainement, quand je réalisai que je n'avais pas la moindre idée de l'heure.

Je fouillai frénétiquement dans mon sac à main, puis laissai violemment retomber ma tête sur l'appuie-tête en regardant l'écran : 22 h 10.

– Merde, merde, me-me-*merde*!

Je sentis monter les larmes.

– Arrête la voiture. Arrête, s'il te plaît. Tout de suite.

Jason dérapa jusqu'à l'arrêt du véhicule et me regarda avec inquiétude.

– Qu'est-ce qui ne va pas ?

J'avalai avec difficulté.

– Je... je n'ai pas dit à Père que je sortais avec toi. Il pense que je suis avec Nell. J'étais censée l'appeler à 10 heures. Si je l'appelle maintenant, il exigera de parler à Nell, et il sera très en colère. Je suis vraiment d-d-dans la mouise, Jason.

– Ce ne sont que dix minutes. Où est le problème ? On fait rien de mal. On se balade juste en voiture.

Jason ne comprenait vraiment pas.

Je secouai la tête en respirant doucement pour me calmer.

– Tu n'as pas compris ce que j'ai dit. Je lui ai dit que j'étais avec Nell. J'ai *menti.*

– Pourquoi as-tu menti ?

Je haussai les épaules, je n'étais pas sûre de pouvoir lui expliquer.

– Il ne m'aurait jamais laissée sortir s'il avait su que c'était avec toi. J'ai seulement le droit de sortir avec Nell et Jill, et même dans ce cas-là, nous ne sommes pas supposées voir des garçons. S'il apprend que j'étais seule avec toi, il va me tuer. Et puis tu n'es pas le genre de type à qui il donnerait sa bénédiction, c'est sûr que non.

Je n'avais pas réfléchi à l'effet que la dernière partie de ma phrase pouvait avoir sur Jason, mais je me sentis horriblement mal en voyant l'expression de tristesse sur son visage.

– Ah non ? Je crois que je comprends. Je ne suis pas vraiment le genre de type qu'on présente à son papa, hein ?

Son ton était amer.

Je lui touchai le bras.

– Ce n'est pas ça, Jason. Je n'ai pas dit que tu n'avais pas ma bénédiction, juste la *sienne*, et absolument personne ne l'a.

Je mourrais vieille fille si ça ne tenait qu'à lui. Ne sois pas fâché.

Jason se radoucit et passa le levier de vitesse au point mort.

– Bon, assurons-nous que tu n'aies pas de problème. Appelle Nell, et puis passe en mode conférence. Peut-être que ton père pensera que vous êtes ensemble.

J'acquiesçai.

– Ça pourrait marcher.

J'appelai Nell et lui expliquai rapidement la situation et mon plan, sans lui laisser le temps d'en placer une. Elle accepta aussitôt et je composai le numéro de portable de Père, en connectant les appels avant qu'il ne réponde.

– Tu es en retard, *figlia*. (Sa voix était grave et en colère.) Où es-tu ?

– *Mi dispiace*, Père. Je suis a-a-a-avec Nell. On n'a pas fait attention à l'heure. Je suis vraiment désolée. Ça n'arrivera plus, *prometto*.

– Passe-moi Nell.

La voix de Nell envahit le combiné, elle avait l'air lointaine et fausse, ça n'allait pas marcher, je le savais, un point, c'est tout.

– C'est de ma faute, monsieur de Rosa. On regardait un film et on n'a pas fait attention. Ne soyez pas en colère contre Becca, s'il vous plaît.

– Quel film regardiez-vous ? Il avait l'air suspicieux.

– *Horizons lointains*, répondit Nell sans la moindre hésitation. Ça parle de…

– Je sais de quoi ça parle, l'interrompit mon père. Sois de retour à la maison dans vingt minutes, Rebecca. Nous parlerons de ça quand tu seras là.

Il raccrocha et le silence envahit la voiture.

Je sursautai quand mon téléphone sonna à nouveau.

– Oh, mon Dieu, dit Nell, à moitié hilare. Ton père est tellement flippant. Tu crois qu'il a gobé notre histoire ?

– Je ne sais même pas. Je suis toujours dans la mouise pour l'avoir appelé en retard.

– Alors ? Tu n'es pas avec moi, et il est presque 10 h 30. Je suppose que tu es avec Jason ?

Elle faisait sa maligne et avait l'air très contente d'elle.

– Ouais. Tu aurais pu me prévenir, tu sais.

Je laissai transparaître un peu de mon énervement contre elle.

Elle n'avait pas du tout l'air désolée.

– Tu y serais allée si je t'avais appelée avant ?

Je ne dis rien, ce qui fut une réponse suffisante pour Nell.

– Exactement. Tu aurais fait ta poule mouillée.

– Qu'est-ce qu'il se passe entre Kyle et toi, alors ? demandai-je.

– Tu n'es pas censée être chez toi dans vingt minutes ?

Elle évitait la question, et on le savait toutes les deux.

– Tu ne vas pas t'en sortir comme ça, Nell.

– Appelle-moi quand tu seras chez toi, si tu peux.

– OK. À plus.

– À plus.

Je me tournai vers Jason.

– Peux-tu me ramener ?

Il fit oui de la tête et démarra son camion.

– Bien sûr. On n'est pas si loin de chez toi, en réalité. Je n'ai fait plus ou moins que tourner en rond.

Fidèle à sa parole, il ralentit la voiture en arrivant à l'entrée du lotissement.

– Arrête-toi là, dis-je, avant qu'on n'atteigne ma maison.

Quand je descendis, Jason tendit le bras et m'attrapa la main pour m'arrêter.

– Est-ce qu'on peut se revoir un jour ?

Je fixai ses doigts forts qui entouraient mon poignet.

– Je ne sais pas, Jason. J'en ai envie, mais je ne suis pas sûre que ce soit possible.

Il acquiesça.

– Bien sûr. J'ai entendu comment il était. On se voit lundi à l'école ?

Il relâcha mon poignet, et je claquai la portière derrière moi.

Je m'arrêtai et lui lançai un regard à travers la fenêtre ouverte.

– J'ai passé une très bonne soirée, Jason. Je ne l'aurais jamais cru mais c'est le cas.

Jason sourit.

– Je crois qu'on peut remercier Nell, finalement, hein ?

Je fronçai les sourcils à son attention.

– Je n'irais pas jusque-là.

Il se contenta de rire.

– Je rigole. J'ai passé une super soirée, moi aussi. Merci de m'avoir donné une chance.

Je me retournai et lui fis un signe de la main par-dessus ma tête.

– Prends pas le melon pour autant.

– Appelle-moi ! dit-il, légèrement trop fort.

– Ça n'arrivera pas, dis-je en marchant à reculons.

– Alors envoie-moi un texto ?

Il était penché à la vitre, le buste entièrement sorti. Je lui souris avec ironie.

– Ça, peut-être. Maintenant, va-t'en, avant que je n'aie encore plus d'ennuis.

Il tapa du poing sur le toit de son camion, puis se glissa à nouveau à l'intérieur, partit en zigzaguant et en faisant quelques demi-cercles avec un léger crissement de pneus. Je secouai la tête dans sa direction en riant.

Mais je m'arrêtai complètement de rire en me retournant. Père était debout sur le trottoir, les bras croisés contre son gros torse, ses cheveux poivre et sel peignés en arrière, le premier bouton de sa chemise ouvert et sa cravate desserrée.

Mon cœur s'arrêta net. À en croire l'expression sombre et renfrognée de son visage, il avait vu Jason.

Pas bon, ça…

3

Roméo et Juliette, le retour

Becca
Octobre de la même année

– T-t-tu ne peux pas m'en-en-enfermer dans ma chambre pour toujours, Père !

J'étais debout sur le seuil de ma chambre, verte de rage, et j'avais perdu toute capacité de parler correctement.

Il était debout dans le couloir, impassible, les bras croisés contre son torse. Il plissa ses petits yeux sombres en colère.

– Si. Je le peux. Et je vais le faire. Tu m'as menti. Tu es sortie avec ce joueur de football. Je te garderai ici le temps qu'il faudra, jusqu'à ce que tu aies retenu la leçon.

Je fermai les yeux et comptai jusqu'à dix, en prenant une grande inspiration pour chaque nombre.

– Ce n'est pas j-j-j-juste. On a dîné, c'est tout. On s'est baladés en camion. Je sais que j'ai menti, et je suis désolée. Mais s'il t-t-t-te plaît, je deviens folle. Je n'ai déjà pas de vie, mais là tu ne me laisses plus rien faire.

– Ta santé mentale n'est pas en jeu, Rebecca. N'exagère pas.

Compter à nouveau jusqu'à dix, prendre à nouveau dix inspirations. Père ne me mettait jamais la pression, il attendait toujours que je sois prête à parler. Il avait bégayé lui aussi, quand il était enfant, et cela n'avait complètement disparu que quand il s'était installé aux États-Unis et qu'il avait suivi des séances d'orthophonie. Ça, au moins, c'était une part de moi qu'il comprenait.

– Je n'exagère pas, Père. L'école, ma chambre, les devoirs, le piano, l'orthophonie. C'est tout ce que je fais. Et même avant cette histoire, c'est tout ce que je faisais. Et maintenant ? Tu pourrais aussi bien m'inscrire à des cours par correspondance, et m'enfermer littéralement dans ma chambre. J'aurai dix-sept ans dans deux mois, Père. Quand est-ce que je vais enfin décider pour moi ?

– *Abbastanza, figlia.*

Il ne cria pas, parce qu'il ne criait jamais. Les mots avaient été prononcés avec calme et fermeté.

Je refermai la bouche pour couper court à mes hurlements de protestation. Serrant les poings, je refusai de me mettre à pleurer.

– Tu le regretteras, Père. Souviens-toi de ça.

Je lui claquai la porte au nez et m'assis à mon bureau, regardant par la fenêtre les arbres remuer sous la brise ensoleillée de l'après-midi.

Je plantai mes écouteurs dans mes oreilles et fouillai dans mon iPod jusqu'à ce que je trouve la chanson que je voulais, *Flightless Bird*, des Iron & Wine. C'était une chanson de la BO de *Twilight.* Depuis que j'avais découvert ce groupe, j'avais écouté en boucle toutes leurs chansons que j'avais pu trouver. J'aimais la poésie des paroles, leur son un peu étrange et la symbolique profonde de chaque chanson. *Singers and the Endless Song* commença ensuite, et je me laissai aller. Je laissai mes yeux errer par la fenêtre et j'écoutai, respirant seulement, sans parole, sans bégaiement, sans tentative échouée pour m'exprimer correctement.

Puis mon stylo se mit à noircir frénétiquement la page, comme une soupape pour mes pensées.

N'IMPORTE OÙ, SAUF ICI

Les arbres se balancent et s'amusent,
Secoués par une brise infinie et libre,
Me portant
Dans des prairies baignées de soleil
Où aucun mot ne trébuche sur ma langue maladroite,
Où aucune tension ne déborde comme la pluie du toit.
Je ne veux même pas être un oiseau,
Je veux seulement sortir,
Marcher dans l'herbe ou grimper aux arbres,
Réchauffée par le soleil, glacée par le vent ou trempée par la pluie,
N'importe où, sauf ici.
Enchaînée à cette rive immobile,
Prisonnière de la perfection,
Ennemie d'État
Pour aucun autre crime que celui
D'être une adolescente
Qui aime bien un adolescent,
Pour aucun autre crime que celui
D'avoir roulé en cercles infinis,
En écoutant des chansons country
Et le battement nerveux de mon propre cœur,
De mon pouls qui martèle et de mes nerfs qui vibrent
Comme les banjos à la radio.
Je ne peux même pas crier ma colère,
Je ne peux même pas hurler ma frustration,
Je ne peux même pas jurer,
Il n'en sortirait que de la bouillie.
V-va-va-va te faire foutre!
Va-va-va-va,
Da-da-da,
La-la-la,
Des mots enfantins bégayés,
Des syllabes trébuchantes et des cafouillages syntaxiques,
C'est moi,

La fille silencieuse,
La bègue,
La prisonnière,
La fille brillante,
La première de la classe, qui gribouille sur une feuille des sorts qu'elle ne jette à personne.

J'entendis la poignée remuer. La porte de ma chambre s'ouvrit violemment pour laisser apparaître Ben, mon frère. Il jeta un œil à ma chambre, me trouva à mon bureau et me fit un signe de tête. Ses cheveux longs, filandreux et emmêlés tombaient sur ses yeux. Il donna un coup de pied en arrière pour refermer la porte, mais l'empêcha de claquer en saisissant la poignée à la dernière seconde.

– Quoi d'neuf, Beck? (Il se laissa tomber sur mon lit et posa les pieds sur ma couette avec ses chaussures.) Toujours enfermée dans ta tour, hein?

Il balança la tête en arrière pour dégager ses cheveux de sa bouche et de ses yeux. Ses yeux étaient brumeux, troubles, rougis. Je soupirai, fermai mon carnet et tournai le dos à mon bureau.

– T'es encore défoncé, Ben?

Il haussa les épaules.

– Ouais, et alors? Je m'amuse plus que toi.

– Même les morts s'amusent plus que moi, dis-je, impassible.

Ben rit.

– C'est vrai. Même les *vieux* morts.

Je ris et m'allongeai sur le lit à côté de lui. Je rampai par-dessus pour m'installer sur le côté près du mur, en le repoussant avec mes hanches.

– T'as pas intérêt à mettre de la boue sur ma couette, Benny.

– Mais non. Et ne m'appelle pas Benny. Je déteste ça.

Il plongea la main dans sa poche, en sortit une petite pipe en verre et un briquet, se leva et ouvrit ma fenêtre en grand.

Il s'allongea à nouveau, puis fouilla dans la poche de son short trop grand et extirpa le tube en carton marron d'un rouleau de Sopalin. Chaque extrémité était recouverte d'une feuille d'adoucissant maintenue par un élastique. Il alluma le briquet et porta la pipe à ses lèvres, incendia l'herbe, prit une grande inspiration et reposa la pipe et le briquet sur son torse en se rallongeant sur le lit.

– Tu vas sérieusement faire ça dans ma chambre ? Dans la maison ? demandai-je, énervée.

Il haussa les épaules avec un sourire pincé. Il aspira par le tube et souffla la fumée âcre à travers la feuille d'adoucissant – et par la fenêtre. L'odeur de chanvre était désormais suffisamment masquée pour être à peine perceptible.

– Si Père te surprend, il t'enverra à l'école militaire, Ben. Tu le sais, n'est-ce pas ?

Ben haussa de nouveau les épaules.

– Il peut bien essayer. J'ai dix-huit ans, de toute façon, Beck. Il peut faire que dalle à part me dénoncer à la police.

Il me lança un regard en me tendant la pipe, je fis non de la tête, comme je le faisais à chaque fois, et il prit une autre longue bouffée.

– Pourquoi tu l'appelles comme ça ? demanda-t-il, les poumons pleins de fumée.

– Appeler qui, comment ?

Je me sentais un peu étourdie, et réalisai que je planais un peu, moi aussi, rien qu'au contact de ses émanations.

Il expira la fumée avant de répondre.

– Papa. Tu l'appelles encore « Père » comme si on était au putain de XVIIIe siècle, ou une connerie comme ça.

Je haussai les épaules.

– Je ne sais pas. C'est comme ça.

Ben me regarda avec irritation, balayant une mèche de ses cheveux avec l'extrémité de son briquet jaune pâle.

– Foutaises. Tu es un génie, et tout le monde le sait, Beck. Tu as une bonne raison pour tout ce que tu fais.

Je soupirai.
– D'accord. Tu veux savoir? Je l'appelle «Père» parce que ça met une distance entre nous. Pour moi, ce n'est pas mon papa, encore moins mon *papounet* ou un truc du genre. C'est mon père, alors c'est comme ça que je l'appelle. C'est un mot formel, et cela implique une relation formelle.
Ben se mit à rire.
– Cela implique une relation formelle, répéta-t-il en se moquant à moitié. Il n'y a que toi, Becca. Il n'y a que toi pour dire un truc pareil. Je ne comprends simplement pas pourquoi tu supportes toutes ses conneries. Moi, ça fait longtemps que j'ai arrêté.
– Mais toi, tu t'en fous. Moi pas. C'est ça, la différence.
Il me regarda.
– Ce qui veut dire? Je me fous de quoi?
– De toi. De l'avenir. J'ai un plan, et j'ai besoin de l'argent de Père pour le mettre à exécution. Je ne peux pas me payer les universités que j'ai besoin d'intégrer si je veux faire une thèse.
– C'est un détail. Tu ne vois pas plus loin que le bout de ton nez, dit Ben. Tu pourrais obtenir des bourses, demander des emprunts. Tu n'as pas besoin de toutes ses conneries. C'est un putain de tyran, un dictateur. Je le déteste, putain. Dès que j'ai un emploi et assez d'économies pour prendre un appartement, je me barre d'ici.
– Ce n'est pas un détail, et je vois très loin, affirmai-je. As-tu la moindre idée de ce que cela va me coûter d'obtenir mon diplôme, de faire un troisième cycle *et* une thèse? Ça dépend des universités, mais ce sont des centaines de milliers de dollars. Je devrai de toute façon faire un emprunt, mais avec l'aide de Père, au moins, je pourrais m'en sortir.
Ben se contenta de me dévisager.
– Tu t'entends parler? Déjà que pour moi tu n'as pas eu d'enfance. Quelle ado de seize ans pense à ces trucs-là? Sois

juste une gamine, meuf. Fais le mur. Roule des pelles à un garçon derrière les gradins, ou un truc comme ça. Attire-toi des ennuis et demande-moi de tabasser un mec pour toi. Arrête d'être si sérieuse tout le temps, putain.

Il prit une longue bouffée de sa pipe, puis se pencha en avant, soufflant sur mon visage avant que j'aie eu le temps de reculer.

– Fume un peu de beuh et détends-toi. On est jeunes. On a le temps. Relax, ne sois pas si sérieuse !

Je toussai en agitant la main pour dissiper la fumée.

– Bon sang, Ben, arrête d'être un trou du cul. Je vais être défoncée, maintenant. J'ai déjà essayé avec toi une fois, tu te souviens ? J'ai détesté.

Ben acquiesça, les yeux rivés au plafond.

– Oh, ouais, je me souviens, maintenant. Putain, tu m'as fait flipper ce jour-là, j'ai cru qu'Amma allait revenir depuis les morts et nous engueuler. Même si Amma était toujours vivante, et qu'elle vivait à Beyrouth à l'époque.

Je ris.

– Tu avais dit toi-même qu'ils avaient sûrement coupé l'herbe avec autre chose.

Il acquiesça de nouveau sans me regarder, appuyant sur le foyer de cendres avec son pouce.

– Ouais, meuf, je me souviens. Cette merde était puissante. T'étais si défoncée que j'avais dû te porter jusqu'à ton lit.

– J'ai vraiment détesté ça, Ben. (Je lui arrachai la pipe et le briquet des mains et les fourrai dans la poche de son short.) Et je déteste toujours ça. Je déteste ce que ça te fait. Ça influe sur ton humeur, et tu le sais. Le docteur a dit…

Ben se leva, soudain en colère.

– J'en ai rien à foutre de ce qu'a dit le docteur ! hurla-t-il. Je déteste tous ces médicaments de merde qu'ils veulent me faire prendre. J'ai l'impression d'être un putain de zombie, comme si j'étais à moitié mort. Je suis tout le temps fatigué, je perds une tonne de poids parce que je suis infoutu de manger. Je déteste ça.

Tu ne sais pas ce que c'est. Ça, ça m'aide plus. Ça m'équilibre, tu comprends ? Quand j'en peux plus et que je pète un câble, fumer, ça me fait redescendre, et quand je suis déprimé, ça me remonte le moral. Ça marche mieux que toutes ces merdes aux noms imprononçables. Putain de Zoloft, de Wellbutrin, de Xanax, de Clonazepam, de Valium et d'Ativan. C'est des conneries. Ça marche pas. Ça, au moins, ça marche, putain.

Il attrapa son attirail dans sa poche et l'agita sous mon nez. Je voyais déjà sa colère redescendre.

– Ben, tu sais que ce n'est pas vrai, dis-je, d'un ton prudent et doux.

– Je sais que je ne sais pas ce que tu vis, mais la façon dont tu le gères n'est pas saine.

Ben laissa échapper un soupir de frustration, rangea à nouveau ses affaires et se dirigea vers la porte. Tu n'es pas encore médecin, Becca, alors arrête de vouloir me guérir.

– Ben, attends. Je suis désolée. Je veux juste – juste – que tu sois heureux. C-c-c'est tout.

Il s'arrêta sur le seuil de la porte et me regarda à travers son rideau de cheveux raides. Le regard de Ben était plus profond que je ne l'aurais jamais cru possible.

– Le problème, c'est que quand je suis heureux, personne ne le supporte. Et quand je suis malheureux, personne ne le supporte. Ce n'est pas que je me foute de ma vie ou de mon avenir, Becca. Au contraire. C'est juste que je connais mes limites, d'accord ? Ce qui se passe là-dedans, dit-il en se tapotant la tempe, limite inexorablement ce que je peux faire de ma vie. Drogue ou pas, beuh ou pas, il n'y a simplement pas de bonne façon de gérer mon foutu problème. Je ne ferai jamais rien de grand comme toi, Beck. Je le sais. Je l'ai accepté. Je vais juste passer du bon temps et profiter de ma vie autant que possible, et aussi longtemps que possible. Et puis, tout ça finira par me rattraper, je le sais aussi. Mais c'est ma vie, mes choix, à moi et à personne d'autre.

– Fais juste attention, d'accord ?

Il fit oui de la tête en me souriant.

– Bien sûr. (Il se retourna et ferma la porte, puis passa à nouveau la tête à travers l'entrebâillement.) Dis donc, à propos, si tu as besoin d'aide pour faire le mur et aller voir Jason Dorsey un jour, n'hésite pas. Je te couvrirai.

Il me fit un clin d'œil et disparut avant que je ne puisse dire quoi que ce soit.

Jason

J'avais dû apercevoir Becca deux fois depuis un mois, et encore, il s'agissait de regards fugaces quand on se croisait au lycée. Nous n'avions aucun cours en commun ce semestre, et on ne déjeunait pas aux mêmes horaires non plus. Elle finit par me coincer près de mon casier, juste avant que j'aille à l'entraînement, un vendredi de la mi-octobre. Il faisait frais dehors, donc elle portait une jupe longue en laine bleue, un T-shirt blanc en V et un gilet gris qu'elle laissait ouvert. Ses habits étaient choisis de façon à épouser ses formes sans être trop révélateurs non plus, et je trouvais qu'il n'y avait rien de plus sexy au monde. N'importe quelle fille pouvait mettre un Wonderbra sous un décolleté plongeant, pour que tout ressorte. Il fallait de la classe et du style pour avoir l'air aussi délicieusement sexy sans être vulgaire, et Becca réussissait ce tour de force avec chacune de ses tenues.

– Salut, Jason.

Elle s'adossa contre le casier à côté du mien, à quelques centimètres à peine, si proche que je pouvais sentir l'après-shampoing dans ses cheveux et la crème hydratante sur sa peau.

J'aurais voulu enfouir mon visage dans le creux de son cou et dans ses cheveux bouclés, et respirer son odeur. Je ne le fis cependant pas, on aurait pu trouver ça un peu osé à ce stade de notre histoire. Je fourrai mon livre d'histoire dans mon sac à dos, refermai celui-ci puis le balançai sur mon épaule, avant de me retourner pour m'appuyer contre le casier face à Becca.

– Salut, Becca.

Je croisai les chevilles et les bras. Une lueur de fierté m'envahit quand je la vis suivre du regard le mouvement de mes biceps et le gonflement de mes pectoraux. Elle semblait aimer ce qu'elle voyait, ce qui signifiait que j'allais faire deux fois plus de tractions aujourd'hui à l'entraînement.

– Je suis désolée de ne pas avoir pu te revoir. Père m'a littéralement enfermée.

Elle tira sur une de ses boucles, qui rebondit.

Je pris une expression irritée.

– Il est vraiment derrière tes moindres faits et gestes, hein ? Bon sang, ça craint.

– Je lui ai menti, Jason.

Je soupirai d'énervement.

– Tu es une adolescente, ça fait partie du jeu. Nous sommes censés faire le mur et mentir à nos parents. On ne faisait rien de mal. Tu n'aurais pas dû être punie aussi longtemps.

– Ouais, c'est ce que Ben m'a dit aussi. J'ai simplement… Je ne suis pas sûre d'être prête à le défier ouvertement. De plus, ma chambre est au premier étage. Je suis pas sûre d'avoir le courage de faire le mur comme ça.

Elle resserra son sac à dos en tirant sur les deux bretelles.

– Ben m'a dit qu'il m'aiderait à m'échapper, mais… je ne suis p-p-p-pas encore sûre.

Je compris qu'elle ne bégayait vraiment que quand quelque chose l'angoissait, et je détestais l'entendre lutter contre ça. Je pouvais la voir se flageller en silence après chaque mot bafouillé.

– Hé ! dis-je. C'est bon, je n'essaie pas de te pousser à devenir une délinquante, ou un truc comme ça. J'ai envie de te voir, c'est sûr. Mais je ne veux pas être un problème de plus dans ta vie.

Elle me sourit.

– Tu es gentil. Il n'y a vraiment aucun risque que je devienne une délinquante. J'envisage juste quelques mensonges anodins pour pouvoir passer du temps avec un ami.

– C'est tout ce que je suis pour toi ? dis-je en ne rigolant qu'à moitié. Un ami ? Je suis blessé.

Becca ne saisit pas le trait d'humour dans mon ton, ou bien décida de l'ignorer.

– À quoi tu pensais, si *ami* n'est pas suffisant ?

Ses grands yeux fixaient les miens, sérieux et si marron qu'on aurait dit deux billes noires, avec des éclairs d'un brun plus clair autour de la pupille.

J'essayai de détourner mon regard de cet envoûtement mais échouai misérablement.

– Je ne sais pas. Plus ? (J'avalai la boule d'embarras dans ma gorge et tentai le tout pour le tout.) Ma petite amie ?

Ses yeux s'écarquillèrent encore, et sa bouche s'ouvrit légèrement. Elle prit une longue et profonde inspiration, et je ne pus m'empêcher d'admirer le gonflement de sa poitrine que ce souffle soudain avait provoqué sous le doux coton de son T-shirt blanc.

– T-t-t-ta p-p-p-p-etite amie ? N-n-n-n… merde.

Elle clignait fortement des yeux à chaque mot bégayé, comme si un circuit dans son cerveau essayait de se reconnecter au système. Elle ferma les yeux, l'air de compter dans sa tête.

– Nous sommes allés dîner une fois, Jason.

Chaque mot était prononcé avec soin, sur un ton presque monotone, comme si elle lisait un texte à haute voix.

Je ne voulais surtout pas intervenir en la voyant lutter, j'attendis simplement qu'elle ait fini de dire ce qu'elle avait à dire. C'était douloureux de la voir batailler à la fois avec ses mots et sa propre gêne.

– Mais c'était vraiment un dîner génial, dis-je.

Les mots lui vinrent cette fois plus naturellement, plus calmement. Mais certains débuts de syllabes étaient légèrement avalés, comme un entre-deux, entre le bégaiement et un discours fluide.

– C'est vrai ? Mais ne devrions-nous pas sortir une deuxième fois avant d'en faire une histoire officielle ?

Je haussai les épaules.

– Bien sûr, si c'est comme ça que tu veux faire les choses. Ça ne changera rien pour moi, cependant. Tu me plais vraiment.

Elle ne dit rien pendant un long moment, et je finis par penser qu'elle n'allait plus dire quoi que ce soit. Elle donnait l'impression d'être soit en train de rédiger mentalement ce qu'elle allait dire, soit d'évaluer si cela valait tout bonnement la peine d'être dit.

Elle finit par parler, et tout sortit d'un seul trait, comme si elle crachait les mots avant qu'elle ne puisse se dégonfler ou les retirer.

– J'ai le béguin pour toi depuis le CM 1.

Elle regarda ailleurs, sa peau mate rosit légèrement d'embarras.

– Le CM 1 ? Nell m'avait dit la cinquième.

Becca soupira et postillonna de colère.

– Elle te l'a dit ? J'vais lui trancher la gorge, à cette *biatch*.

Je ris si fort que j'eus un de ces grognements de cochon, ce qui ne me fit que rire encore plus.

– Tu vas lui trancher la gorge, à cette biatch ? Oh ! mon Dieu, Beck, tu ne devrais pas essayer de parler ghetto. Je t'en supplie, arrête !

Je pris une inspiration, puis commis l'erreur de regarder Becca, qui avait les bras croisés sous la poitrine et me lançait un regard noir, le visage balayé par un mélange de sentiments contradictoires.

– Je suis désolé, je suis désolé. C'est simplement trop drôle.

– T'as fini, ou bien… cracha-t-elle.

Je pris une grande inspiration en essayant de reprendre mes esprits.

– Oui, j'ai fini. Je suis désolé, c'est juste la chose la plus drôle que j'aie entendue depuis longtemps.

Becca ne put retenir un sourire naissant au coin des lèvres.

– Ben le dit tout le temps, et c'est toujours très drôle. Mais je suppose que je ne le fais pas aussi bien que lui.

Elle se calma un petit peu.

– Je n'arrive toujours pas à croire que Nell t'ait vraiment dit que je craquais pout toi.

– À sa décharge, c'était pour me convaincre de t'inviter à sortir. Je ne l'aurais pas fait de moi-même, principalement parce que je savais que tu allais réagir exactement comme tu l'as fait.

– Comment aurais-je pu réagir autrement ?

– Je ne sais pas. J'imagine que tu ne pouvais pas faire grand-chose d'autre. C'était une situation assez bizarre.

Becca s'approcha de quelques centimètres, suffisamment pour qu'elle ait juste à lever les yeux pour regarder les miens. Ses seins effleuraient mon torse, et il me fallut toute la volonté du monde pour ne pas l'écraser contre moi et l'embrasser. Elle chercha mes yeux, et je vis à son expression qu'elle avait pris une décision.

– Passe me prendre à l'entrée du lotissement à minuit, dit-elle sur un ton à la fois excité, inquiet et déterminé.

– Minuit ?

Je fronçai les sourcils.

– Mais qu'est-ce qu'on va bien pouvoir faire à minuit dans cette ville fantôme ? Tout ferme à 20 heures.

Elle jeta brièvement un œil autour de nous, vit que le couloir était vide en dehors de nous, puis se mit sur la pointe des pieds et m'embrassa sur la joue, juste au niveau de la mâchoire.

– Je suis sûre que tu trouveras quelque chose. Même si on se balade en camion en écoutant de la musique country comme l'autre fois, je suis sûre qu'on s'amusera.

– Comment vas-tu sortir de ta chambre ? Je t'en prie, ne tombe pas de ta fenêtre et ne te casse pas un truc. Ça mettrait de toute évidence un frein à nos projets.

J'essayais de la jouer cool, mais mon corps entier était en feu, tremblait, complètement excité par la sensation de ses lèvres sur ma joue.

Elle sourit.

– Ça, tu me laisses m'en occuper. Mais ça impliquera probablement l'aide de mon frère. Dieu sait qu'il a une très grande expérience en matière de mur. C'est en partie à cause de lui que mes parents sont si sévères avec moi.

– Appelle-moi, ou envoie-moi un texto d'aide. J'ai une échelle que je pourrais t'apporter.

Elle grogna.

– Je crois qu'une échelle, ce sera un peu bruyant. L'idée, c'est de ne pas attirer l'attention sur le fait que je sois en train de faire le mur sous le nez de mon de père, le patron même de la brigade du kiff. Pas l'inverse.

Je haussai les épaules.

– C'était juste une idée. Sinon, je peux te bricoler un grappin ?

– Un grappin ?

Becca hurla tout bonnement de rire.

– Et où est-ce que tu vas trouver de quoi faire un grappin ?

– Je ne sais pas. J'y avais pas réfléchi jusque-là. Sinon, je peux peut-être voler l'ancre du bateau de pêche de mon père ? Je pourrais la balancer par ta fenêtre, et tu n'aurais plus qu'à te glisser jusqu'en bas.

Becca rit encore plus fort à cette idée.

– C'est sûr, c'est encore plus discret.

On s'éloigna des casiers pour descendre le couloir vers le bureau du principal et rejoindre la sortie. D'une façon ou d'une autre, la main de Becca s'était retrouvée dans la mienne, nos doigts entrelacés. On baissa tous les deux les yeux vers nos mains liées, on redressa la tête et nos regards se croisèrent.

– Ouais, dis-je. Tu es ma petite amie. N'essaie même pas de dire le contraire.

Becca frappa mon biceps de sa main libre, mais sans enlever l'autre de la mienne.

– Je n'ai absolument pas donné mon accord. Je le ferai peut-être, ou peut-être pas. Il n'y a rien d'officiel pour l'instant. Le jury est toujours en pleine délibération.

– Tu essaies juste de te la jouer cool, Becca. Arrête de mentir.

Je l'attirai contre moi, la collai sur mes côtes, puis passai mon bras autour de sa taille, en prenant soin de rester dans la zone acceptable, au-dessus de ses hanches mais en dessous de son soutien-gorge. Elle semblait avoir arrêté de respirer mais ne se dégagea pas. À vrai dire, elle se serra même un peu plus contre moi.

– Non, mais tu m'as vue ? Je suis l'antithèse du cool.

Elle prononça ces mots en murmurant comme si elle y croyait, mais préférait que ce ne soit pas mon cas. Je la regardai en fronçant les sourcils. Elle détourna les yeux, je l'arrêtai donc et la forçai à me faire face. Son corps écrasé contre le mien, doux et juste à la bonne taille. Son menton posé sur mon torse, je savais qu'elle pouvait sentir mon cœur tambouriner contre ma cage thoracique.

– Je te trouve cool, Becca, dis-je. Depuis toujours.

Elle fronça le nez, confuse.

– C'est vrai ? Je me suis toujours dit que tu savais à peine qui j'étais.

Je fis une grimace.

– C'est impossible. Tu es bien trop belle pour te fondre dans la masse.

Elle tourna la tête pour poser sa joue contre ma chemise, puis secoua ses boucles comme pour me contredire.

– Ce n'est pas vrai. Mais merci.

– Tu n'as pas à être d'accord ou non. J'ai le droit de penser ce que je veux à ton sujet. Et si je le pense, c'est que c'est vrai.

Elle leva le visage pour me regarder, avec un drôle de petit air perplexe.

– C'est une logique assez alambiquée. Tu penses ce que tu penses, et c'est vrai parce que tu le penses ?

Ses bras remontèrent le long de mon dos pour attraper mes biceps.

– C'est un peu comme *Je pense, donc je suis*. C'est Marcel Proust qui a dit ça, non ?

Becca ricana, presque trop sérieusement.

– C'est Descartes, en réalité. Proust est un type qui n'a rien à voir.

Je ris.

– Tu vois, voilà ce que je récolte quand j'essaie d'avoir l'air intelligent.

– C'est déjà très impressionnant que tu connaisses cette phrase, et que tu saches qui est Proust.

Je grognai.

– Eh bien, de toute évidence, je ne maîtrise ni l'un ni l'autre. Je n'ai aucune idée de qui est Proust. Et je ne suis pas vraiment sûr de comprendre fondamentalement cette phrase.

On se remit en route, et nos mains s'entrelacèrent à nouveau.

– Marcel Proust est un romancier français connu pour son œuvre *À la recherche du temps perdu*. C'est un des premiers écrivains à avoir ouvertement parlé d'homosexualité, ce qui était vraiment un truc de dingue à son époque, au début du XXe siècle.

Becca semblait immergée dans son exposé, ses mots sortaient naturellement, sans effort, même si elle avait l'air d'être en train de rédiger une dissertation.

– La phrase latine *Cogito, ergo sum*, ce qui veut dire « Je pense, donc je suis », est un postulat philosophique de René Descartes, un philosophe français du XVIIe siècle. Et, en réalité, elle a d'abord été écrite en français. Cela signifie simplement que le fait même de douter de ton existence est la preuve de ton existence.

– Pourquoi quelqu'un douterait de son existence ? Ça semble plutôt aller de soi, non ? Je suis ici, je vois des choses, je ressens des choses. Je suis, donc je suis.

Becca pencha la tête et acquiesça doucement.

– Excellent. C'est un bon point. Et de nombreux laïques ont répondu exactement la même chose aux philosophes. Pour eux, cependant – je veux dire les philosophes –, l'idée allait plus loin que ça. Elle remontait à Platon, qui parlait de «philosophie de la connaissance». Réfléchis de cette façon: qui t'a dit que deux et deux font quatre?

Je répondis immédiatement.

– Ma maîtresse de maternelle. Mais elle me l'a expliqué avec des cubes. Deux cubes plus deux cubes, ça veut dire que j'ai quatre cubes.

– Soit, c'est un exemple concret. Mais applique ce doute, cet état d'esprit du *qui t'a dit?* à des concepts moins concrets, plus métaphysiques, comme ta place dans la vie ou dans l'Univers. Comme cette fameuse énigme: si un arbre tombe dans la forêt et que personne n'est là pour l'entendre, est-ce qu'il fait quand même du bruit?

Je grognai.

– Elle est stupide, cette énigme. Il suffit de demander à l'écureuil qui a sauté de l'arbre en train de tomber s'il a entendu quelque chose ou non, bon sang.

Becca se mit à rire.

– Tu gâches tout le débat. Mais tu comprends ce que je veux dire, ou plutôt ce qu'ils veulent dire, eux. C'est là que Descartes voulait en venir. Le fait même qu'il soit capable de concevoir une réalité physique, telle qu'il la percevait lui-même, était la preuve de son existence, en tout cas dans sa perception du réel. *Enfin, il faut conclure, et tenir pour constant que cette proposition «Je suis, j'existe», est nécessairement vraie, toutes les fois que je la prononce, ou que je la conçois en mon esprit*[1]. C'était sa dernière synthèse.

---

1. René Descartes, *Méditations métaphysiques,* 1641, «Méditation seconde»: «De la nature de l'esprit humain, et qu'il est plus aisé à connaître que le corps».

Je me mordis la lèvre en y réfléchissant.

– Je crois que je vois ce qu'il veut dire. Genre, comment je sais ce que tu vois, comment je sais ce que tu penses ? Je ne le sais pas. Je sais seulement ce que je sais. S'il n'y a personne pour entendre un son, ce son existe, mais il n'existe pas forcément au sens qu'il n'a pas… je ne sais pas… il n'a aucune raison d'être si personne aux alentours ne perçoit les ondes sonores.

Elle gloussa.

– Ouais, plus ou moins.

– Ce qui veut dire que je suis complètement à côté de la plaque, mais que tu es trop gentille pour me le dire.

Elle baissa la tête et je sus que j'avais raison.

– Tu vois ? Essayer de débattre de philosophie avec toi est un exercice inutile. Mon cerveau ne fonctionne pas exactement comme le tien.

Elle me donna un petit coup de hanche.

– C'est mon côté grande malade. J'ai fait une dissertation sur Descartes pour un cours de philo que j'ai suivi l'année dernière à l'université.

Je la regardai en souriant.

– C'est flippant à quel point tu es intelligente. On dirait un foutu professeur qui serait en train de me donner un cours, bon sang.

Elle baissa la tête.

– D-désolée. Ce n'était p-pas mon intention.

Je fis passer mon sac à dos devant moi, mis un genou à terre face à elle, la balançai sur mon dos et me mis à courir à fond la caisse le long du couloir. Elle hurla et serra les bras autour de mon cou, enfouit son visage contre mon épaule et se mit à rire en exigeant que je la laisse descendre. J'avais juste voulu lui faire oublier sa nervosité afin qu'elle arrête de bégayer – non pas que ça me dérangeait, mais ça semblait la gêner.

– Pose-moi par terre, espèce de cinglé ! (Elle me frappa la poitrine.) J'ai peur !

Comme elle avait dit ça sans bégayer et en riant, je pensais qu'elle devait s'amuser et continuai donc à courir dans le couloir vide, passai le bureau du principal où Mme Jones, la secrétaire, leva les yeux et nous fixa par-dessus ses lunettes d'un air réprobateur.

On arriva aux portes qui donnent sur le parking, et je ralentis suffisamment pour pouvoir ouvrir la barre antipanique d'un coup de pied. On sortit, on dévala les escaliers. Mon sac à dos rebondissait sur mon estomac, mes livres cognaient douloureusement sur mes bleus, mais je m'en moquais. J'avais ses jambes qui serraient ma taille, ses bras autour de mon cou, et son rire adorable au creux de mon oreille.

Nous avions atteint le milieu du parking, quand elle commença à s'agiter. Je ralentis et la laissai redescendre. Il n'y avait aucune voiture, je regardai donc autour de moi, perplexe.

– Où est ta voiture ?

Elle entoura une mèche de cheveux autour de son doigt.

– Je n'en ai pas.

Elle l'avait dit avec précaution. L'aveu la contrariait, mais elle était déterminée à ne pas le montrer.

– Et comment tu rentres chez toi, alors ? demandai-je.

– Ben m'attend probablement au rond-point. Il vient me chercher après les cours, vu que nos parents travaillent tous les deux.

– Bah, merde, c'est de l'autre côté de l'école, ça. Pourquoi tu n'as rien dit ?

Elle me regarda, effarée.

– J'ai essayé ! Tu me trimballais à travers le campus comme un homme préhistorique qui ramène sa femme à la caverne !

Je ris.

– Ah ! tu vois, tu l'admets ! Tu es ma femme.

J'attrapai son poignet, l'attirai d'un coup contre moi et pris une voix grave et bourrue.

– Moi, Jason. Toi à moi.

Elle eut l'air de fondre juste un petit peu. Ses yeux s'agrandirent et hésitèrent, sombres et lumineux comme le noir étincelant d'un café sous les rayons du soleil.

– OK. Moi Becca. Toi à moi.

Ce fut à peine un murmure, comme si elle n'arrivait pas à y croire elle-même.

J'eus l'estomac chamboulé et mon cœur s'emballa. Ses lèvres entrouvertes m'attendaient. Merde. J'allais l'embrasser, n'est-ce pas ?

Ouais.

Je baissai doucement et délicatement ma bouche vers la sienne, pour lui donner tout le temps nécessaire de reculer si elle le voulait. Elle avait le goût du truc pour les lèvres à la vanille, elle sentait le citron, le melon, le propre et quelque chose d'indescriptible et enivrant. Ses lèvres étaient douces et humides, collées aux miennes, immobiles au début, puis, après quelque secondes comme ça, elles se mirent à bouger, elle baissa la tête en arrière pour mieux m'atteindre. J'eus le souffle coupé, plus rien n'existait à part son corps doux collé au mien, ses mains qui glissaient lentement le long de ma colonne pour venir caresser mes cheveux blonds ébouriffés.

Une voiture se mit à klaxonner à quelques mètres, et on sursauta tous les deux, un peu coupables.

– Becca ! Youhou ! En voilà une fille qui a compris comment enfreindre les règles !

C'était Ben, le frère, qui hurlait en faisant déraper sa vieille Trans Am rouge. Il s'arrêta devant nous.

– Ça fait dix minutes que je t'attends, Beck. Je comprends mieux pourquoi.

– Je n'enfreignais aucune règle, Ben. Ferme-la.

Becca avait sa main dans la mienne, une sorte de déclaration pour son frère. Elle lui faisait de toute évidence assez confiance pour ne rien dire à ses parents.

Ben se contenta de rire. Ses cheveux noirs tombaient en cascade sur ses épaules, brillants et emmêlés.

– Mais bien sûr. Je suis pas un cafteur, mais admets que tu n'aimerais pas que *Père* apprenne que je t'ai vue rouler des pelles à ce voyou sur le parking de l'école.

Je vis les yeux de Becca se plisser.

– Tu n'oserais pas. N'oublie pas que je connais tes astuces en matière de lingettes adoucissantes. Je parie que *papa* serait très intéressé par cette information.

Ils avaient chacun insisté sur le fait d'employer un mot différent pour désigner leur père, ce qui me fit penser que même son frère trouvait ça étrange qu'elle l'appelle « Père ». En revanche, j'étais intrigué par l'histoire de la lingette adoucissante.

Ben passa les doigts dans ses cheveux pour les ramener en arrière.

– Je viens de dire que je ne dirais rien, non ? Et c'est pas moi qui t'ai proposé de l'aide pour que tu puisses faire le mur et aller voir ce joli cœur ? dit-il en me désignant du pouce.

J'avais entendu parler de Ben de Rosa. C'était une sorte de légende au lycée, connu pour sécher les cours, se bagarrer, insulter les profs et jouer des tours ultraélaborés, mais au fond pas méchants. Il réussissait toujours à baratiner pour s'éviter les punitions qu'il méritait. C'était le foncedé de la ville, celui dont vous pouviez être sûr qu'il avait toujours un truc à fumer, et planait probablement chaque fois que vous le croisiez. Personne ne l'a jamais dénoncé, cependant, et bien que tout le monde ait toujours été au courant de ses activités, il ne s'était bizarrement jamais fait arrêter. Je n'avais jamais compris comment il avait réussi. Et maintenant que j'en savais plus sur la vie de Becca, c'était encore plus difficile de comprendre comment il réussissait à faire absolument ce qu'il voulait, quand Becca ne pouvait même pas aller à un rendez-vous sans être punie pendant un mois.

Becca secoua simplement la tête en regardant son frère, puis se retourna vers moi.

– Je dois y aller. Je suis censée rentrer à 16 h 30.

Je jetai un œil à mon téléphone et me mis à jurer en voyant l'heure.

– Merde ! Il est déjà 4 heures passées ! Le coach va me dessiner un nouveau trou du cul, il vaut mieux que j'aille me changer avant de passer tout l'entraînement à faire des pompes.

J'eus une hésitation, puis me penchai en avant et posai brièvement mes lèvres sur les siennes.

– Minuit ? N'est-ce pas ?

Elle recula, lança un regard embarrassé à son frère et acquiesça.

– Ouais. Minuit. Si je ne viens pas, c'est parce que je n'aurai pas pu, pas parce que je n'aurai pas voulu.

Elle glissa avec grâce dans la voiture de son frère et me fit signe de la main à travers la vitre baissée, se servant de l'autre pour tenir ses cheveux dans une queue-de-cheval improvisée.

Le coach me fit courir trois kilomètres à plein régime avec un sac de sable sur chaque épaule, puis vingt minutes de pompes avant de me laisser m'entraîner aux lignes de mêlée avec le reste de l'équipe.

Ça valait carrément un premier baiser.

4

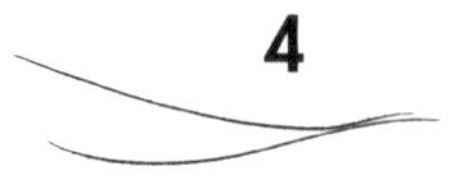

Minuit dans le jardin

Becca
Plus tard dans la soirée

J'étais accrochée à la descente de gouttière, paralysée par la peur.

– Ça va casser, Ben, murmurai-je dans un gémissement éraillé.

Il se contenta de passer la tête à travers sa fenêtre au-dessus de moi et de sourire.

– Je sais qu'on a l'impression que ça va casser, mais ça n'arrivera pas, je te promets. J'ai pris une échelle l'été dernier, et j'ai cloué cette merde au mur aussi fort que possible.

Je ris en imaginant Ben sur une échelle en train d'essayer de jongler entre le marteau, les clous et un joint, tout ça pour faire le mur la nuit sans tomber. Je m'étais glissée dans sa chambre à minuit moins le quart et lui avais dit que je voulais m'éclipser pour aller voir Jason. Il s'était contenté de me sourire et avait ouvert grande sa fenêtre, me montrant le tuyau de descente un peu plus bas.

– Regarde, j'ai même mis des cales pour les pieds, que j'ai peintes en blanc pour qu'on puisse les voir dans l'obscurité.

Il avait l'air très content de lui.

Je regardai vers le bas, et mon ventre se noua quand je vis la distance qui me séparait du sol. Mais je finis par me concentrer sur la gouttière et réalisai que, en effet, il avait cloué un bout de bois entre le mur et le tuyau afin qu'on puisse poser ses pieds quelque part en descendant. Je me demandai si Père l'avait déjà remarqué, puis me rappelai qu'il ne sortait jamais vraiment de la maison. Il rentrait du travail à 7 heures tous les soirs, partait à 6 heures du matin et passait le plus clair de ses samedis et dimanches à jouer au golf. Il n'avait aucune raison de faire le tour de la maison ou d'examiner les tuyaux pour voir s'ils servaient à des plans d'évasion secrète. Mon frère cachait son passage secret en plein jour, apparemment.

Je descendis encore un peu plus bas, atteignis la cale pour le pied, puis glissai encore un peu plus.

– Il y a une autre cale en dessous ? demandai-je.

– Ouais. J'en ai mis deux. Elle devrait être un peu plus bas.

Ben me regardait descendre, ses cheveux lui tombant sur le visage.

Je me dandinai vers le bas, jusqu'à ce que mes mains agrippent la cale et que je puisse me balancer pour que mes pieds atteignent l'autre. À ce stade, le sol n'était plus qu'à un mètre, je décidai donc de sauter. Je jetai un œil à Ben en même temps, et le vis la main tendue et la bouche ouverte, comme sur le point de protester. La chute dura beaucoup plus longtemps que prévu et je vins m'écraser sur le sol avec fracas, les jambes tremblantes. Je trébuchai en arrière et tombai à nouveau, sur les fesses cette fois, jurant dans ma barbe quand mes chevilles et mon cul se mirent à vibrer à l'unisson.

– Est-ce que ça va ? me demanda Ben dans un murmure crié. J'allais te dire que ça a l'air bien plus près que ce que ça ne l'est en réalité. Il faut continuer à descendre sans lâcher, jusqu'à ce que ta main soit sur la cale. Je me suis presque cassé la cheville, la première fois que j'ai fait comme toi.

Je passai la main en haut du coccyx, fis tourner une cheville, puis l'autre. Ce serait douloureux pendant un moment, mais je n'avais rien de cassé.

– Je vais bien, dis-je. Merci, Ben.

– Je ne veux pas savoir où tu vas, ni ce que tu fais. J'ai besoin d'être crédible si jamais on m'interroge, dit-il.

Il rentra la tête puis réapparut avec un sac à dos dans la main.

– Attrape ça.

Il le laissa tomber et je l'attrapai, ouvris la fermeture Éclair pour y trouver quelques vieux T-shirts miteux, dans lesquels était emballée une bouteille de Jack Daniels. Je levai les yeux vers lui et il me fit un clin d'œil.

– On peut pas vraiment s'amuser si on n'a pas un peu de picole, n'est-ce pas ? Je me suis dit que Dorsey et toi, la beuh, c'était pas trop votre truc, sinon je vous en aurais donné.

– Tu n'es pas censé nous encourager à boire, Benjamin.

Ben rit un peu trop fort et plaqua la main sur sa bouche.

– Mon Dieu, t'es vraiment une béni-oui-oui, Beck. C'est quoi, le but de faire le mur à minuit, putain, si tu le fais pas comme il faut ?

Je me contentai de secouer la tête, refermai le sac et le balançai sur mon épaule. J'avais déjà tourné le dos et traversais l'arrière du jardin, quand Ben m'arrêta avec un « psssstt ».

– Je veux le reste de ce que vous ne boirez pas, alors reviens avec le sac. Et… ne buvez pas tout. Vous allez être malades.

Je lui fis les gros yeux, même s'il ne pouvait pas me voir.

– Je ne suis pas stupide, Ben. Je me doute qu'il ne faut pas boire une bouteille d'un seul coup.

Ben haussa un sourcil.

– Eh bien, peut-être que certains d'entre nous ne sont pas aussi intelligents que toi. Et crois-moi, sur le coup, c'est hyper-drôle, mais tout le contraire le lendemain matin.

Je me contentai de secouer la tête.

– J'y vais maintenant, Ben. Au revoir et merci.

– La crédibilité en cas d'interrogatoire commence ici. Je ne te connais plus.

J'entendis sa fenêtre se refermer avec un léger grincement.

Je me mis à rire, évitant les branches qui pendaient des pins énormes situés entre notre maison et celle des voisins. L'herbe était couverte de rosée, le fond de l'air était frais, et j'étais contente d'avoir enfilé un jean et un pull un peu plus épais. Le ciel était dégagé, sans nuages et rempli d'étoiles, une demi-lune d'un blanc éclatant trônait au beau milieu de la nuit noire parsemée d'argent. Mon souffle faisait des petits nuages de brume claire. Je contournai les arbres et rejoignis la route. Je vis le camion de Jason garé, tous phares éteints, et le pot d'échappement qui fumait à l'arrière. La lampe de l'habitacle était allumée, plongeant Jason dans une lueur jaune pâle. Je pouvais voir sa tête penchée en avant, les mèches dressées de ses cheveux blonds toujours parfaitement en place grâce au gel qu'il utilisait, son cou épais et bronzé par toutes ces heures passées en plein soleil.

Il leva les yeux quand j'approchai de la portière passager, et un sourire illumina ses traits. Il bondit hors du camion, j'entendis les accords d'une musique country étouffée s'échapper dans la nuit. Jason se pressa de faire le tour pour m'ouvrir la portière avant même que je ne puisse la toucher. J'avançai et me glissai sur la banquette en velours. J'eus aussitôt le sentiment d'être chez moi. Quelque chose me disait que j'allais passer beaucoup de temps dans ce camion. Je l'aimais déjà.

Je repensai à la première chanson country qu'il m'avait fait écouter, et dédiée, tout en inspectant l'habitacle. La banquette était en tissu gris, il y avait un accoudoir entre nous deux avec deux renfoncements pour les boissons, une bouteille de Seven Up à moitié vide posée dans celui du conducteur. Éparpillés autour, on trouvait un gros manuel d'histoire, ouvert au chapitre de la guerre de Sécession[1], un cahier rempli d'une écriture soignée en majuscules inclinées, et un petit sachet de Curly. Sur le sol, à mes pieds, gisait un sac à dos Jansport marron délavé avec l'écusson blanc et vert de l'équipe cousue sur la poche extérieure. Plusieurs bouteilles vides de Seven Up et de Gatorade s'amoncelaient par terre à côté du conduit d'aération près de mes pieds, ainsi que des paquets vides de bœuf séché et de graines de tournesol. Un range-CD à fermeture Éclair était posé sur le tableau de bord, coincé contre le pare-brise, rempli à ras bord de CD et abîmé par le temps. Par terre, au milieu, enfouie entre le levier de vitesse et la banquette avant, se trouvait une de ces épaisses couvertures dont on se sert pour aller au stade voir les matchs – celle-ci était aux couleurs de l'université du Michigan. En boule par-dessus, un gros sweat à capuche noir Carhartt avec une fermeture Éclair, qui avait de toute évidence été porté plus d'une fois. Une lanière dépassait de sous ce tas de tissus, comme celle des étuis pour appareil photo, ou quelque chose comme ça.

Jason enfournait ses livres dans son sac à dos, et je soulevai le sweat-shirt pour voir ce qu'il y avait en dessous. Je découvris un étui d'appareil photo Nikon qui ressemblait à un sac à dos hors de prix. Jason avait démarré le camion, il était en train de faire demi-tour pour rejoindre la route principale en faisant un appel de phares. Je dégageai l'étui du sweat-shirt et, le posant sur mes genoux, ouvris la fermeture Éclair et eus le souffle coupé en voyant l'énorme appareil photo de professionnel qui s'y trouvait.

– C'est à toi ? demandai-je.

Jason me jeta un coup d'œil, et un sentiment qui ressemblait à de la panique envahit aussitôt son visage.

1. La guerre de Sécession (1861-1865) opposa les États confédérés d'Amérique à ceux de l'Union emmenés par Abraham Lincoln, et s'articula principalement autour de la question de l'abolition de l'esclavage.

– Oui, c'est à moi. Est-ce que tu peux le remettre où tu l'as trouvé, s'il te plaît?

Sa voix était calme, trop. Il avait presque l'air en colère.

Je me pressai de refermer le sac, de remettre les clips en place et de le replacer sous le sweat-shirt, là où je l'avais trouvé.

– Je suis désolée, dis-je, sans être sûre de savoir ce que j'avais fait de mal exactement. J'étais juste curieuse. C'est vraiment un bel appareil. C'est un cadeau?

La main de Jason se serra sur le volant.

– Non. Je l'ai acheté moi-même.

– Comment as-tu pu te payer ce genre d'appareil? Ça vaut, genre, dans les deux mille dollars?

– C'est un D800. Il en vaut trois mille en magasin. Celui-là, je l'ai acheté en ligne pour un peu plus de deux.

Son poing se tortillait sur le volant.

– J'ai économisé pour l'acheter.

– Tu travailles? Je ne savais pas.

Jason rougit, plus de colère que d'embarras, me sembla-t-il. Une veine palpitait sur sa tempe.

– Je ne travaille pas.

– Alors, comment?

Il ne répondit pas pendant un long moment. Un feu passa au rouge, et on ralentit jusqu'à s'arrêter.

– Ça reste entre nous, d'accord? Tu ne peux même pas le dire à Nell.

J'acquiesçai, il expira longuement.

– Mon père me paie deux cents dollars par match gagné, plus vingt pour chaque essai que je marque. J'ai aussi mille dollars si je n'ai que des A pendant toute l'année. Et si je garde mon 20 de moyenne pendant toute la durée du lycée, il paiera la moitié de la voiture de mon choix. C'est comme ça que j'ai acheté ce camion. Mon oncle Rick le vendait, et il m'a fait un bon prix. Puis j'ai acheté l'appareil photo.

– C'est donc ça qui te motive pour gagner à chaque fois?

Le feu était vert, il passa violemment la seconde tout en accélérant.

– En partie.

– Et quoi d'autre ?

Il me regarda, puis détourna les yeux ; son visage sembla se refermer.

– C'est sans importance.

Je sentis qu'il y avait un grand secret derrière tout ça et que je ne devais pas insister. Je le fis quand même.

– Peut-être que ça en a pour moi. J'ai envie de te connaître.

– Laisse tomber, Becca, s'il te plaît.

Il murmura tout ça sans même me regarder, ce qui me fit comprendre son désespoir.

– D'accord. Bien sûr. Désolée, je n-n-n-e voulais pas être in-in-in-discrète.

Je baissai les yeux, énervée de l'avoir énervé et déboussolée par ce changement de comportement soudain à propos d'un appareil photo.

Jason grogna de frustration.

– Bon sang, Becca, je suis désolé. Je n'avais pas l'intention d'être sec. C'est juste que… il y a des choses qui me concernent, qui sont juste… dont je ne peux pas parler.

– Est-ce que j'ai le droit de te demander ce que tu prends en photo ? Est-ce que je pourrais les voir ?

Au lieu de répondre, Jason tourna son volant en appuyant à peine sur la pédale de frein et accéléra si vite ensuite que le camion dérapa en dépassant la ligne blanche. On s'engagea sur une route poussiéreuse. Le cul du véhicule zigzagua dans les graviers sur le côté puis se redressa. Je m'accrochai fermement à la poignée au-dessus de ma tête, celle qui veut dire… Oh ! merde, je respirais à peine, il accélérait encore. Je couinai sans retenue quand il prit un virage à une vitesse résolument dangereuse, en pleins phares, éclairant le chemin devant nous, qui devenait de plus en plus étroit. Il semblait connaître chaque recoin par cœur, tournait le volant, freinait avant les virages et reprenait ensuite de la vitesse pour faire des dérapages à l'accélérateur. Mon cœur battait fort dans ma poitrine, j'étais à la fois terrifiée et excitée.

– Jason ! S'il te plaît, ne nous tue pas !

J'étais ravie d'avoir dit ça sans bégayer, si l'on considère à quel point j'étais paniquée.

Il se contenta de me sourire, un éclair arrogant de dents blanches parfaitement alignées. Il prit un autre virage, puis freina brusquement, presque jusqu'à l'arrêt. Il s'engagea sur une route à double sens encore plus étroite, au milieu des bois. Il avait franchement ralenti, et se pencha pour tourner la poignée qui déclenchait le mode 4×4. Le chemin montait et descendait. Le moteur était en surrégime dès qu'on grimpait une côte, tandis qu'on pouvait le laisser au point mort dans les descentes.

– Où va-t-on ?

Il desserra un doigt du volant pour le pointer en face de nous.

– Pas beaucoup plus loin. Un de mes endroits préférés.

Le chemin devint sinueux et creux. On passa près de deux chênes immenses ; le camion glissait dangereusement sur le côté. On fit encore presque un kilomètre, et le chemin disparut. On cahota sur l'herbe et à travers les arbres. Le sol se stabilisa, puis recommença doucement son ascension, jusqu'à ce que le camion se retrouve à lutter dans une côte assez sévère. Une fois au sommet, Jason dérapa et s'arrêta. Il coupa le moteur mais laissa la radio. Il éteignit les phares, sortit la couverture et sauta du camion, me faisant signe de le suivre. J'ouvris ma portière et bondis sur le sol, frissonnant immédiatement au contact de l'air frais. Jason avait déjà ouvert la rambarde arrière du coffre extérieur. Il grimpa dedans. Il était debout et m'attendait. Je voulus m'y hisser plutôt maladroitement, mais Jason se pencha, m'attrapa sous les aisselles et me souleva à bras-le-corps. Je laissai échapper un couinement quand je ne sentis plus le sol sous mes pieds, et dès qu'ils se posèrent sur le plastique côtelé de la plate-forme je trébuchai en avant et m'accrochai à son cou.

– Mon Dieu, Jason ! Ne fais pas ça !

Ma voix était étouffée par le tissu froissé du T-shirt à manches longues de Jason. Il sentait l'eau de toilette, le déodorant, la sueur ainsi qu'une odeur épicée indescriptible.

– Tu as eu peur ?

Il avait l'air amusé et content de lui.

Je soupirai d'énervement et lui lançai un regard noir.

– Surprise, peut-être. Peur, non. Préviens les filles, quand tu les fais décoller de la terre ferme la prochaine fois, OK ?

Jason se contenta de glousser.

– Tu es vraiment costaud, hein ?

Il haussa les épaules.

– Je m'entraîne beaucoup. Pour le football, et aussi quand j'ai besoin d'évacuer.

– D'évacuer ? Qu'est-ce que tu veux dire ?

Il hésita.

– Hum… mon Dieu. OK. Écoute, je n'ai pas la meilleure vie de famille au monde, Becca. Je t'ai raconté comment mon père me mettait la pression pour être le meilleur, n'est-ce pas ? Il est simplement… Ce n'est pas toujours un super type. On se dispute souvent, et parfois j'ai juste besoin de… passer mes nerfs. C'est tout.

Tout se mit en place dans ma tête, et j'eus un nœud à l'estomac quand je compris ce qui se cachait derrière tout ce qu'il ne disait pas.

– Est-ce qu'il te frappe, Jason ?

Je reculai et regardai attentivement son visage, certaine qu'il allait éviter ma question.

Il baissa les yeux sur moi : ses traits étaient durs et renfrognés.

– Oublie ça, d'accord ? Ne t'en mêle pas. Je n'ai pas besoin qu'on me sauve.

Je fronçai les sourcils.

– C'est donc un oui. Pourquoi tu ne l'as pas dit à quelqu'un?

Jason se dégagea de mes bras et se retourna. Il s'accroupit et étala la couverture sur la plate-forme du camion, puis il défit les cordes qui maintenaient une glacière bleu et blanc en place dans un coin. Il souleva le couvercle, en sortit six canettes de Coca, quatre sandwichs sous vide et un paquet de chips.

– Je sais bien que ce n'est pas du foie gras, ou un truc comme ça, mais c'est de la nourriture.

Il sépara les quatre sandwichs en deux piles différentes, puis les pointa du doigt tour à tour.

– Ceux-là sont à la dinde, à la moutarde et au gruyère, et ceux-là au jambon, avec cheddar et mayonnaise.

Il s'assit et défroissa la couverture et tendit un bras pour ouvrir la vitre arrière de la cabine afin de laisser flotter les accords doux d'une chanson country. Une voix de femme qui parlait de poudre à canon et de flingues. J'hésitai un long moment, puis m'assis à côté de lui et pris un des sandwichs à la dinde.

Après qu'on eut chacun mangé la moitié d'un sandwich, il posa le sien sur sa cuisse et me regarda dans les yeux.

– Écoute, Beck. C'est à moi de gérer, d'accord? N'en fais pas toute une histoire. Je vais bien. Rien dont je ne puisse m'occuper.

– C'est juste que je ne comprends pas. Pourquoi tu n'en as pas parlé à quelqu'un?

Ses yeux verts se remplirent de colère et de tristesse.

– Ça ne servirait à rien. J'ai essayé une fois, et ça n'a fait que créer des problèmes, pas seulement pour moi, mais pour tout ceux qui étaient au courant. Ça n'en vaut pas la peine. Dès que j'ai mon bac, dans deux ans, je me tire d'ici et ne reviens jamais. Je vais jouer au foot pour l'université d'État ou pour l'université du Michigan, ou celle du Nebraska, après je passerai pro. Je n'aurai plus jamais besoin de quelque connerie que ce soit de la part de mon vieux.

– Je… je…

Je pris une inspiration profonde et me concentrai.

– Je ne sais pas quoi dire, Jason. Ce n'est pas normal.

– Il n'y a rien à dire. Rien à dire et rien à faire.

Sa voix se fit intense.

– Tu es la seule personne, à part Kyle, qui soit au courant, d'accord ? Tu ne peux rien dire, Becca. Promets-le-moi. *Promets.*

J'avais la tête qui tournait, mon cœur se serrait pour ce garçon que j'appréciais vraiment de plus en plus.

– Jason… tu devrais en parler à quelqu'un. Il ne peut pas te faire ça. C'est ton père, putain. Il est censé te protéger, pas te faire du mal ! C'est t-t-terrible.

Je sentais la rage monter en moi comme la bile dans la gorge, les images défilaient, des images de Jason tapi dans la pénombre, s'éloignant en rampant d'un géant sombre aux poings énormes.

– Est-ce que ton père te protège ?

– Il me protège trop, et il est excessif, dis-je, sans savoir exactement pourquoi je défendais mon père, quand je passais le plus clair de mon temps à le maudire en silence. Il est déraisonnable, têtu et borné, et il me pousse à me rebeller à cause de ses règles ridicules. Mais il m'aime à sa façon. Il ne me ferait jamais de mal. Il veut juste que je sois la meilleure version de moi-même. Il compense à l'extrême pour tous les ennuis dans lesquels Ben se fourre.

– Moi, mon père cache un univers de colère et de démons au fond de son âme. (La voix de Jason était étonnamment douce, ses mots poétiques.) Il a été blessé lors de son premier match professionnel, et cela a mis fin à sa carrière. Il avait attendu toute sa vie pour jouer en pro, et il ne pouvait plus le faire. Il a dû revenir ventre à terre chez ses parents, ici, dans le Michigan, et son père était encore pire avec lui que lui ne l'est avec moi. Il a fini par rejoindre les forces de police, et a grimpé les échelons assez vite, mais quand il y a eu la guerre du Golfe, il y a vu une opportunité d'être quelqu'un. Il s'est engagé dans l'armée et a mené deux missions en Irak. C'était un soldat sans éducation universitaire et sans formation. Il a vu des trucs horribles, Becca. Des choses atroces. Il a fait des choses atroces, putain, tout ça sur l'ordre de l'oncle Sam. Ça… ça l'a chamboulé à l'intérieur. Ce que je veux dire, c'est qu'il a lui aussi ses raisons. Même si ça n'excuse rien.

Je ne dis rien pendant un long moment, j'écoutais une autre chanson à la radio et regardais le ciel noir saupoudré d'étoiles.

– Comment tu en sais autant sur ce que ton père a vécu ?

Jason répondit, la bouche pleine de chips :

– Il boit beaucoup. Quand il est suffisamment ivre, parfois il me parle, au lieu de me cogner. Il me raconte des histoires comme si j'étais un de ses potes de sa division. (Il avala en regardant le ciel.) Je déteste ces histoires. Je préfère qu'il m'en colle une.

Une rafale de vent souffla et traversa mon pull ; je me mis à trembler. Jason s'appuya pour se relever et sauta au sol. Il se pencha par la vitre de l'habitacle pour attraper son sweat-shirt. Je le vis hésiter puis prendre aussi son étui d'appareil photo. Il regrimpa sur la plate-forme en s'appuyant sur le pneu arrière et m'enveloppa les épaules de son sweat. Il était lourd, tiède, et sentait exactement comme Jason.

Il souleva l'étui et me regarda, un sourire satisfait sur le visage.

– Tu voulais voir une photo que j'ai prise ?

J'acquiesçai avec enthousiasme.

– Alors, il va falloir me donner quelque chose en échange. Je te montre une de mes photos, tu me montres quelque chose que tu as écrit.

J'avalai avec difficulté.

– Ça… ça… Je ne suis pas sûre. Je n'ai jamais montré ce que j'écris à personne. Personne. C'est mon journal intime.

Jason fit oui de la tête, en agitant le sac.

– C'est ce que sont mes photos pour moi. Elles sont intimes. Seulement pour moi, parce que ça me plaît. Personne ne sait que j'en prends, pas même Kyle. C'est comme un journal, pour moi aussi. Je ne suis pas très bon avec les mots, alors je prends des photos à la place.

– Pourquoi tu garderais ça secret ? demandai-je. Ce n'est pas comme si c'était embarrassant. C'est cool, c'est artistique.

Son visage s'assombrit.

– Tu ne connais pas mon père. Je te l'ai dit, ce n'est pas un type gentil. Pour commencer, je n'ai que le droit d'aller à l'école et de jouer au foot. La muscu, les devoirs, l'entraînement. C'est tout. À cette heure-ci, il est soit ivre, soit en train de ronfler, donc il se moque de savoir où je suis, du moment que je ne me fais pas arrêter, ou que je ne me donne pas en spectacle ou un truc comme ça. C'est le capitaine de la police, alors je dois faire attention. Il ne paierait pas ma caution, il ne me sortirait pas d'affaire, si c'était nécessaire. Il me tabassera si jamais je me fais ne serait-ce qu'arrêter par un de ses gars. Ils ont peur de lui, eux aussi, alors ils ne feront jamais rien pour le contrarier.

– Qu'est-que tout ça a à voir avec la photographie ? Ce sont juste des images.

Il défit l'emballage du second sandwich au jambon et ouvrit une autre canette de Coca.

– Eh ben, ça, c'est la seconde raison. Tout ce qui se rapproche plus ou moins de l'art, c'est pour les pédés. Ce sont ses mots, pas les miens. Donc, en plus d'être un ivrogne violent, il est intolérant. Il déteste à peu près tous ceux qui ne sont pas comme lui. S'il savait que j'avais un appareil photo, rien de plus, il m'enverrait direct à l'hôpital. Un instrument de musique ? Même pas en rêve. La peinture ? Oh ! mon Dieu, hors de question. J'adore prendre des photos, pourtant. J'aime capter un truc avec ma focale et le transformer en quelque chose de totalement différent.

Il ouvrit le sac et sortit l'appareil, le mit en route et pressa quelques boutons. Les photos qu'il avait prises apparurent sur l'écran de contrôle. Il fouilla en déplaçant la molette puis me tendit l'appareil.

Je le pris avec précaution, j'avais peur de manipuler quelque chose d'aussi important pour lui, et d'aussi cher. La photo qu'il me montrait était époustouflante. C'était une abeille prise en plein butinage sur une marguerite. C'était un très gros plan, si gros qu'on pouvait voir les ailes se flouter et chaque poil qui se dressait sur le gros corps noir et jaune. Le soleil se reflétait dans les yeux globuleux à plusieurs facettes de l'insecte, dans le jaune ardent et profond de la marguerite, dans le bleu étouffé du ciel en arrière-plan. On aurait dit un cliché du *National Geographic*, incroyable quant à la clarté, la mise au point et l'utilisation des couleurs. À voir l'abeille aussi gargantuesque, on aurait pu croire à une créature irréelle d'un autre univers.

– Jason… Oh! mon Dieu, c'est incroyable! Tu pourrais la vendre à un magazine, je te jure.

Je pris une inspiration et examinai à nouveau la photo, ébahie par le cadre qu'il avait choisi, avec la fleur au milieu qui prenait presque tout l'espace, et l'abeille en haut, prise en train de bourdonner vers le bas.

Il sourit, l'air étonnamment timide, pour la première fois depuis que je le connaissais.

– Merci. Je me suis fait piquer environ six fois en essayant de prendre cette photo. Il y avait une bande d'énormes abeilles qui volaient dans le champ.

Il pointa son doigt au-delà de l'arbre, vers le champ plus bas.

– Juste là, à vrai dire. Il doit y avoir une ruche ou quelque chose. Bref, j'ai suivi ces abeilles pendant des heures, prenant photo sur photo. J'ai dû en prendre environ deux cents avant d'obtenir celle-ci.

– Je peux en voir d'autres? demandai-je, désormais excitée.

Il haussa un sourcil en me regardant.

– Nan-nan. C'est à ton tour maintenant.

Je sentis mes mains trembler. Je savais que si je récitais, j'allais bafouiller et trébucher sur les mots. Je pris donc une inspiration, plongeai la main dans mon sac et en sortis mon journal. C'était un carnet de croquis à spirale et à pages blanches. J'avais découpé un sac en papier kraft que j'avais collé comme protection. Sur la couverture, j'avais inscrit au feutre l'extrait d'un poème arabe :

لست وحيدا أبدا
كلّ مافي الأمر
انني
صرت رفيقا لوحدتي

– Qu'est-ce que ça veut dire ? demanda Jason.

J'hésitai, pris plusieurs inspirations et récitai les mots dans ma tête avant de les prononcer à haute voix.

– Ça dit : Je ne suis pas seul. À vrai dire, j'ai fait de la solitude mon amie.

Je traçai les lignes avec mon index, avant d'ouvrir le carnet et de le feuilleter négligemment, car je cherchais le poème parfait à montrer à Jason.

– C'est d'un poète arabe qui s'appelle Abboud al Jabiri. Ça fait en réalité partie d'un poème plus long, mais ça, c'est mon passage préféré.

– Est-ce qu'il est de… genre, il y a très longtemps ?

Je secouai la tête.

– Non, il est toujours en vie, il vit en Jordanie, et il écrit toujours. Ma mère est pédiatre, mais elle a toujours aimé la poésie. En plus de ses études de médecine, elle a suivi un cours sur la poésie arabe. Elle m'en a donné le goût, je suppose.

– C'est plutôt cool, dit Jason. Et ton père, il fait quoi ?

– Il est dans l'immobilier. Il possède plusieurs établissements industriels, et il s'occupe aussi un peu de la vente de locaux commerciaux.

Je lui jetai un œil tout en mâchant et en avalant.

– Et toi ? Tu m'a parlé de ton père, mais ta mère ?

Il haussa les épaules.

– Elle ne fait rien, putain. Elle travaille dans un cabinet dentaire trois jours par semaine, à faire des photocopies et des conneries. Le reste du temps, elle se réfugie dans sa chambre et elle colle des papiers qu'elle a découpés dans un livre.

Je fis la grimace ; j'essayai de comprendre de quoi il parlait.

– Du scrapbooking ?

Il haussa les épaules.

– Ouais, peu importe, un truc comme ça. Elle a un « atelier ». Il mima des guillemets avec ses doigts en prononçant le mot. Elle y passe tout son temps. Elle dort là-bas, sauf quand mon père la fait dormir avec lui pour... tu vois. Mais la plupart du temps, elle nous évite tous les deux. Moi parce que je prends les raclées de mon père à sa place, et lui parce que c'est un connard.

– Qu'entends-tu par prendre ses raclées à sa place ?

Il cassa une chips entre ses doigts et en goba les deux moitiés.

– Il avait l'habitude de la frapper, à l'époque où j'avais genre trois ou quatre ans. Dès que j'ai été assez grand, je me suis mis à intervenir. Je détestais voir ma mère pleurer, tu comprends ? Elle se défendait au début, je m'en souviens. Puis je crois qu'elle en a simplement eu assez, elle a abdiqué. Elle l'a laissé faire ce qu'il voulait, à elle et à moi. Son truc, c'est le conflit, tu comprends ? Il veut se battre. Alors, c'est ce que je lui ai donné pour qu'il la laisse tranquille, et maintenant, je sens qu'elle m'en veut un peu d'avoir fait ça. Je crois. Je ne sais pas pourquoi, vu que c'est moi qui me fais passer à tabac à sa place. Peu importe, c'est une idiote de garce.

Le ton blasé de sa voix était terrible : apathique.

– Jason, c'est quand même ta mère !

Je n'avais pas pu m'empêcher de dire ça.

Ses yeux verts s'embrasèrent, mais son ton ne changea pas.

– Ils m'ont peut-être biologiquement donné la vie, Becca, mais ce ne sont *pas* mes parents. (Il se calma et regarda ailleurs, sa voix se fit plus douce.) Les parents, c'est censé aimer et protéger. Ils te défendent, ils t'éduquent. Toutes ces conneries sur l'amour que je n'ai jamais reçu. Mon vieux ? Il n'a pas été aimé, et il n'a jamais réussi à rompre le cercle. Ma mère a simplement passé tellement de temps à être une victime qu'elle s'en fout aujourd'hui, alors c'est moi qui récolte toutes ses conneries à lui.

Pendant un long moment, je ne fus pas sûre de savoir quoi dire. Quelque chose me vint finalement à l'esprit.

– Tu penses que tu peux rompre ce cercle, Jason ?

Jason baissa la tête, le regard perdu entre ses genoux, tout en réduisant quelques chips en poussière.

– Il le faut, Becca. Je le ferai. Mon grand-père était un connard, et je suis convaincu que son père à lui l'était aussi. (Sa voix devint un murmure.) J'ai peur que ce soit comme un truc héréditaire. Et si jamais j'arrivais pas à être autrement ? Si jamais j'étais juste… prédisposé génétiquement à être un connard comme mon père ?

Je pris ses mains dans les miennes.

– Je n'y crois pas. Tu es déjà différent, Jason. On peut choisir qui on est.

– Je l'espère.

Il avait l'air si triste, soudainement, et je voulais trouver une façon de lui remonter le moral, de changer de sujet, mais rien ne me venait à l'esprit.

On avait fini les sandwichs et on se gavait de chips en parlant – il nous restait deux canettes à chacun. Je me rappelai la bouteille dans mon sac à dos et passai la main par la vitre arrière pour l'attraper. Je l'ouvris, sortis la bouteille et la posai entre nous deux sur la couverture. Jason la regarda comme s'il s'agissait d'un serpent venimeux.

– Où est-ce que t'as trouvé ça ? demanda-t-il sur le même ton faussement calme qu'un peu plus tôt.

– Mon frère me l'a donnée. Je suppose qu'il voulait qu'on s'éclate un peu. Je ne sais pas. Je ne bois pas vraiment, mais je me suis dit pourquoi pas, après tout, non ?

Je m'efforçai d'avoir l'air cool, mais je n'étais pas sûre d'avoir réussi.

– Je ne crois pas être capable de boire ça, dit Jason dans un murmure à peine audible. C'est… c'est ce que boit mon père. Je… je ne l'ai jamais vu autrement après sept ou huit heures du soir, de toute ma vie. Lui, assis dans son fauteuil en cuir en train de regarder *New York, unité spéciale*, *Castle* ou *Game of Thrones*, toujours avec cette putain de bouteille carrée sur le guéridon et un verre à portée de main. Tous les soirs, je le regarde vider la bouteille verre après verre, jusqu'à ce qu'il devienne plus cruel qu'une putain de vipère, et deux fois plus dangereux.

Il parlait, les yeux rivés sur l'horizon, et je restai là, assise, en silence, à l'écouter avec attention.

– Je n'ai rien contre le fait de boire de l'alcool. Tout le monde n'est pas comme lui. Je ne suis pas comme lui quand je bois. C'est juste que… je ne peux pas, je ne toucherai jamais à cette merde. Jamais.

Jason fixait la bouteille comme s'il s'agissait de son père, avec une haine brute dans les yeux.

– S'il te plaît, range-la. J'ai des bières dans la glacière, si tu veux boire.

Je m'empressai de remettre la bouteille dans mon sac à dos et de le refermer.

– Je-je suis désolée, Jason. Je-je ne s-s-savais pas.

Super, mon idée pour lui remonter le moral.

Il posa les mains autour de mes bras et m'attira plus près de lui, jusqu'à ce que nos genoux se chevauchent et s'emmêlent.

– Bien sûr que tu ne savais pas. Ne t'en fais pas. Pas pour moi.

– Mais si, je m'en fais pour toi. Tu ne devrais pas avoir à subir tout ça.

Il me retourna jusqu'à ce que je me retrouve le dos contre son torse. Jason s'adossa contre la cabine et m'enlaça par la taille, juste sous mes seins, ses genoux collés sur le côté de chacune de mes cuisses. J'y appuyai les bras et penchai la tête en arrière pour la poser sur son épaule. D'un seul coup, entre deux respirations, j'étais parfaitement bien. Je me sentais en sécurité. Je pouvais sentir le léger battement de son cœur, son souffle doux contre ma nuque. J'étais bien trop consciente de son corps à cet instant précis, de ses mains si proches de mes seins, de sa bouche. Je n'aurais eu qu'à me déplacer un peu pour l'embrasser, si j'en avais eu le courage ; ses bras musclés m'entouraient parfaitement. Mon cœur battait fort et je dus me concentrer pour rester calme, pour ne pas être prise de panique. Je voulais plus, plus de contact, plus de sa chaleur, plus de sa force. Sa proximité était enivrante, elle avait quelque chose de transgressif. J'avais fait le mur au beau milieu de la nuit, et maintenant j'étais dans les bras d'un garçon. Un homme ? Je n'en étais pas sûre. Est-ce qu'il était déjà un homme ? Est-ce que j'étais une femme ou une fille ? On était, lui comme moi, coincés entre les deux. Ce genre d'idée flottait dans mon esprit, faisant naître des questions sans réponse. Parce que sa proximité et la solidité de son corps étaient bien trop enivrantes pour pouvoir réfléchir.

On respirait en rythme l'air frais de la nuit, le ciel noir trempé dans un bain d'argent au-dessus de nos têtes. Nous n'avions pas besoin de parler, et ça, c'était en soi une chose incroyable. On entendait juste notre souffle, le bruit du vent qui agitait les feuilles, et la chanson que jouait la radio, qui se fondait dans la voix d'une animatrice annonçant la suivante : « Très bien, c'était Montgomery Gentry, un de ses plus vieux tubes. La prochaine chanson est pour vous, les amoureux qui nous écoute quelque part dans la nuit. Voici *(Kissed You) Goodnight*, de Gloriana. »

Mon cœur se mit à battre frénétiquement en écoutant les paroles chantées avec douceur. Elles avaient quelque chose de romantique, elles nous liaient l'un à l'autre dans la pénombre et le froid d'un rendez-vous de minuit interdit. Je tournai la tête, me penchai légèrement sur le côté afin que mon épaule se cale sur le rebord du fourgon. Les yeux de Jason étaient d'un vert sombre, étincelant face à la lumière des étoiles et à la lueur pâle de la lune. Je sentis son cœur battre contre sa poitrine, contre mes côtes, et je sus à cet instant qu'il allait m'embrasser. J'attendis, retenant mon souffle, les yeux plongés dans les siens, mes mains agrippées à ses genoux comme pour me donner du courage. Je n'avais pas peur de l'embrasser, non, j'avais peur de ne pas pouvoir attendre et de l'embrasser la première. J'avais faim d'un deuxième baiser, c'était comme si le désespoir coulait dans mes veines, palpitait dans mes muscles, dans mon cœur, et s'embrasait dans mon cerveau.

– Est-ce que ça va, tout ça? demanda-t-il. Sa voix était un doux murmure dans le calme de la nuit.

Je lui souris.

– Tais-toi, et em-em-em… Je m'interrompis et fermai les yeux, pour laisser les mots flotter et sortir… Embrasse-moi, maintenant.

Il s'empressa de se rapprocher, couvrit ma bouche de la sienne, et le tonnerre de nos cœurs était comme un carambolage, une syncope entre le désir et la nervosité. Je me perdis en lui, je savourai ce bain de sensation et de goût – doux, humide, chaud, un goût de Coca et de sel –, le bruit de mon pouls dans les oreilles qui ne cessait de s'amplifier, et la musique qui comblait les espaces entre nos lèvres… *and I kissed You… Goodnight*[1].

Quand on s'arrêta, Jason me dévora des yeux.

– T'embrasser, c'est… mon Dieu, c'est incroyable.

---

1. L'auteur reprend ici le titre de la chanson qui passe à la radio *(Kissed You) Goodnight,* ce qui signifie littéralement: «Je t'ai embrassée pour te souhaiter une bonne nuit.»

– Alors, recommence !

J'étais épatée par mon audace.

Lui aussi, mais il baissa ses lèvres jusqu'aux miennes et m'embrassa de nouveau, plus profondément cette fois, nos bouches remuaient, nos langues se touchaient et s'égaraient avec hésitation. Ses paumes étaient posées à plat sur mon ventre, l'une dériva le long de mes côtes et s'arrêta juste en dessous de mon sein. Je levai le bras et enlaçai sa nuque, un geste que j'avais vu faire dans un film, et je connus à cet instant la puissance du contact, la beauté d'un baiser, l'émerveillement de l'intimité. Quand mes doigts caressèrent les cheveux ras juste au-dessus de sa nuque, il m'embrassa plus fort encore, comme si ma main posée à cet endroit avait nourri le feu de son désir. Puis sa main glissa vers le haut, juste un tout petit peu, et ses doigts frôlaient désormais la courbe extérieure de mon sein, un geste hésitant, aventureux, une question. Je ne connaissais pas la réponse, je ne savais pas ce que j'étais censée faire. J'en voulais plus. C'est vrai. Mais… est-ce que c'était permis ? Est-ce que c'était mal ? Est-ce que c'était trop, et trop tôt ? J'aimais la sensation de ses doigts sur moi, qui jouaient au bord du précipice, à la frontière de l'acceptable. Oserais-je l'encourager à aller plus loin ?

Il prit mon hésitation pour un refus, et sa main glissa vers le haut, loin de la tentation. J'eus un pincement de regret en perdant la sensation de ses doigts contre mon sein, et posai ma main sur la sienne pour l'arrêter près de mon aisselle. Notre baiser s'arrêta, nos regards se croisèrent. Ses billes vertes cherchaient les miennes et s'écarquillèrent quand je guidai sa main plus bas. Son sweat-shirt était tombé de mes épaules, je me blottis contre lui et sa main atterrit sur mon sein. Même à travers mon pull, ma chemise et mon soutien-gorge, je sentais la chaleur de ses doigts, la puissance brute de son geste, la délicatesse de sa caresse. Personne ne m'avait jamais touché la poitrine, et le frisson que cela me procurait était comme une drogue dans mon organisme.

Je portais un petit cardigan à boutons. J'ouvris le premier bouton, puis guidai sa main le long de mon buste, sous le pull, jusqu'à mon autre sein. Ses doigts le soupesaient, s'aventuraient, caressaient, hésitants mais impatients. Je n'aurais pas dû le laisser me toucher comme ça, et encore moins l'encourager. Mais c'était tellement excitant, tellement enivrant. Il explorait mes seins à travers deux couches de coton, et je sentis mon pouls devenir fou. Il me malaxait, me caressait, m'embrassait, et je me sentais femme, adulte, expérimentée.

Après un certain temps, je serais incapable de dire combien, nos corps se séparèrent et sa main tomba sur mon ventre, plus près de ma hanche, cette fois-ci.

– Tu ne m'as jamais lu de poème, murmura-t-il.

Mes joues s'enflammèrent.

– Tu veux vraiment en entendre un ?

Il acquiesça.

– Tu ne vas pas rire ?

– Non. À moins que ce ne soit censé être drôle.

– Je n'écris pas de poèmes drôles, dis-je en rassemblant mon courage. Mais tu ne peux en parler à personne, et tu n'as pas le droit de te moquer de moi.

Il fronça les sourcils.

– Est-ce que tu te moquerais de mes photos ?

Je secouai la tête.

– Jamais.

– Alors, pourquoi je le ferais avec ta poésie ?

Je sortis mon carnet de mon sac à main et le feuilletai, à la recherche du bon poème à lui lire. J'en trouvai un parfait, un qui, d'une certaine façon, parlait de mes sentiments du moment.

Je savais que je n'aurais jamais été capable de le lire à voix haute sans me ridiculiser, je lui tendis donc le carnet pour qu'il le lise tout seul. Je pouvais voir les mots dans mon cerveau, je les sentais en même temps qu'il les lisait.

LE BAISER DU FANTÔME

Tu n'es pas là, et je ne suis pas là.
Je suis une fille, seule dans sa chambre
Et tu es un mythe,
Un avenir possible,
Le fantôme de mes désirs futurs.
Je respire doucement et ferme les yeux,
Penche la tête en arrière
Et attends le baiser
De lèvres fantasmagoriques sur ma chair
D'une bouche rêvée sur la réalité,
D'une langue fantasmée goûtant la mienne,
Enivrante et imaginaire.
Parce que je me demande
Ce qu'est un baiser,
Quel goût ont les lèvres,
Quelle est la sensation d'une langue.
Saurai-je comment faire
Sans qu'on me le montre ?
Une question plus inquiétante m'envahit
Qui ne concerne que moi :
Peut-on bégayer dans un baiser ?
Peut-on bredouiller
Dans les affres du désir ?
Tu n'es qu'un fantôme,
Une somme indéfinissable de « et si »,
Et tu ne peux pas m'enseigner ce que je veux savoir
Jusqu'à ce que tu deviennes réel,
Et que tu m'embrasses, que tu m'embrasses, que tu m'embrasses…

Jason me regarda, moi, puis à nouveau la page, les yeux émerveillés.

– Mon Dieu, Becca, c'est… je n'ai même pas de mots. Magique. Ce n'est pas juste de la poésie – c'est de la magie avec des mots. (Ses yeux revinrent au carnet, il semblait relire.) Comment sais-tu quels mots vont parfaitement ensemble ?

Je connais tous ces mots séparément, mais… mais je ne serais jamais capable de les assembler comme ça en un poème.

Je penchai la tête en avant; les joues me brûlaient.

– Merci. Je suis juste… Les mots viennent simplement comme ça. Je crois que j'écris des poèmes parce que c'est un moyen pour moi d'être cohérente. Éloquente. Je dois bosser pour parler distinctement. Chaque phrase que je prononce me demande des efforts pour ne pas bégayer. La poésie? C'est juste naturel.

J'avais préparé ce discours pendant qu'il avait parlé de mon poème, je l'avais décomposé, j'avais formé les mots dans ma tête pour m'entraîner. Il commença à tourner la page, mais je lui pris le carnet des mains, doucement mais fermement.

– Je suis désolée, mais je ne suis pas prête à te laisser… parcourir mes pensées intimes comme ça. Lire ça, c'est comme lire dans mon esprit. Je ne suis jus-jus-juste p-pas encore p-p-prête pour ça.

J'avalai une grande bouffée d'air pour m'aider à ralentir.

Il me sourit de façon réconfortante, et ne montra aucune impatience ni aucune gêne face à mon stupide bégaiement et à mes blocages.

– C'est bon, Becca. Je comprends totalement. Merci d'avoir partagé ça avec moi.

– Tu m'as montré le tien, donc c'était normal que je te montre le mien.

Je souris pour insister sur le double sens de ma phrase.

Jason eut un sourire satisfait.

– C'est vrai. Il est toujours fair-play de se rendre la pareille.

Sa main remonta le long de mon buste, se rapprocha, osa aller plus haut.

– Œil pour œil. Sein pour…

Il approchait de ma poitrine et je pouvais à peine respirer. J'avais envie de sa main à cet endroit. Encore.

Il saisit mon sein à travers mon pull, et je retrouvai ma respiration. Quand il retira sa main pour la poser sur ma cuisse, c'était comme si on me l'arrachait physiquement. Mon pouls retrouva doucement un rythme normal.

– On devrait sans doute y aller, murmura-t-il.

– Ouais, sans doute.

– Je n'en ai pas envie, pourtant.

Il enfouit son visage dans mes cheveux pour les respirer.

– Tu sens bon.

Je ris.

– Merci. Je ne veux pas m'en aller non plus. Je suis bien ici. Je comprends que ce soit ton endroit préféré.

– Tu devrais le voir la journée, quand le soleil brille. Jusque là-bas – il agita la main vers l'avant du camion, là où la colline se transformait en prairie à perte de vue –, il n'y a que des fleurs. C'est magnifique.

– Alors, tu devrais m'emmener ici pendant la journée.

Il acquiesça.

– Je le ferai.

Il me sourit, et ce sourire seul suffit à me rappeler à quel point il était beau, les traits dessinés, saillants et forts de son visage, et ses yeux verts, si verts.

– Mais de toute façon, ce n'est plus mon endroit préféré.

Je fronçai les sourcils, confuse, même si j'avais bien une idée d'où il voulait en venir.

– Ah non ?

Il secoua la tête et me serra encore plus fort dans ses bras.

– C'est ça, mon nouvel endroit préféré. Toi, ici, contre moi. Dans mes bras.

Je lui souris, et me blottir encore plus contre lui fut la seule réponse que je fus capable de lui donner.

Après encore quelques minutes, on rangea à contrecœur notre pique-nique de minuit. Je glissai du coffre tandis que Jason rattachait la glacière à l'aide du tendeur. Je m'installai sur le siège passager du camion, augmentai le volume d'une chanson rythmée, genre honky-tonk[1]. Je sautillai sur mon siège, savourant cette musique drôle et légère et ce sentiment de bonheur qui montait en moi, si chaud et si puissant.

Jason me ramena à la maison et s'arrêta de nouveau à l'entrée du lotissement.

– J'aimerais tellement pouvoir te ramener jusqu'à chez toi. T'accompagner à ta porte et t'embrasser pour te dire bonne nuit.

– Un jour peut-être, dis-je. Je n'aime pas ça non plus. Tu sais bien que ce n'est pas que j'aie honte de toi ou un truc comme ça, n'est-ce pas ? Si je n'étais pas convaincue que Père me punirait à vie et m'enfermerait pour de vrai dans ma chambre tous les soirs, je lui dirais, pour nous deux. Je te présenterais.

Il haussa les épaules.

– Je sais. Fais seulement attention en rentrant, d'accord ? Je vais attendre jusqu'à ce que tu sois dans ta chambre. Envoie-moi un texto quand tu seras hors de danger, OK ?

J'ouvris la portière du camion, mais sa main s'empara de mon poignet pour me ramener en arrière. Il m'attira contre lui, encore et encore, souleva l'accoudoir pour qu'il ne nous gêne pas ; la bouteille de Seven Up roula au sol. Je jetai les bras autour de son cou, plantai les doigts dans les mèches dressées et douces de ses cheveux, me laissai guider dans le baiser.

Quand le souffle me manqua et que la tête me tourna, je reculai.

– Mon Dieu, Becca. T'embrasser, c'est… c'est vraiment la meilleure chose au monde.

Je touchai mes lèvres, je savais qu'elles étaient gonflées.

– C'est dangereux, je crois.

– Quoi, ça ?

– Toi, moi et nos baisers.

– Pourquoi ?

---

1. Type de musique country typique du sud des États-Unis.

Je plongeai mes yeux dans les siens pour le laisser voir toutes les émotions qui me remuaient.

– Parce que je n'ai jamais envie que ça s'arrête. Je pourrais t'embrasser jusqu'à en suffoquer.

Il acquiesça.

– Moi aussi.

Il lâcha mon poignet, ses doigts caressèrent mes pommettes puis le long de ma joue.

– Tu es belle, Becca. Tellement belle.

Je secouai la tête en le regardant.

– Tu es ridicule. Mais merci.

Il fronça les sourcils. Je glissai sur le sol en tenant la portière, sur le point de la refermer.

– Pourquoi je suis ridicule ?

Je haussai les épaules, gênée à l'idée de discuter de mes complexes.

– Tu l'es, c'est tout. Mais c'est gentil de ta part de me faire des compliments.

– Ce n'est pas un compliment. C'est la vérité.

Son regard changea légèrement : la compréhension envahit ses traits.

– Attends. Tu n'es pas complexée par ton physique ? rassure-moi.

J'enroulai une boucle autour de mon doigt et m'efforçai de ne pas bégayer.

– Je suis à peu près sûre que chaque fille sur cette planète complexe pour quelque chose, Jason. C'est juste que certaines le cachent mieux que d'autres.

– À quel propos pourrais-tu donc complexer ?

Je le fixai, abasourdie.

– À quel propos ?... Je suis, je suis... déjà je bégaie, au c-c-cas où tu ne l'aies pas r-r-remarqué. C'est gênant. Ensuite, je suis la fille la plus petite de toute notre promo. En plus, j'ai des hanches qui font un kilomètre de large, et par-dessus le marché, j'ai un buste énorme.

Je rejetai en arrière l'espèce de balai-brosse de boucles serrées qui me servait de chevelure.

– Quant à mes cheveux, on dirait que j'ai p-p-planté une paire de ciseaux dans une prise électrique.

Jason me lança un regard noir comme si c'était lui, et non moi que j'avais insulté. Il ouvrit sa portière, énervé, la laissa comme ça avec l'alarme qui sonnait, traversa les faisceaux des phares et marcha d'un pas décidé vers moi. Je n'avais pas peur de lui, mais de l'intensité de son regard. La détermination de ses yeux et sa démarche résolue m'intimidaient. Je reculai d'un pas, en trébuchant contre la portière qui se referma derrière moi. Il me bloqua contre le camion avec son corps, et ses mains atterrirent au creux de mes hanches.

– Tu n'as pas le droit de parler de toi comme ça, Becca. C'est compris ? (Ses yeux s'assombrirent.) Tu es belle, tu es sexy à en couper le souffle. Je ne comprends même pas comment j'ai pu regarder quelqu'un avant toi. Tes hanches sont parfaites, et pour un mec, un « buste énorme » c'est une qualité, et tu es énorme du buste de la meilleure façon qui soit. Tu as un corps incroyable, Becca. In-cro-yable. Et ton bégaiement ? Ça fait juste partie de toi pour moi. Ça ne me dérange pas.

J'enfouis mon visage contre son torse, convaincue qu'il ne disait tout ça que pour m'amadouer.

– Et mes cheveux ?

Il emmêla ses doigts dans ma chevelure, fit rebondir mes boucles comme s'il soulevait des poignées de pièces d'or et qu'il les laissait retomber entre ses doigts. Puis il enroula une mèche autour de ses doigts et fit basculer ma tête en arrière, doucement mais inévitablement, pour m'obliger à le regarder.

– J'aime tes cheveux.

Il avait dit le mot *aimer*. À propos de mes cheveux, soit, mais il l'avait dit.

Et puis il m'embrassa. Mes orteils se plièrent dans mes baskets couleur parme. Mon Dieu, ce mec savait embrasser, ça ne faisait aucun doute.

Puis il me laissa m'en aller et me regarda disparaître parmi les arbres. J'entendis le grondement sourd de son vieux moteur et vis en regardant derrière moi la lueur jaune pâle de ses phares. Je m'arrêtai en bas du tuyau de la gouttière, les yeux rivés sur la fenêtre de Ben deux étages plus haut. Je ne voyais pas comment j'allais réussir à remonter, bon sang. Pour descendre, il avait juste fallu s'accrocher et laisser la gravité faire son boulot. Je pris une grande inspiration et me concentrai sur la première cale, clouée au revêtement je ne sais pas trop comment. Je l'attrapai des deux mains et tirai de toutes mes forces. Je ne décollai même pas du sol.

Je tirai, sautai, tirai encore plus fort, jurai mais n'arrivai à rien, à part suer. C'est à ce moment-là que je réalisai que je portais encore le sweat à capuche de Jason.

Mon téléphone vibra dans mon sac au même instant. Je le sortis et lus le texto de Jason : *Ça fait quelques minutes. T'es dans ta chambre ?*

Je tapai ma réponse sans réfléchir : *Non. J'ai glissé le long d'un tuyau et suis incapable de remonter. Arrête de rire, C'EST PAS DRÔLE.*

J'attendais encore la réponse de Jason, tout en essayant de savoir comment j'allais bien pouvoir rentrer, quand j'entendis un bout de bois craquer derrière moi. Je me retournai brusquement et vis Jason avancer vers moi depuis les arbres. Il vint se mettre à côté de moi et leva la tête pour regarder mon pire ennemi du moment : le tuyau.

– On a peut-être un problème. Je crois que même moi, j'aurais du mal à grimper après ce truc.

Il posa la main sur le tuyau et l'agita pour le tester, fit un mouvement de tête pour montrer qu'il était satisfait de sa solidité.

– Je pourrais te donner une impulsion.

– Je ne sais pas. Après, je serai coincée à mi-chemin. Je ne suis tout simplement pas assez forte pour grimper jusque là-haut.

– Est-ce que tu as une clé de la maison? demanda Jason.

– Ben oui, mais Père branche l'alarme le soir, et je ne connais pas le code.

– Mais alors, comment as-tu pu sortir sans la déclencher? Les systèmes d'alarme incluent en général les fenêtres.

J'étais un peu déconcertée.

– Je ne sais pas. Je n'y ai pas réfléchi. Peut-être que Ben a bidouillé sa fenêtre d'une façon ou d'une autre.

– C'est la fenêtre de Ben?

– Ouais, c'est lui qui a mis ces cales en bois pour les mains et les pieds.

Jason examina à nouveau le tuyau.

– Oh, je ne les avais pas vues. Malin.

Il me fit un large sourire.

– Ben fait beaucoup le mur, hein?

Je me mis à glousser.

– Ouais, beaucoup.

– Alors comment il rentre?

Je fixai Jason.

– Hein? Aucune idée. Je n'ai pas réfléchi à ça non plus. Je ne suis pas vraiment experte en matière de délinquance.

– Tu m'étonnes, dit Jason, avec un sourire affecté. J'ai de toute évidence une très mauvaise influence sur toi.

– Oui, peut-être un peu, admis-je. Mais j'aime bien ça. Je me sens libre. C'était sympa. Maintenant il faut juste que je puisse rentrer.

– Est-ce que ton frère a un portable? Tu ne peux pas lui envoyer un texto pour lui dire de t'aider? (Il regarda encore une fois le tuyau, comme s'il essayait de trouver une façon de me faire remonter.) Je pense toujours que tu pourrais y arriver si je te donnais de l'élan.

– Tu cherches juste une excuse pour toucher mes fesses.

Je marchai jusqu'au tuyau, me mis sur la pointe des pieds et attrapai la cale à quelques dizaines de centimètres au-dessus de ma tête.

Jason s'approcha derrière moi et mon souffle s'arrêta quand ses mains frôlèrent la courbe de mon cul moulée par mon jean.

– Ai-je besoin d'une excuse ?

Je tournai la tête pour le regarder dans les yeux.

– Oui, tu en as besoin. Nous n'en sommes pas encore au stade « je pelote le cul de Becca quand je veux », l'ami, alors bas les pattes !

J'essayai de garder un air sérieux mais en fus incapable.

Il posa ses mains au creux de mes hanches en faisant la moue.

– Bien. Fais ce que tu veux. Interdis-moi le plaisir de ton sublime arrière-train.

Je lui lançai un regard incrédule.

– Sublime ? Tu penses vraiment qu'il est sublime ?

Il le prit comme une invitation – et ça l'était, je l'admets –, d'une certaine façon, à reposer ses mains sur l'arrière-train en question.

– Hum. Laisse-moi voir. (Il aplatit ses mains sur mon cul, en explora l'étendue à travers le denim.) Ouaip. C'est définitivement le mot exact. Ma chère, vous avez un cul sublime.

Je savais que je rougissais, mais il n'arrêta pas son exploration.

– Je suis ravie que tu le penses.

Sa voix devint sérieuse et ses mains reprirent leur place sur mes hanches.

– Est-ce que je… vais trop vite pour toi ?

Je me penchai contre lui.

– Oui. Non. Je ne sais pas. Ça me plaît. Tout me plaît. J'aime te laisser me toucher, mais une part de moi me dit que tu ne devrais pas. Mais c'est l'éducation mégatraditionnelle de mes parents qui parle, je crois. J'adore t'embrasser. J'adore faire le mur avec toi. (Je soupirai.) Je n'ai jamais rien fait d'audacieux, jamais enfreint les règles. J'ai été sage toute ma vie. J'ai l'impression de vivre un peu avec toi.

Jason acquiesça.

– Je ne veux pas que tu te sentes obligée à quoi que se soit, jamais. C'est juste que… j'ai toujours envie d'aller plus loin avec toi. C'est comme si j'étais affamé, d'une certaine façon. Je veux t'embrasser encore, te toucher encore. C'est dangereux, comme tu l'as dit. J'ai l'impression que t'es une drogue, et que je suis en train de devenir accro.

Il dégagea mes cheveux de ma joue et de mon oreille, puis déposa un baiser à l'endroit où se rejoignaient mon lobe et ma mâchoire.

– On devrait te faire monter.

Il s'agenouilla et tint ses mains ensemble pour former un étrier. J'hésitai, puis posai un pied sur ses mains en m'agrippant à son épaule d'une main et au tuyau de l'autre. Jason compta jusqu'à trois en murmurant, puis me donna une impulsion vers le haut. Je dus étouffer un petit cri quand je fus projetée dans les airs. Je dépassai la première cale, gardant difficilement mon équilibre, mon pied dans sa main.

– Mets-toi debout sur mes épaules.

Je répartis mon poids avec précaution, m'accrochant au tuyau des deux mains, et me retrouvai debout sur les épaules de Jason. La fenêtre était désormais plus près, mais toujours assez loin.

– Je ne suis toujours pas suffisamment près, dis-je. La prochaine cale est à un bon mètre plus haut.

Jason bougea sous moi pour consolider son équilibre. Il attrapa fermement mes chevilles et me lança un regard.

– OK. Tu vas mettre tes pieds sur mes mains.

– T'es complètement fou ? Tu ne pourras pas supporter mon poids juste avec tes bras ! Je vais te casser en deux.

Jason grommela.

– T'es aussi lourde qu'une plume, putain. Arrête de discuter et fais-le. Ça va aller. Je ne vais pas te laisser tomber. Promis.

Il souleva l'une de mes chevilles et glissa sa paume à plat sous mon pied, puis étendit le bras afin que ma jambe soit pliée en deux sous moi.

– Maintenant, appuie-toi sur ce pied et lève l'autre dès que tu peux. Accroche-toi au tuyau pour garder l'équilibre. Si tu sens que tu tombes, laisse-toi faire. Je te jure que je te rattraperai.

J'avalai ma salive avec difficulté, sentis ma respiration s'accélérer et mon pouls s'emballer frénétiquement.

– J'ai peur, Jason.

– Je suis là. Il ne va rien t'arriver, je te le promets. Maintenant, à trois. Prête ? Un… deux… trois !

À trois, je décollai de son épaule et sentis ses bras se tendre sous moi, puis mon autre jambe se déplia et sa main glissa sous mon pied, j'étais debout sur ses paumes, à peu près à trois mètres au-dessus du sol.

Mon cœur faisait un bruit sourd dans ma poitrine, je sentais mon sang courir dans mes oreilles. Je chancelai, Jason rajusta sa position et je retrouvai un peu d'équilibre. J'avais le tuyau dans la main et il y avait une cale pour les pieds toute proche, juste à la hauteur de mon ventre. J'agrippai le tuyau aussi haut que possible au-dessus de ma tête et tirai de toutes mes forces, en tâtonnant le mur pour trouver un endroit auquel m'accrocher. Je sentis une vague de panique m'envahir quand les mains de Jason s'éloignèrent et que je me retrouvai toute seule dans le vide, pendue au mur. Puis, miraculeusement, mes pieds trouvèrent la cale en dessous et je me redressai doucement, tremblante.

– Putain de merde, soupirai-je.

Je regardai Jason en bas, ce qui était une erreur.

– Putain de merde ! J'ai réussi !

– Je savais que tu en étais capable, Beck. Encore un tout petit effort. Tu arrives à ouvrir la fenêtre ?

Je tirai la fenêtre, mais ne réussis à l'ouvrir que de quelques centimètres.

– Elle est coincée.

Je tapai à la vitre avec mon ongle et, quelques instants plus tard, le visage de Ben apparut à la fenêtre.

Il avait l'air choqué, à moitié endormi, il restait là à cligner des yeux en me regardant avec incrédulité, puis il se mit en mouvement. Il ouvrit la fenêtre, m'attrapa sous les aisselles et me tira dans la chambre.

– Bon sang, Becca. Tu m'as fait flipper, pour l'amour du caca bleu de Dieu.

Je trébuchai la tête la première sur l'épais tapis en jonc de mer, mes pieds balançaient toujours par la fenêtre et mon cul soi-disant sublime pointait vers le ciel. Je m'extirpai entièrement, puis me retournai pour passer la tête par la fenêtre et faire un signe de la main à Jason. Il agita son téléphone en ma direction en murmurant du bout des lèvres *appelle-moi* avant de disparaître au milieu des arbres.

Je me retournai vers Ben

– Est-ce que tu viens de dire « pour l'amour du caca bleu de Dieu » ?

Il me fit un large sourire.

– Ouaip. Il se trouve que Dieu fait caca bleu. Qui s'en serait douté ?

Il haussa les épaules comme si un mythe s'effondrait.

Je ris et le poussai de façon taquine.

– Pourquoi diable ne m'as-tu pas dit que c'était si difficile de remonter ?

Il haussa les épaules.

– J'suppose que j'y ai pas pensé. Ça ne me semble plus aussi difficile, à moi. En même temps, je commence à avoir de la pratique.

– Je ne crois pas que j'y serais arrivée sans l'aide de Jason, dis-je.

– Tu t'es amusée ?

J'acquiesçai, je ne voulais pas gâcher la magie de ma soirée en en parlant avec mon camé de frère.

– C'était génial. Mais je suis épuisée, je vais me coucher. Je balançai le sac à dos de Ben sur son lit.

– Finalement, on n'en a pas bu du tout. On s'est très bien amusés sans.

Ben sortit la bouteille du sac, dévissa le bouchon et en avala une grande gorgée sans même sourciller.

– Ça en fera plus pour moi.

Il jeta le sac à dos sur le sol, s'allongea sur le lit et prit une autre grande rasade.

– Bonne nuit, Beck.

J'hésitai sur le seuil, le regardai avaler sa troisième gorgée. À ce stade, il avait vidé la bouteille bien au-delà du goulot, presque au niveau de l'étiquette.

– Est-ce que tu es sûr que tu devrais…

– Bonne nuit, Beck.

Il l'avait répété d'un ton plus ferme, et en articulant clairement pour clore la discussion.

Je le quittai, l'estomac noué d'inquiétude. Il était passé de content à contrarié en moins d'une minute, et il avait descendu le quart d'une bouteille de whisky en quelques secondes, comme si c'était une habitude régulière. Mais le temps de marcher sur la pointe des pieds jusqu'à ma chambre, d'enlever tous mes vêtements sauf mon T-shirt et ma culotte, et de me blottir dans mon lit, j'avais oublié Ben. C'est Jason qui occupait mon esprit, ses mains parcourant mes hanches, ses lèvres posées sur les miennes, les dévorant.

La dernière chose à laquelle je pensai avant de m'endormir fut de savoir comment j'allais réussir à faire le mur pour le voir aussi souvent que j'en avais envie.

5

Nuit de bagarre

Jason
Le lundi suivant

Becca m'avait envoyé plusieurs textos pendant le week-end, mais nous n'avions pas réussi à nous voir. Je le lui avais proposé, mais elle m'avait dit que son père avait des soupçons et qu'il valait mieux qu'elle fasse profil bas. En ce qui me concerne, il n'y avait rien de pire que les week-ends. Mon père ne travaillait généralement pas, à moins que quelque chose d'important ne survienne, ce qui signifiait qu'il fallait que je m'occupe pour l'éviter le plus possible. Je restais en général dans ma chambre à étudier, ou dans la cave à faire de la muscu. Mais ce week-end, je n'avais pas suffisamment réussi à rester en dehors de son chemin. Le dimanche avait été une vraie beuverie, il avait mixé un pack de bière avec ses deux bouteilles de Jack. Après m'être entraîné et avoir fait mes devoirs, j'avais tenté de me faufiler dans la cuisine pour déjeuner. Mauvaise idée. J'étais à peu près sûr qu'il m'avait froissé deux côtes et j'avais une dent qui bougeait. Mais je m'étais suffisamment défendu pour qu'il retourne à sa picole et à son marathon *Frères d'armes*.

Je n'ai jamais compris pourquoi il se torturait à regarder des films de guerre. C'était toujours dans ces moments-là qu'il était le plus cruel. J'avais fini par emporter mon déjeuner pour le manger dans ma chambre. Et j'avais dû attendre qu'il soit en train de cuver, à 1 heure et demie du matin, pour pouvoir me faire à dîner.

Je n'étais donc pas de la meilleure humeur en arrivant au lycée lundi matin. J'avais pensé à nos baisers avec Becca pendant tout le week-end, et c'était la seule chose qui m'avait aidé à surmonter ces deux jours-là. Mais quand je la croisai entre deux cours, elle me sourit à peine et se dépêcha de continuer son chemin. Je ruminai tout l'après-midi, me demandant si elle regrettait déjà notre histoire.

Elle me rejoignit près de mon casier pendant la pause.

– Je suis désolée de ne pas avoir pu te voir ce week-end, dit-elle en se glissant contre moi.

Je haussai les épaules.

– Tout va bien ?

Elle fronça les sourcils.

– Oui. Pourquoi ?

– Tu m'as à peine regardé quand on s'est croisés tout à l'heure.

– Je suis toujours super stressée à ce moment-là. J'ai cours dans des endroits complètement opposés de l'école, et je dois traverser le hall A, qui est constamment embouteillé, donc je suis toujours en train de courir juste pour arriver à l'heure.

Je me sentis mieux.

– Oh. Oui, normal.

Elle pencha la tête en me regardant et fronça un peu plus les sourcils.

– Pourquoi ? Qu'est-ce que tu t'imaginais ? Que je t'ignorais ?

Je me contentai de hausser de nouveau les épaules, je savais que ça ne servait à rien à ce stade.

– Hé, qu'est-ce qu'il se passe ? Tu as l'air de mauvaise humeur. C'est à cause de moi ?

Je claquai la porte de mon casier et pris sa main dans la mienne.

– Je vais bien.

– Foutaises.

Je la regardai, bouche bée.

– Becca, ça va, vraiment…

Elle s'arrêta et me coinça contre le casier, en ignorant les personnes qui traînaient encore dans le couloir.

– Jason. Parle.

Je sentais son corps contre le mien, ses seins écrasés entre nous, ses hanches sur les miennes, et je sus que j'étais incapable de lui mentir.

– J'ai eu un week-end difficile. Mon père était vraiment ivre, et il regardait des films de guerre. Il… C'est jamais bon quand il est dans ce genre d'humeur.

Je murmurai à peine. J'aurais préféré faire un milliard de pompes plutôt que de parler de ces conneries.

– Je vais bien.

Les yeux de Becca se remplirent de colère et de tristesse.

– Jason… mon Dieu. Je suis désolée. Je…

Je l'interrompis.

– Écoute, ne fais pas de tout ça ton problème à toi. Ça ne l'est pas. C'est juste la vie qu'on m'a donnée. Je peux gérer, je vais bien. Simplement, ne le prends pas personnellement, si parfois je suis d'une humeur de merde, d'accord ? Juste… souris-moi, peut-être même embrasse-moi, et j'irai mieux.

Becca n'hésita pas, pas même un quart de seconde. Elle écrasa ses lèvres contre les miennes en souriant. Et la sensation de sa bouche se courbant sur la mienne enleva le nuage noir qui m'embuait la tête et le poids que j'avais sur les épaules, diminua la douleur de mes côtes et la peine dans mon cœur. Je lui rendis son baiser, je me perdis en elle. Elle me laissa glisser mes mains sur ses hanches, l'attirer contre moi, l'embrasser plus fort, et le silence se fit autour de nous tandis que le hall se vidait. Je l'embrassais en pensant à cet incroyable poème qu'elle avait écrit sur les fantômes. Et bon sang, je fis de mon mieux pour l'embrasser de façon qu'elle sache que j'étais réel, que je n'étais plus un fantôme. C'était peut-être arrogant ou égocentrique, mais j'étais convaincu que ce poème parlait de moi, elle n'en avait simplement pas eu conscience en l'écrivant.

– C'est bon, vous deux, ça suffit. Ne devriez-vous pas être à l'entraînement, monsieur Dorsey ? aboya M. Hansen, le prof de biologie, en passant, les bras chargés de lunettes de protection.

Il ne s'arrêta pas, pas même pour s'assurer que nous lui avions bien obéi. Ce qui n'était pas le cas.

Becca gloussa et posa son front sur ma poitrine.

– On vient de se faire choper pour effusions publiques. On est ce genre de couple, maintenant, hein ?

– Quel couple ? demandai-je, ravi qu'elle nous considère comme tel.

– Le genre qui s'embrasse dans les couloirs et qui se fait crier dessus à cause de ça.

Les bras autour de mon cou, elle passa doucement un doigt sur ma lèvre, là où une petite écorchure était toujours visible.

Je le mordis délicatement, ce qui la fit aussitôt exploser de rire, puis elle se serra encore plus près et m'embrassa.

– Il vaudrait mieux que tu y ailles, dit-elle quand on s'arrêta de nouveau. Je ne voudrais pas avoir une mauvaise influence sur toi.

Je ris, émerveillé par le fait qu'elle ait pu me faire changer d'humeur en quelques minutes, simplement par quelques mots et un ou deux baisers.

– Ouais, je vais y aller. Le coach va être furax si je suis de nouveau en retard.

Elle se dégagea et resserra les bretelles de son sac à dos sur ses épaules.

– Je t'appelle. J'essaierai de faire le mur pour qu'on se revoie ce soir, si c'est possible.

J'étais en mode automatique pendant tout l'entraînement. Je me donnais à fond, c'est tout ce que je sais. Mon corps était en feu, comme si le baiser de Becca l'avait embrasé. Je sentais à peine les tacles, sentais à peine la brûlure de mes jambes en m'éreintant sur le terrain. Je rentrai à la maison, préparai à dîner et mangeai aussi vite que possible, en ayant pris soin de laisser une assiette au chaud pour mon père. Ma mère dînait assise en face de moi, en silence, comme d'habitude. Elle était maigre comme un clou, ses longs cheveux d'un blond terne étaient, comme souvent, attachés à la va-vite en queue-de-cheval. Je réalisai que c'était d'elle que je tenais mes yeux d'un vert si vif étonnamment étincelant. Son regard était fatigué, vide, mais en même temps triste. J'étais assis, à me goinfrer du poulet *cacciatore* que j'avais préparé, réfléchissant distraitement à ce que je pouvais faire avec Becca si elle réussissait à sortir. Puis je me souvins de ses questions concernant ma mère, et réalisai que je ne savais rien d'elle.

M'arrêtant de manger, je la dévisageai, perplexe.

– Quoi ? (Sa voix était faible, éraillée par le manque d'usage.) J'ai quelque chose sur le visage ?

Elle s'essuya la bouche.

Je secouai la tête.

– Je… juste… Comment as-tu fini avec papa ?

La fourchette de ma mère s'arrêta à mi-chemin de sa bouche.

– Comment j'ai quoi ?

Elle me scruta comme si des cornes avaient poussé sur mon crâne.

– Pourquoi ?

Je haussai les épaules.

– Simple curiosité. Je me rends compte que je n'ai jamais vraiment su.

– Qu'est-ce qui te fait poser cette question ?

Je haussai encore les épaules. Maman finit sa bouchée, et la fit passer à l'aide d'une gorgée de thé glacé. Elle s'appuya contre le dossier de sa chaise et regarda par la fenêtre.

– C'était un patient. Il revenait à peine de sa première mission en Irak. Même en civil, c'était toujours un soldat.

Il portait une casquette de base-ball, tu sais, celle des Tigers, la blanche ? C'est celle-là qu'il portait, et quand il m'a vue, il l'a enlevée et l'a posée sur son torse, au garde-à-vous, comme si j'étais un général ou un truc du genre.

Son visage changea à l'évocation de ce souvenir, il se radoucit, s'anima. Je réalisai alors pour la première fois qu'elle avait dû être jolie à un moment de sa vie. Étrange.

– Il était beau, à l'époque. Grand, très musclé. Il avait l'air gentil. Je ne savais rien de la guerre, ou de ce que ce serait à son retour. On est sortis ensemble pendant les deux mois de permission qu'il a eus avant de repartir, et je crois que les choses sont devenues sérieuses. Je lui ai dit que je lui écrirais, que je l'attendrais. Je l'ai fait.

Elle baissa les yeux sur sa main gauche, sur le petit diamant monté sur un mince anneau d'or. Sa douceur et sa vivacité s'évanouirent. En une seconde, elle était redevenue la mère que je connaissais, fatiguée et introvertie.

– Je n'avais pas prévu qu'il se transformerait en… ce qu'il est maintenant. Ç'a été progressif, ce n'est pas venu d'un seul coup. Ça a commencé avec un plat brûlé là, une question bête ici, une mauvaise journée ou un mauvais rêve. Un trouble de stress post-traumatique classique… Sauf qu'il n'a jamais rien fait à ce sujet, il ne s'est jamais fait aider. Il est juste devenu méchant.

Je n'étais pas sûr de savoir quoi dire.

– Tu l'aimais ?

– Si je l'aimais ?

Elle fit tourner le diamant autour de son doigt, sans me regarder.

– Peut-être. Je ne sais pas. Difficile à dire, je pense. Je veux dire que ce n'était pas comme dans une comédie romantique.

Elle leva les yeux vers moi, il y avait une certaine intelligence dans son regard, l'émotion la plus vive que j'y avais vue depuis des années.

– Est-ce que tu es amoureux d'une fille, Jason ?

Du bout de ma fourchette, je poussais les morceaux de poulet dans mon assiette.

– Il y a une fille. Je ne sais pas si c'est de l'amour, mais elle me plaît vraiment beaucoup.

Je n'étais pas sûr de savoir pourquoi je lui racontais tout ça, d'où me venait cette pulsion.

Elle se tut pendant quelques secondes.

– Bon. Fais attention, c'est parfois compliqué.

Ses yeux croisèrent les miens.

– J'aimerais vraiment la connaître, mais je comprendrais que tu ne veuilles pas l'amener ici.

Je détournai le regard.

– Ouais. C'est pas une super idée, papa ne comprendrait pas.

– Elle sait ? Pour ton père ?

Je changeai de position, embarrassé – j'aurais aimé être dans mon camion, loin de tout, j'aurais aimé n'avoir jamais lancé cette conversation.

– Ouais.

– Elle va le dire à quelqu'un ?

La voix de maman était douce, mais ferme.

Je secouai la tête.

– Probablement pas.

Maman n'ajouta rien. Elle se leva et débarrassa son assiette, finit son thé glacé et posa le verre dans l'évier. Puis elle parla en regardant par la fenêtre au-dessus de l'évier.

– Je suis désolée que tu sois né au milieu de tout ça, Jason. T'es un bon gamin.

Je n'avais aucune idée de ce que je pourrais lui répondre.

– Tu n'as jamais pensé à partir ?

La question avait surgi dans ma tête.

Maman secoua la tête.

– Ça ne servirait à rien. Tu sais comment il est. Je n'aurais nulle part où aller, de toute façon. Je n'ai jamais vécu ailleurs qu'ici, je n'aurais pas su où me réfugier, surtout avec un petit garçon à charge.

D'un revers de main, elle envoya sa queue-de-cheval derrière son épaule et me dévisagea.

– Tu es presque un adulte, désormais. Tu seras bientôt parti, et tout ça ne sera qu'un mauvais souvenir.

– Tu resteras, après mon départ ?

– Bien sûr, dit-elle, comme si c'était une évidence. Ne t'inquiète pas pour moi. Concentre-toi juste… sur tes notes et tes matchs de foot.

Je lui confiai mon secret sans m'en rendre compte.

– Et si je ne voulais plus jouer au foot ?

Elle se retourna brusquement, et me regarda avec effroi.

– Ne dis pas ça. Va à la fac, joue au foot avec ta bourse. Tu décideras plus tard. Ne t'oppose pas à lui maintenant, Jason. Il te reste moins de deux ans.

La peur se dissipa, remplacée par la curiosité.

– Qu'est-ce que tu ferais à la place ?

Je haussai les épaules.

– J'aime bien la photographie.

– Vraiment ? Elle acquiesça. Eh bien, je ne le dirais pas à ton père, si j'étais toi. Tu sais comment il est.

La phrase qui mettait fin à toute discussion possible : *Tu sais comment est ton père.*

Aucun de nous deux ne l'avait entendu débarquer du garage.

– Ne pas me dire quoi ?

Sa voix était grave et sévère, il avait légèrement bafouillé. Il s'était donc arrêté au bar. Je pouvais entendre l'alcool dans ses mots, le voir dans la lueur faible de ses yeux.

Je me levai aussi calmement que possible, mis en route le micro-ondes dans lequel j'avais posé son plat à réchauffer, et débarrassai mon assiette. Je jetai un œil à ma mère, mais elle était déjà partie, on entendit le clic de la porte de son atelier résonner bruyamment dans le silence. Je cherchai quelque chose à dire.

– Oh, rien de grave. J'ai juste… je… un contrôle en biologie. J'ai eu un C. Mais ça ne comptait pas beaucoup, alors ça ne changera rien.

C'était un mensonge, j'avais eu un A à ce contrôle, mais c'était mieux que de lui dire la vérité.

Il fit quelques pas vers moi. Je me forçai à rester sur place, à lever le menton et à soutenir son regard. J'essayai de me convaincre que j'avais dit la vérité pour qu'il voie la sincérité dans mes yeux. J'avais les yeux de ma mère, mais tout le reste de mon physique venait de lui, les épaules larges, les cheveux blonds plutôt courts, les yeux enfoncés. Les siens étaient marron et les miens verts, mais on avait la même carrure. J'étais plus petit, plus trapu que mon père, plus large du torse, et mes pommettes étaient plus hautes et plus saillantes que les siennes, héritage des origines cherokee de maman.

Il baissa les yeux vers moi, il était plus grand d'une bonne dizaine de centimètres – un mètre quatre-vingt-onze contre un mètre quatre-vingts.

– Tu devrais savoir qu'il ne faut pas mentir à un flic, fils. (Encore un pas, celui-ci juste pour me menacer.) Et qu'est-ce que je suis ?

Je savais bien qu'il ne fallait pas répondre. Je la bouclai et le regardai dans les yeux, terrorisé au dernier degré, mais sans avoir le droit de le montrer. J'avais peur chaque fois, en tout cas au début, même après une vie de ce régime. Le micro-ondes retentit en fond, trois bips dans le silence de marbre.

Il frappa vite et fort, me coupa le souffle avec deux petits coups éclairs dans les reins. Je les encaissai, attendis qu'il reprenne son élan pour le suivant, et l'attaquai à mon tour. Je visai sa mâchoire, mais il esquiva du mauvais côté et reçut le coup en plein dans le nez. Celui-ci explosa en sang. C'était la première fois qu'il arrivait que je le fasse saigner. Il trébucha en arrière, essuyant son nez, ébahi. Cependant, je ne lui laissai pas le temps de retrouver son équilibre. Je le frappai encore, à la mâchoire, alors il se redressa, et je n'avais plus aucune chance. Il ne se retint pas, cette fois.

Il frappa ma mâchoire, me balança une droite sur la joue, l'écorchant au passage, puis une autre droite au visage, et mon nez se mit à pisser le sang. Je trébuchai en arrière contre le comptoir, m'essuyai le visage avec l'avant-bras. Il fonça sur moi avec un direct du gauche, je l'esquivai en me baissant, lui mis une bastos dans l'estomac, assez fort pour qu'il se plie en deux.

Je le contournai en un éclair, attrapai mes clés sur le comptoir et partis en courant par la porte de derrière. La moustiquaire claqua derrière moi, puis grinça quand mon père la rouvrit pour venir tituber derrière moi. J'atteignis le camion, me précipitai à l'intérieur, lançai le moteur. Des graviers jaillirent quand les roues arrière dérapèrent sur le côté, alors que je redressais le capot dans l'axe de la route. Je jetai un œil au rétroviseur, regardai le visage de mon père devenir plus petit, un bras sur le ventre, l'autre essuyant son nez.

Je me surpris à faire exactement la même chose, le poignet droit baissé, le dessus de mon avant-bras glissant sous mon nez. Tout comme lui. Je jurai dans ma barbe, puis allumai la radio à fond et hurlai en frappant le volant. Mon buste se mit à coller, mon menton était chaud et recouvert de sang. Je m'en foutais. Je n'étais pas sûr de savoir où j'allais. Je me contentais de conduire. C'était logique, au fond, mais je fus quand même surpris en réalisant que j'étais devant l'entrée du lotissement de Becca.

Est-ce que tu peux t'échapper tout de suite ? J'envoyai le texto avant de changer d'avis.

Donne-moi quelques minutes, je vais essayer.

Je m'essuyai le menton, vis que mon avant-bras était taché de sang gluant et laissai tomber. Il ne s'aventurait pas souvent à me frapper au visage, forcément, ça soulevait des questions. Je remuai la mâchoire pour constater les dégâts. Il ne m'avait pas loupé, j'avais vraiment mal, mais heureusement il n'y avait rien de cassé. Je ne m'étais jamais fracassé la mâchoire, mais j'imaginais que ça ne devait pas être drôle, ni facile à expliquer.

J'observai par la fenêtre la pénombre grandissante du soir, et ne vis pas Becca approcher du siège passager. Je sursautai quand elle ouvrit la portière en grand pour se hisser dans l'habitacle. Je n'avais même pas pensé à sa réaction quand elle me verrait en sang, jusqu'à ce que je lui sourie pour l'accueillir.

– Mon Dieu, Jason ! Que s'est-il passé ?

Elle avait remonté l'accoudoir entre nous, avait glissé sur la banquette et, avant même que je m'en rende compte, tapotait doucement mon visage avec un Kleenex sorti de je ne sais où pour éponger la blessure de ma joue et le sang qui coulait toujours de mon nez.

– Je me suis disputé avec mon père.

Je haussai les épaules, essayant de dégager une espèce de nonchalance que je ne ressentais pas.

Becca avait les yeux humides.

– Mon Dieu. Tu es couvert de sang.

Elle ausculta mon nez, et je fermai les yeux sous la douleur aiguë.

– Je crois que tu as le nez cassé.

– Je vais bien.

Elle secoua la tête.

– Tu as absolument besoin de p-p-p-points de suture sur la joue.

Une larme coula le long de son nez, tandis qu'elle essuyait le sang d'une main tremblante.

– Il faut que tu ailles aux urgences.

Je ne comprenais pas pourquoi elle pleurait. Tout ce que je savais, c'est que je détestais ça.

– Tu ne vas pas bien. Arrête de me mentir, p-p-p-putain, Jason.

– Désolé. Tu as raison, ça fait mal à en crever, mais je ne peux pas aller à l'hôpital. On me connaît. On me posera des questions.

– Des q-q-q-questions auxquelles tu d-d-d-devrais répondre.

Elle clignait des yeux quand elle bégayait, et je commençai à réaliser que c'était le signe d'une émotion intense chez elle.

– Ce n'est pas n-n-n-normal, Jason. Tu ne devrais pas…

Je reculai pour m'éloigner de sa main.

– Je ne *peux* pas. Je ne le *ferai* pas. Je sais que tu ne comprends pas, mais je n'en parlerai jamais. Ça serait une mauvaise chose pour moi. Pour toi. Pour ma mère. Pour tous ceux à qui je le raconterais.

Je puisai tout au fond de moi et dis la vérité.

– J'ai trop peur pour en parler, Becca. S'il te plaît, laisse tomber. Ça va aller.

Elle secoua à nouveau la tête en s'essuyant les yeux.

– Je ne peux pas laisser tomber. Ça fait trop mal de te voir dans cet état.

Je me mis à jurer, une longue ribambelle d'injures colorées.

– J'aurais dû aller faire un tour en voiture, au lieu de venir ici. Je suis désolé de t'avoir mêlée à mes conneries.

Elle attrapa mon bras en y plantant profondément ses ongles. Je baissai les yeux sur ses doigts enfoncés dans mon biceps, il y avait une ligne de vernis blanc au bout de chacun de ses ongles longs, un genre de manucure sophistiquée.

– Eh bien, tu m'y as associée. J'y suis mêlée, maintenant, et tu ne peux r-r-r-rien r-r-r-retirer. Tu es mon petit ami et je tiens à toi.

– Qu'est-ce que tu veux que je fasse ? (J'étais penché à la vitre, lui aboyant dessus, incapable de me défaire de mon idée.) Je ne vais pas en parler. C'est ma vie, et ouais, putain, ça craint. Mais c'est la main qu'on m'a attribuée, et je n'ai plus qu'à tenir jusqu'au bac. Ensuite, je me casse d'ici. Si tu ne peux pas accepter le fait que je n'en parlerai pas, eh bien… je ne sais pas quoi te dire. Ça ne marchera pas entre nous. Parce que je ne vais pas le faire.

– Pourquoi ? Je ne comprends pas.

– Je sais que tu ne comprends pas. Tu veux savoir quelle putain de névrose me pousse à flipper sur ce que fera mon père si j'en parle à nouveau ? Je ne peux pas te dire. Je suis pas aussi putain d'intelligent que toi, d'accord? Je sais juste qu'il me fait peur. Un nez cassé, des côtes fêlées, un visage avec quelques égratignures, ça, je peux gérer. Si j'en parle, qu'est-ce qu'il va se passer? La DASS va venir me chercher et me placera en foyer d'accueil? D'après moi, il y a des chances pour que ça finisse aussi mal, voire pire. Et puis il se lâchera sur ma mère, parce que je serai plus là, et elle non plus elle ne dira rien, et elle ne partira pas. Elle aurait pu partir avant ma naissance, et elle ne l'a pas fait, parce que c'est une putain de lâche, tout comme moi. Tu ne le connais pas, Beck. Il nierait en bloc et il est intouchable. Personne ne veut se mettre en travers de Mike Dorsey. Tu veux savoir pourquoi je suis en sang aujourd'hui? Parce que je me suis défendu. Voilà pourquoi. Il m'a frappé, et je l'ai frappé à mon tour. Ça finit plus vite de cette façon, en général. Ça n'avait jamais été à ce point, en revanche. Peut-être parce qu'il n'était pas aussi ivre qu'il l'est d'habitude quand il s'en prend à moi. Je ne sais pas.

Un silence lourd, sérieux et pour la première fois gêné s'installa entre nous.

– Je suis désolée, Jason, murmura Becca.

Je touchai mon front.

– Ne t'excuse pas. C'est moi qui suis désolé. Je suis désolé de t'avoir embarquée là-dedans. Je suis désolé de t'avoir crié dessus. Tu mérites mieux que ces conneries. Mieux que moi.

– Roule.

Je la fixai, perplexe.

– Quoi?

– Roule, s'il te plaît. Où tu veux. Contente-toi de rouler.

Elle avait l'air en colère, ce que je n'arrivais pas à comprendre.

Alors, je roulai. Loin et vite. Pour une fois, la radio était éteinte et nous étions tous les deux perdus dans nos pensées. Les siennes étaient insondables, et les miennes un tourbillon de culpabilité, de honte, de confusion et de douleur. On avait fini par rejoindre l'autoroute et on avait continué à rouler tandis que le soir devenait la nuit. On ne parlait toujours pas, ni l'un ni l'autre.

Et puis ce fut trop pour moi.

– Pourquoi tu en en colère?

– Pourquoi mériterais-je mieux que toi? Qu'est-ce qui ne va pas chez moi, pour que tu ne me fasses pas confiance sur ce que je veux?

J'étais abasourdi.

– Quoi? Comment…?

Je la regardai en coin, puis reposai les yeux sur la route.

– Comment tu peux prendre la faute sur toi? J'ai tellement une vie de merde, Becca. Tu n'as pas besoin de ça. Tu es intelligente, tu es belle, tu es talentueuse, tu peux devenir tout ce que tu veux. Je suis juste un pauvre footballeur qui a un papa méchant. Tu devrais être avec quelqu'un qui… je ne sais pas… qui a moins de problèmes que moi.

Elle secoua la tête, non par pour me contredire, à ce que je comprenais, mais plus par incrédulité ou par incapacité d'exprimer ce qu'elle pensait.

– Tu vois? C'est de ça que je parle. Si je veux être avec toi, c'est mon choix. C'est mon choix d'être ta petite amie, malgré le fait que, ouais, tu as des problèmes à la maison qui sont compliqués pour moi à comprendre ou à gérer.

Elle parlait comme si elle avait préparé son discours, c'était répétitif et monotone, mais je savais que chaque mot était sincère, c'était juste sa façon de gérer des émotions fortes tout en luttant pour parler correctement.

– Tu es ce que tu es, à cause de tout ce que tu traverses. Et j'aime ce que tu es. Je veux t'aider. Je veux que tu puisses me raconter. Je veux que tu me fasses confiance.

– Putain, je ne t'aurais pas raconté le moindre détail de ma vie si je ne te faisais pas confiance, dis-je.

– Je sais. Mais maintenant, j'ai besoin que tu me croies capable de gérer.

– Alors il faut que tu arrêtes de me mettre la pression pour que j'en parle à quelqu'un, d'accord? Je sais que ça n'a pas de sens. Ça ne me plaît pas non plus, mais… je sais pas. Je peux pas, c'est tout OK ?

Elle acquiesça.

– Je déteste cette idée. Et ça va à l'encontre de tous mes principes de rester les bras croisés.

– Tu ne restes pas les bras croisés. Tu ne peux simplement rien faire pour empêcher tout ça.

– Je devrais, murmura-t-elle, en colère et frustrée.

– Mais il n'y a rien à faire.

Becca se contenta de hausser les épaules et on replongea dans notre silence. Puis son téléphone sonna. Elle l'attrapa, jeta un œil à l'écran, et son visage devint tout pâle.

– C'est Père.

– Tu ne peux pas simplement l'ignorer ?

Elle secoua la tête.

– Ça ne ferait qu'empirer les choses.

Elle prit une grande inspiration, les yeux fermés, puis décrocha.

– Allô ? Non, je… oh. Je-je-je… oui, Père. Je suis désolée. Je rentre tout de suite.

Elle raccrocha et pinça l'arrête de son nez.

– Alors ?

– Il sait que je suis partie avec toi.

– Comment ? Qu'est-ce que tu lui as dit quand tu es partie ?

– Que je sortais avec Nell. J'allais l'appeler pour lui dire de me couvrir, mais en montant dans la voiture, je t'ai vu et j'ai oublié. Il a compris d'une façon ou d'une autre. Je ne sais pas. C'est grave.

– Qu'est-ce qu'il va se passer ?

Je mêlai mes doigts aux siens, ignorant le pincement de douleur quand ces derniers frôlèrent mes articulations écorchées.

– Je ne sais pas. Je vais avoir des ennuis.

Elle se referma visiblement sur elle-même, je lui tins donc simplement la main en quittant l'autoroute pour la reprendre dans l'autre sens.

On avait roulé plus loin que je ne l'avais réalisé, et il nous fallut une bonne demi-heure pour rejoindre la sortie qui menait vers notre coin de la ville. Je m'arrêtai sur le parking d'un McDonald's, dis à Becca de ne pas bouger et courus me nettoyer. La moitié d'un rouleau de serviettes en papier plus tard, mon visage était propre, mon nez enflé, mais ça ne saignait plus. Ma joue, elle, restait ouverte et amochée. Je repris la voiture jusqu'à la pharmacie de l'autre côté de la route et m'arrêtai pour acheter quelques pansements. J'en collai un sur ma joue. J'avais un maillot de rechange dans mon sac à dos, je balançai donc mon T-shirt couvert de sang et enfilai le maillot. Cela ne m'empêcha pas de remarquer que Becca avait les yeux rivés sur ma poitrine et sur mes abdos quand j'étais torse nu.

En arrivant près de chez elle, je ne m'arrêtai pas à l'entrée comme je le faisais d'habitude.

– Où vas-tu ?

Elle avait l'air perdue.

Je haussai les épaules.

– Il sait, alors pourquoi s'évertuer à se cacher ?

Je m'arrêtai devant la maison et descendis avec elle. Je n'avais pas l'intention de la laisser affronter ça toute seule. Elle ne cessait de me lancer des regards en coin, tandis que nous marchions vers la porte d'entrée, comme si elle attendait que je me dégonfle. Ce qu'elle ne comprenait pas, c'est que, aussi terrible que soit son père, il ne pouvait pas humainement être plus effrayant que le mien. J'attendis qu'elle ouvre la porte et la suivis à l'intérieur.

– Tu n'es pas obligé, Jason, me murmura-t-elle quand on traversa le seuil de la porte.

– Si, je le suis.

Son père était un type baraqué au torse puissant, avec un peu de ventre, des cheveux poivre et sel gominés en arrière, et des petits yeux sévères et sombres.

– Qui êtes-vous ? Que faites-vous chez moi ?

Je m'approchai et lui tendis la main.

– Je suis Jason Dorsey. Je suis le petit ami de Becca.

Il me prit la main par réflexe, la serra fermement, puis la laissa retomber quand il m'entendit prononcer la dernière partie de ma phrase.

– Oh! que non. Ma fille n'aura pas de petit ami. Partez immédiatement.

Il me fusillait du regard. Il avait clairement l'habitude d'intimider les gens, et que ça ne marche pas sur moi ne lui plaisait pas du tout.

– Vous êtes le parasite qui détournez ma fille de ses études et la forcez à faire le mur la nuit. Elle ne vous reverra plus.

– Peut-être que si vous lui laissiez un petit peu plus de liberté dans sa vie, elle n'aurait pas à faire le mur, vous y avez pensé ? Je serais tout à fait disposé à vous dire exactement où nous sommes, et ce que nous faisons, monsieur. Avec tout le respect que je vous dois, je n'ai pas une mauvaise influence sur votre fille. Je l'aime énormément, monsieur de Rosa. La seule raison pour laquelle elle sort en cachette, c'est parce que vous ne la laissez pas quitter la maison autrement.

Il ouvrit la bouche pour débattre, mais je continuai à parler.

– Je ne veux pas vous dire comment faire votre travail de parent, monsieur, mais je peux vous dire une chose, plus vous essaierez de contrôler chaque petit détail de la vie de Becca, plus elle va se rebeller. Donnez-lui un peu de liberté, et elle n'aura plus aucune règle à enfreindre.

Il me lança un regard noir, de toute évidence, il était hors de lui.

– Je suis son père. C'est moi qui décide. Vous n'êtes personne.

Becca posa la main sur mon bras.

– Jason, j'apprécie ce que tu fais, mais s'il te plaît, laisse tomber.

M. de Rosa fit un pas vers moi.

– Partez, maintenant. Vous ne verrez plus jamais ma fille. Jamais.

Becca s'interposa entre nous et fixa son père.

– Père, s'il te plaît, il a raison. On ne fait rien de mal. J'étudie toujours, j'ai toujours de bonnes notes. Donne-nous une chance.

Sa mère, qui jusque-là était restée assise en silence à la table de la salle à manger, se leva et traversa la pièce pour rejoindre son mari. On reconnaissait une grande partie des traits de Becca dans les siens, ses cheveux noirs et bouclés encadraient une version plus âgée du visage de sa fille. Elle parla doucement, dans une langue étrangère. Je compris tardivement que c'était de l'arabe. Becca suivait soigneusement la discussion, tandis que son père répondait dans la même langue, débattant violemment. À un moment de la discussion, il passa à l'italien, et quand la mère lui répondit, ce fut dans cette langue-là. Je surpris même quelques mots d'anglais ici et là. C'était vraiment difficile à suivre.

Après quelques minutes de ces allers-retours entre eux, M. de Rosa se tourna vers nous.

– Tout ça ne me dit rien qui vaille, mais ta mère l'a emporté, et nous allons donc vous donner une chance de nous prouver que vous êtes deux personnes responsables. Tous les deux. Il posa son regard intense sur moi.

– Je ne vous aime pas, monsieur Dorsey. Vous m'avez l'air d'une brute, et je ne suis pas convaincu que vous n'ayez pas une mauvaise influence sur ma fille.

– Eh bien, commençai-je en prenant soin de choisir mes mots, je suis sûr que nous serons d'accord pour dire que Becca a une bonne influence sur moi. Mais je ne suis pas un mauvais garçon. Je n'ai que des A, et je suis titulaire de l'équipe de football. Je ne bois pas et je ne fume pas.

– Qu'est-il arrivé à votre visage ?

J'avalai ma salive et me concentrai pour croire moi-même au mensonge que je m'apprêtais à lui refourguer.

– Une partie de football improvisée avec les copains. Un tacle qui a mal tourné, je me suis pris un front en plein sur le nez.

Il plissa les yeux en me regardant.

– Vous êtes sûr qu'il ne s'agissait pas d'une bagarre ?

J'acquiesçai.

– J'en suis sûr. Le coach est très strict sur ces trucs-là. Je serais condamné au banc pour la moitié de la saison si je me faisais coller pour une bagarre.

C'était vrai en soi, mais ça ne s'appliquait simplement pas à ma situation.

– Si vous avez des problèmes avec le principal, c'est le banc. Si vos notes descendent en dessous de C, c'est le banc. Je compte obtenir des bourses pour la fac, à la fois grâce au foot, mais aussi grâce à mes notes.

Son père acquiesça, il semblait satisfait.

– Je vais vous donner une unique chance avec ma fille. Si elle est en retard une seule fois, si elle ne m'appelle pas à l'heure prévue pour me dire que tout va bien, ou si elle n'est pas là où elle prétend être, c'est fini. Est-ce que vous me comprenez, monsieur Dorsey ?

Je fis oui de la tête, essayant de calmer le sentiment de triomphe qui m'envahissait.

– Oui, monsieur. Je comprends.

Il hésita puis me serra la main.

– Vous jouez à quel poste dans l'équipe de football ?

– Receveur, dis-je. Je détiens pour l'instant le record de l'académie du plus grand nombre de réceptions en un seul match, ainsi que celui de la plus grande distance parcourue en une saison.

Il eut l'air assez impressionné. J'étais ravi de savoir que ces records servaient au moins à quelque chose.

– À quelle heure est le couvre-feu de Becca ?

– 10…

Mme de Rosa l'interrompit par un seul mot, et il réfréna un soupir d'irritation.

– Très bien, 11 heures dans la semaine. Minuit le week-end. Mais si ses notes chutent…

– Elles ne chuteront pas, Père, je le promets.

Becca sautillait légèrement sur ses orteils, comme si sa joie bouillait à l'intérieur mais qu'elle arrivait encore à peu près à la contenir.

– Est-ce qu'on peut ressortir, alors ?

– Où ça ?

– Une balade en voiture, et peut-être qu'on s'arrêtera pour des milkshakes, suggérai-je.

– Avez-vous des malus sur votre assurance ? demanda-t-il.

Je secouai la tête.

– Non, monsieur. Pas de malus, pas d'accidents. J'ai mon propre camion, à vrai dire.

Je ne savais pas exactement en quoi c'était pertinent, mais j'avais envie de l'impressionner. Stupide, sans doute, mais si je ne pouvais pas avoir l'approbation de mon propre père, bon sang, j'allais pour sûr essayer d'avoir celle du reste du monde.

Il acquiesça, puis agita la main comme pour mettre fin à la discussion.

– Bien. Il est 9 heures, vous avez donc deux heures.

Je pris la main de Becca, et on marcha aussi calmement que possible jusqu'à mon camion. Je fis marche arrière avec précaution – je pouvais sentir le regard de M. de Rosa rivé sur nous. Quand on fut enfin en train de rouler sur la route principale, Becca se lâcha et poussa un petit cri d'excitation qui se transforma en rire.

Elle défit sa ceinture de sécurité et glissa le long de la banquette pour venir se coller à moi, elle agrippa mon bras et enfouit son visage dans le creux de mon épaule, tout en riant frénétiquement.

– Comment as-tu réussi ? demanda-t-elle, les yeux brillants et plus joyeux que je ne les avais jamais vus.

Je haussai les épaules.

– Je ne sais pas. Je ne pensais pas que ça allait marcher, mais je me suis dit que ça valait le coup d'essayer et de me confronter avec lui face à face. La plupart des hommes respectent ce genre d'attitude.

Elle m'embrassa la mâchoire et j'eus du mal à rester concentré sur la route. Puis elle m'embrassa la joue, puis plus près encore de la commissure des lèvres, et je dus m'accrocher au volant et faire semblant de ne pas avoir le corps soudain en feu. Elle n'arrêta cependant pas. Elle embrassa mon menton, la ligne de ma mâchoire encore une fois, mon cou. Oh ! putain. Mon cœur battait si fort qu'il sortait de ma poitrine, et je priai sincèrement pour qu'elle ne baisse pas les yeux vers le bas et ne découvre pas à quel point j'étais affecté par ses lèvres sur ma peau.

Je finis par devoir m'écarter d'elle.

– Beck, je ne peux pas conduire quand tu me fais ça.

– Alors, arrête-toi et embrasse-moi.

Mon Dieu, ça ne m'aidait vraiment pas dans mon état. Je n'eus pas d'autre choix que de lui obéir. Je trouvai un parking vide, celui d'un parc au fin fond du quartier. Les balançoires, immobiles dans l'obscurité, baignaient dans la lueur jaune pâle d'un unique réverbère. Il y avait un manège rouillé et bancal sur le côté, une structure métallique pour jouer qui projetait de grandes ombres, une barrière à chaînes et, au loin, un diamant de base-ball et un terrain de foot.

J'avais à peine passé le point mort qu'elle défit ma ceinture et m'attira dans un baiser intense et chaud. Je passai les bras autour d'elle et la serrai contre moi. Je sentis mon cœur tambouriner frénétiquement quand elle écrasa merveilleusement ses seins contre mon torse, que son genou glissa entre mes cuisses parce qu'elle se redressait pour m'embrasser encore plus fort. Je sentis mon souffle se couper quand elle referma ses doigts derrière ma tête, caressa mes cheveux sur ma nuque en me serrant contre elle, comme si j'allais essayer de m'en aller.

Je posai les mains sur ses hanches. Je n'arrivais pas à croire qu'elle me laisse la toucher comme ça. Elle remua même le bassin comme pour en demander plus, alors je me risquai à quelque liberté et glissai les mains de l'autre côté pour saisir son cul. Oh! mon Dieu, il était évident qu'elle pouvait sentir à quel point elle était en train de me rendre fou. Je ne savais pas où tout ça nous menait, mais ça me plaisait. Ça me faisait peur aussi, parce que c'était comme si elle me consumait, je me sentais submergé par mon envie d'elle. Mes hormones étaient déchaînées, mais ce n'étaient pas seulement mes hormones. Je savais ce qui suivrait rationnellement, mais je refusais d'y penser aussi clairement. Je savais juste que je ne pouvais pas m'arrêter de l'embrasser, pas m'arrêter de la toucher.

Et puis ses doigts s'égarèrent sous l'ourlet de mon T-shirt et caressèrent mon ventre nu. Seigneur! Oh, mon Dieu! Je fis glisser ma main le long de son dos et touchai la peau nue du creux de ses reins. Si douce, si chaude. Je caressai encore plus haut, jusqu'à l'élastique de son soutien-gorge, ses épaules, quelques effleurements volés.

Elle me les donnait, elle, pourtant, n'est-ce pas? Alors, ce n'était pas vraiment du vol.

Mon jersey était relevé au-dessus de mon nombril, ses mains étaient aplaties sur ma poitrine. Elle était assise sur mes genoux, le dos contre le volant. Je soulevai son T-shirt lentement et doucement, si doucement, révélant un peu plus sa peau mate. Elle traça du doigt sur mon torse la ligne de mes abdos, observa mes yeux, puis fixa mon corps. Son expression montrait qu'elle ressentait la même chose que moi.

Puis une touche de rose dépassa du bas de son T-shirt, et j'en eus le souffle entièrement coupé, mais elle n'arrêta pas mes mains qui continuaient de soulever son haut. De la peau, la courbe sublime d'une paire de seins qui tenait à peine dans un soutien-gorge rose. Oh, merde! J'étais si dur que j'aurais pu exploser en une seconde. Il fallait que je me rajuste, mais je n'osais pas. Ses yeux étaient rivés sur moi, pleins de défi, de peur, de nervosité.

– Putain… Becca.

Je pus à peine prononcer ces mots.

– Tu es… si excitante. Si sexy.

– Toi aussi.

Elle passa son pouce sur mes lèvres, les yeux plongés dans les miens, à quelques centimètres.

Je posai mes paumes à plat sur ses côtes, juste en dessous de son soutien-gorge. C'était une question, une requête silencieuse. Elle laissa échapper un souffle contenu, puis acquiesça, deux petits mouvements du menton, timides et excités. Je glissai les mains vers le haut, saisis ses seins lourds. La sensation douce du coton rose me caressait les paumes, puis je sentis les petites bosses au centre du tissu de son soutien-gorge se durcir sous ma main, et je savais ce que c'était. Je n'arrivais pas à croire que tout ça était en train d'arriver et qu'elle me laisse faire.

Oh! mon Dieu! Oh! putain. C'était tellement parfait. Je remontai, encore et encore, et mes mains étaient désormais sur la courbe supérieure de ses seins, peau contre peau. Je ne pouvais plus respirer, mais ce n'était pas nécessaire, car elle m'embrassait et me donnait son souffle à elle, en explorant mon torse, mes côtes, jusqu'à la ceinture de mon pantalon.

Et tout à coup, elle s'échappa, glissa de l'autre côté de la banquette, contre la porte.

– Mon Dieu, Jason, il faut qu'on r-r-r-ralentisse. Ça va trop v-v-v-vite.

Elle tira sur son T-shirt pour se rhabiller, tout essoufflée.

Je me passai la main sur le visage, incapable de contenir un petit sursaut quand mon pouce s'écrasa contre mon nez.

– Becca, je… je suis désolé. Je crois que je me suis laissé emporter. Pardon.

Elle se rapprocha à nouveau.

– Non. *On* s'est laissé emporter. J'étais là aussi. Je ne me suis pas contentée de te laisser me toucher, j'avais envie que tu le fasses. J'avais envie de te toucher. M-m-ma-mais… (Elle prit une grande inspiration et réussit de toute évidence à reprendre ses esprits.) Il faut qu'on ralentisse. On n'a que seize ans. On est sortis, quoi ? trois fois ensemble.

– Je sais, je sais. Tu as raison.

Je me sentais responsable, même si elle avait admis que c'était autant sa faute que la mienne si on s'était laissé emporter. J'aurais dû calmer le jeu.

Elle se mit à rire.

– Hum… T'es un mec, non ?

Je lui lançai un regard noir.

– Et, donc, ça fait de moi une personne incapable de se contrôler ?

Elle gloussa de nouveau.

– Non, non. C'est juste qu'en général les mecs ne sont pas ceux qui pensent à calmer le jeu. C'est même l'inverse, si j'en crois ce qu'on m'a dit. (Son expression se fit sérieuse.) Est-ce… est-ce que tu as déjà été avec quelqu'un auparavant ?

Je n'étais pas sûr de comprendre exactement sa question.

– Je n'ai jamais eu de petite amie avant toi.

Elle secoua la tête.

– Non, ce n'est pas ce que je voulais d-d-dire. (Elle ne bégaya pas exactement sur ce dernier mot, elle appuya juste sur la première syllabe avant de reprendre le dessus.) Je veux dire, est-ce que tu as déjà été avec quelqu'un ?

Je me contentai de la fixer.

– Non, Becca. Quand je t'ai embrassée sur le parking de l'école, c'était mon premier baiser.

Elle eut l'air soulagée, pour une raison ou une autre.

– Moi aussi.

– Et, non, je n'ai jamais rien fait avec qui que ce soit d'autre. Tout ce que je fais avec toi… c'est une première, pour moi.

– Pour moi aussi.

La tête baissée, elle leva les yeux vers moi.

– Est-ce que tu m'en veux d'avoir posé la question ?

– Non, je suis juste surpris. Je pensais que tu étais au courant que je n'avais rien fait avec personne d'autre avant.

Elle haussa les épaules.

– C'est juste que tu… tu as l'air de savoir ce que tu fais, quand tu m'embrasses. Je me suis posé la question, c'est tout.

Un frisson me parcourut.

– Alors, tu aimes la façon dont je t'embrasse ?

Elle me lança un regard d'une profonde incrédulité.

– Euh… ouais. Je… j'adore la façon dont tu m'embrasses. Ça me rend folle. Je n'ai jamais envie d'arrêter.

– Je ressens la même chose, dis-je. On devrait aller chercher des milkshakes avant que je t'embrasse à nouveau et qu'on se laisse emporter tous les deux.

Elle me sourit, un sourire à la fois timide, joyeux et frustré. Je savais exactement ce qu'elle ressentait. C'était un territoire vierge pour nous deux. On ne savait pas ce qu'on faisait, juste que ça nous plaisait. On savait à peu près où ça allait nous mener si on ne s'arrêtait pas, et ça, c'était un énorme pas à franchir. Un pas effrayant auquel je pensais beaucoup, sur lequel je fantasmais. Mais je n'aurais jamais cru qu'il devienne aussi vite un souci. Un souci ? Ce n'était pas le mot exact. Je savais que j'en avais envie. Bien sûr que j'en avais envie, mais c'était flippant. Je conduisais en direction de chez Big Boy pour des milkshakes, perdu dans mes pensées. En général, je me sentais beaucoup plus vieux que mes seize ans, et je savais que c'était pareil pour Becca. Mais à cet instant, en me demandant comment gérer ma relation physique avec elle, je me sentis soudain très jeune et immature.

Je la ramenai chez elle à 22 h 55.

6

Les limites à dépasser

Becca
Décembre

Père s'était un peu détendu depuis le mois d'octobre. Ben avait légèrement redressé la pente, il avait commencé à suivre des cours à l'université publique du coin, et semblait s'attirer de moins en moins d'ennuis. Il ne prenait pas ses médicament comme il aurait dû, mais ses sautes d'humeur semblaient plus contrôlées, ce qui voulait dire que l'ambiance était moins tendue à la maison. Jason avait pris l'habitude de venir après l'entraînement, et on étudiait ensemble dans ma chambre, la plupart du temps en silence, avec juste un peu de musique. On avait tous les deux une certaine pression à gérer, mais tant qu'on laissait ma porte ouverte, la présence de Jason n'avait pas l'air de déranger Père. Je savais que pour Jason, c'était un immense soulagement de ne pas avoir à rentrer chez lui avant tard dans la soirée. Il n'avait plus jamais reparlé de son père, et si ce dernier le battait toujours, il ne le montrait jamais. Il clignait des yeux parfois, quand je lui faisais un câlin, mais refusait que je regarde son torse, et il prétendait toujours que c'était dû au football. Cette excuse marcha forcément moins bien, une fois la saison de football terminée, mais je savais reconnaître sa supplique silencieuse pour que je laisse tomber l'affaire. Alors je le faisais.

Quand on avait fini nos devoirs, mes parents nous appelaient pour dîner. Ma mère avait l'air de déceler, chez Jason, un manque d'affection maternelle, alors elle s'assurait toujours qu'il dîne avec nous. Elle ne m'en parlait jamais, mais je le voyais bien. De son côté, Jason était toujours reconnaissant, toujours respectueux, et ne considérait jamais ses dîners avec ma famille comme un acquis. Il insistait toujours pour aider à débarrasser la table et faisait la vaisselle avec moi la majeure partie du temps. Pour une raison ou une autre, ça impressionnait diablement Père.

Puis, après les devoirs et le dîner, on grimpait dans le camion et on parcourait les routes, parfois juste pour rouler, d'autres fois pour aller jusqu'à la colline où on s'embrassait, jusqu'à ce qu'on atteigne cette limite et qu'on sache tous les deux qu'il fallait s'arrêter. Pour moi, cette limite, c'était quand mes mains commençaient à vagabonder, quand je commençais à avoir ses mains à lui sur ma peau, plus près, toujours plus près. Quand je ressentais cette envie, je reculais, et Jason me laissait faire. Il arrivait que ce soit lui qui nous interrompe, mais en général, c'était moi.

Un samedi après-midi, j'allai faire les magasins avec Nell pour le bal d'hiver. Jason et Kyle faisaient pareil de leur côté, et nous avions prévu de nous retrouver après nos courses pour une sortie entre couples. Nell et moi partagions une cabine d'essayage et enfilions robe après robe. Les fringues se succédaient, on ne s'embêtait en général même pas à remonter la fermeture Éclair dans le dos.

Ce fut Nell qui mit sur la table le sujet de nos petits amis. Dieu merci, parce que j'avais essayé sans succès de trouver une façon de poser des questions.

– Toi et Jason, vous sortez ensemble depuis trois mois ?

J'acquiesçai.

– Ouais. Depuis septembre. C'est officiel depuis octobre, un truc comme ça.

Elle me sourit avec malice, et ses cheveux blond vénitien tombèrent en cascade sur son visage quand elle se pencha pour enfiler une robe-fourreau vert jungle.

– Alors… Vous êtes allés jusqu'où ?

– Jusqu'où ?

Je fis semblant de ne pas comprendre où elle voulait en venir.

Elle me donna une tape sur l'épaule.

– Tu vois très bien de quoi je parle. Je vous ai vus vous embrasser dans son camion après l'école. Alors, déballe. Vous êtes allés jusqu'où ?

– Tu parles de préliminaires ? demandai-je.

Nell pouffa, un son étonnamment peu gracieux de sa part.

– Oh ! mon Dieu, Becca, c'est une façon stupide de mesurer tout ça. Dis-moi, c'est tout.

Je haussai les épaules.

– On s'est juste embrassés. On s'est…

Je m'arrêtai, me dandinant pour rentrer dans une robe bustier décolletée. Mais le dandinement était dû à l'embarras de cette conversation, autant qu'à ma difficulté d'enfiler un vêtement aussi serré.

– On s'est c-c-c-caressés un peu. Par-dessus nos habits. Mais on s'est arrêtés là.

– Pour l'instant.

Nell tira le bustier de ma robe vers le haut, puis remonta la fermeture Éclair tandis que j'essayais d'y faire rentrer mes seins.

– Est-ce qu'il t'as touché les seins ? Nus, je veux dire.

Je rougis et secouai la tête, me tournant d'un côté puis de l'autre pour voir comment m'allait la robe. Elle était moulante et courte. Et elle soulevait ma poitrine déjà gigantesque si haut qu'on pouvait être sûr qu'elle s'échapperait si je faisais le moindre mouvement de travers.

– Non, il ne l'a p-p-pas fait.

Nell gloussa, se couvrant la bouche de sa main, puis se pencha plus près de moi.

– Je me demande ce que ça fait.

Je cognai ma tête contre la sienne, et me mis à rire avec elle, tout en essayant d'imaginer ce que cela faisait.

– Je ne s-s-sais pas. Assez incroyable, je suppose, quand même. Il m'a déjà touchée par-dessus mon soutien-gorge, et j'ai l'impression de prendre feu quand il le fait. Je n'arrive même pas à imaginer ce que cela serait n-n-nue.

Nell rougissait autant que moi.

– Je te défie de le laisser faire.

Elle croisa mon regard, sérieuse, mais réprima un rire.

Je secouai la tête.

– Non! Je ne vais pas le faire par défi. C'est déjà assez dur comme ça de s'arrêter.

Elle s'arrêta de rire à cet instant et acquiesça.

– Ça l'est pour nous aussi. On doit constamment se rappeler qu'il faut s'arrêter, sinon on ne le ferait jamais.

Elle me regarda dans les yeux.

– Tu crois que tu iras jusqu'au bout avec lui?

Je haussai les épaules.

– Je ne peux pas dire que je n'y ai pas p-p-pensé. J'en ai envie, mais j'ai peur, aussi.

Nell acquiesça, et on changea de sujet de conversation tout en continuant d'essayer des robes. Après six boutiques, on avait toutes les deux trouvé la robe parfaite. La mienne était une robe sans manches d'un brun profond, faite d'une soie douce qui se séparait entre les seins et remontait sur les épaules pour former des bretelles. Mais elle était fendue du nombril jusqu'au cou, avec un raccord de dentelle cachant la peau nue. L'ourlet tombait juste au-dessus du genou, et j'avais une paire de talons noirs assortis au manteau que je porterais par-dessus. C'était une robe sexy et osée, mais pas vulgaire au point que Père me fasse une crise. Je savais que Jason allait l'aimer, et c'est tout ce qui comptait.

La robe de Nell ressemblait beaucoup à la mienne, mais en bleu foncé, une teinte qui accentuait la pâleur de sa peau. Elle était un peu plus révélatrice, n'avait pas la dentelle un peu transparente de la mienne, et arrivait bien six centimètres au-dessus du genou. Je ne pouvais pas imaginer Père me laisser porter quelque chose comme ça, et je n'aurais pas osé de toute façon.

On se rendit tous les quatre au bal d'hiver du mois de janvier. Nell avait emprunté le break de son père pour qu'on puisse y aller ensemble. Jason était époustouflant dans son costume noir, qui moulait ses muscles impressionnants. Il portait une chemise noire avec une cravate d'un ton brun qui s'accordait parfaitement à celui de ma robe. Il venait de se couper les cheveux, les mèches relevées et soigneusement coiffées, et était rasé de près.

À la fin du bal, nous quatre, ainsi qu'une douzaine d'autres amis, nous rendîmes au Ram's Horn, un restaurant qui se trouvait à quelques kilomètres de la salle de réception où avait eu lieu la fête. Je ne pouvais pas quitter Jason des yeux, même si nous parlions avec d'autres personnes, étant donné que la quasi-intégralité de l'école avait envahi la zone non-fumeurs. De temps en temps, je sentais son regard sur moi et je cherchais ses yeux, étonnée comme à chaque fois par leur vert éclatant. J'avais obtenu une prolongation exceptionnelle de mon couvre-feu jusqu'à 2 heures du matin. Quand minuit arriva, la plupart des autres couples de la bande étaient déjà partis.

Jason avait laissé son camion devant chez moi. Nell nous déposa donc là-bas, et on se glissa sur la banquette froide en tremblant et en claquant des dents, jusqu'à ce que le chauffage ait réchauffé l'habitacle.

– Alors, où veux-tu aller, petite sexy ? me demanda Jason en s'éloignant de chez moi.

Je haussai les épaules.

– La colline ?

C'était devenu le nom de code pour *allons nous embrasser*. Il me sourit, réjoui d'avance, et je sentis une chaleur bouillir dans mes veines avant même qu'on n'arrive à destination. Il atteignit la colline en un temps record, malgré la neige. Il éteignit les phares, laissa le moteur tourner et baissa la radio, puis défit sa ceinture de sécurité et attendit que je fasse comme lui.

Pour une raison ou une autre, j'étais nerveuse. Je me tortillais en enlevant mon manteau. Je me sentis étrangement exposée quand ses yeux vagabondèrent sur mon corps. Puis je défis ma ceinture et glissai sur le siège pelucheux, jusqu'à ce que ma cuisse soit contre la sienne. En glissant, ma robe s'était relevée à mi-cuisses.

Je sentis le regard de Jason sur elles, puis ses doigts caressèrent mon genou. Jusqu'ici, toutes nos explorations avaient eu lieu au-dessus de la ceinture, mais là, avec cette robe qui dévoilait tant mon corps, je réalisai que cela changeait complètement la donne. Elle ne m'avait pas paru si révélatrice dans la boutique, ni même au bal. C'était même une robe plutôt conservatrice, si on la comparait aux minibouts de tissu que d'autres avaient portés ce soir-là. Pourtant, désormais si proche de Jason, et sachant combien il était difficile de s'arrêter quand on atteignait cette limite, je me sentis quasi nue.

– Tu trembles, murmura Jason. T'as froid ?

Je secouai la tête.

– Non… je suis juste nerveuse.

– Nerveuse ? Pourquoi ?

Je haussai les épaules, incertaine de savoir comment mettre des mots sur ce que je ressentais. Je restai silencieuse un long moment, à préparer ce que j'allais dire, et Jason attendit patiemment, une main sur mon genou, en traçant des cercles très distrayants à cet endroit précis où le genou devient en réalité plutôt la cuisse.

– Je suis nerveuse à propos de nous, dis-je. Je suis nerveuse parce qu'il devient de plus en plus difficile d'arrêter de t'embrasser.

– On peut rentrer, si tu veux.

Je secouai la tête.

– Non, je ne veux pas. J'ai proposé qu'on vienne ici parce que j'en avais envie. Je suis juste… nerveuse de savoir où cela va nous mener.

Jason acquiesça.

– On s'arrêtera dès que tu le voudras.

– Et si… Et si, parfois, je n'avais p-p-pas envie de m'arrêter ? Mais que d'autres fois, j'avais peur de ce qui pourrait se p-p-passer si on ne le faisait pas ?

– Je sais de quoi tu parles. Je n'ai jamais envie de m'arrêter, pour être sincère. Mais je ne veux pas te mettre la pression non plus.

Je fus enfin capable de le regarder dans les yeux.

– Est-ce qu'il t'arrive d'avoir peur de… d'aller jusqu'au bout ?

– J'ai envie de bien faire les choses. J'ai envie que ce soit parfait.

Il laissa sa main droite sur ma cuisse, mais se servit de la gauche pour prendre la mienne.

– Ça m'angoisse, oui. Mais on n'a pas à en parler maintenant, n'est-ce pas ?

Je haussai les épaules.

– Peut-être qu'on devrait ? On ne peut pas continuer à… ignorer le sujet. (Je soutins son regard et prononçai les mots que j'avais élaborés dans ma tête.) Je ne veux pas que cela arrive entre nous par accident. Je veux que cela arrive parce qu'on l'aura voulu.

Il acquiesça.

– Moi aussi. Est-ce que tu es prête ?

– Et toi ?

– J'ai demandé le premier.

Il sourit.

Je haussai les épaules.

– Oui. Et pourtant… Je ne sais pas comment l'expliquer. J'adore t'embrasser. J'adore te toucher et te laisser me toucher. J'ai envie de plus. Mais aller… aller jusqu'au bout, c'est un pas énorme, tu comprends ?

Il fit oui de la tête.

– Oui, je suppose que ça l'est. C'est à peu près ce que je ressens aussi.

Il eut un léger sourire satisfait.

– Peut-être qu'on devrait juste… repousser les limites un petit peu, et voir ce que ça fait ?

Je pouffai puis gloussai :

– Il n'y a qu'un mec pour suggérer ce genre de truc.

– Ben je *suis* un mec. Il jeta un œil à sa main, qui avait remonté légèrement le long de ma cuisse.

– Ai-je tort pour autant ?

Maudit Jason, il me connaissait vraiment. C'était exactement ce dont j'avais envie, m'habituer à l'idée. S'y familiariser, en quelque sorte. Une partie de moi était en alerte cependant, comme pour me dire que ce n'était pas une si bonne idée que ça.

J'ignorai la voix en moi et attendis que Jason m'embrasse. Et, oh ! mon Dieu, pour m'embrasser, il m'embrassa. Sa langue m'assaillit, et j'adorais ça. Je l'attirai plus près, il se laissa faire, parfaitement collé contre moi, et j'eus envie d'être encore plus près. D'habitude, j'aurais grimpé à califourchon sur ses genoux, mais ça ne se passa pas comme ça cette fois-ci. Je me sentis tomber en arrière jusqu'à ce que mon dos soit allongé sur le velours du siège, le corps chaud, dur et massif de Jason au-dessus du mien, et, mon Dieu… j'en voulais encore plus. Sa bouche était contre la mienne, mais ses mains… mon Dieu, ses mains… Elles jouaient avec moi, me tourmentaient. L'une s'amusait sur mes cuisses, touchait, caressait, sculptait, glissait de haut en bas, sans jamais passer sous ma robe. L'autre était sur mon visage, ma joue, traçait le creux de mon cou, mon épaule, mes côtes, caressait l'extérieur de la courbe de mon sein.

Je me laissai aller, juste un peu, pour voir. Je lui arrachai sa veste de costume, puis sa cravate, en tirant sur le nœud jusqu'à ce qu'il se défasse. Et puis sa chemise… oui, je déboutonnai sa chemise. Je me sentais si adulte, si aventureuse, si comme dans les films que j'avais regardés avec Nell. Ce déboutonnage de chemise, je crois que ce fut ça, ma perte. C'était tellement… tellement sensuel. Tandis qu'on s'embrassait, tandis que je déshabillais son torse, que je jouais avec la zone désormais familière de ses pectoraux et de ses abdos, sa respiration devenait de plus en plus intense.

Plus, je voulais plus de lui.

J'écartai légèrement les cuisses et glissai pour faire remonter le bas de ma robe. C'était un geste un peu lâche et manipulateur, plutôt que de lui demander directement de me toucher. Il arrêta de m'embrasser et me regarda.

– Tu es tellement… tellement belle, Becca. (Il avait du mal à respirer et se lécha les lèvres.) Je… je t'aime.

D'un seul coup, j'en eus le souffle coupé. Je ne m'étais pas attendue à ça. Je fermai les yeux et avalai difficilement ma salive, répétai les mots dans ma tête pour qu'ils sortent sans accrocs.

– J-j-je t-t-t'aime au-aussi.

Je fermai les yeux, mortifiée, parce que j'avais eu beau décomposer ma réponse, ça n'avait pas suffi. Je n'avais jamais été aussi embarrassée. C'était la seule fois de ma vie où je ne voulais pas bégayer, et j'avais gâché l'instant.

Je sentis quelque chose de chaud couler le long de ma joue.

– Hé, pourquoi tu pleures ?

La voix de Jason était douce, et il se souleva légèrement de moi. Je sentis sa main bouger, et la radio s'éteignit.

J'ouvris les yeux, son visage était flou à cause des larmes.

– Je… je voulais juste être capable de te dire ça en retour, sans tout foirer. Mais je n'ai pas été foutue de le faire. (Je pris une grande inspiration, j'essayai d'empêcher les larmes de couler, mais elles n'étaient pas très conciliantes.) Je suis… Je suis vraiment dé-dé-désolée.

Je sentis ses lèvres sur ma joue, ses baisers absorbaient littéralement mes larmes, et mon cœur se serra d'émotion pour lui. D'amour pour lui.

– Hé, Becca, regarde-moi. (Il embrassa mon menton, l'arête de mon nez, mes lèvres.) Regarde-moi.

Je me forçai à ouvrir les yeux et les essuyai d'une main, consciente, mais indifférente, que j'étais en train de ruiner et d'étaler mon maquillage.

– Ce n'est pas grave, je m'en moque.

Ses yeux étaient sérieux, compatissants et tellement, tellement tendres.

– Tu m'écoutes ? Je suis sérieux, tu n'as jamais à t'excuser. Tu bégaies parfois, et alors ? Je te connais depuis qu'on est tout petits, et ça ne m'a jamais dérangé. Tu te souviens de la fois où j'ai mis un coup de poing à Danny parce qu'il s'était moqué de toi ? Je ferais pareil avec tous ceux qui t'embêtent.

Je respirai profondément, essayant de me reprendre, mais sans succès.

– Jason, je sais juste… (Une autre grande inspiration, et je recommençai.) Je sais juste que c'était un grand moment. Toi, tu me dis que tu m'aimes, et je voulais juste, je voulais être capable de te le dire moi aussi, sans tout gâcher par mon bégaiement stupide et gê-gê-gênant.

Jason passa les doigts dans mes cheveux près de mon oreille et m'embrassa doucement et délicatement.

– Ce n'est pas gênant. Pas pour moi. Tu n'as rien gâché du tout. (Il me caressa ma pommette avec son pouce.) Est-ce que tu le pensais moins parce que tu as un peu bafouillé ?

Je secouai la tête catégoriquement.

– Non ! Je le pense vraiment, et tellement. (J'hésitai, prononçai les mots mentalement.) Je t'aime, Jason.

Il me sourit, puis balaya toutes mes inquiétudes d'un baiser. Sa main revint sur ma cuisse, et je soulevai la jambe vers lui comme un encouragement tacite. Elle s'aventura alors un peu plus haut, à mi-cuisses, s'arrêtant sur l'ourlet de ma robe. Je repoussai son visage loin du mien pour qu'il me regarde. Tandis qu'il me scrutait, je posai mon autre main sur la sienne et la guidai plus haut. Ses yeux s'écarquillèrent, et il se lécha les lèvres. Je posai la main sur son bras, sa nuque, et le regardai oser aller plus haut. Oh… il était presque à ma hanche, à quelques centimètres à peine de mon noyau le plus intime. Mon corps entier fredonnait, tambourinait d'excitation et de désir. Je pouvais exprimer ce que je ressentais pour lui sans parler – je pouvais le lui dire avec mes lèvres, mes cuisses et mes hanches.

– P-plus. (Je me moquais du léger hoquet dans ma voix.) S'il te plaît.

Je poussais et tirais sur les manches de sa chemise, jusqu'à ce qu'il soit torse nu. Je laissai mes mains vagabonder sur sa peau. Il se familiarisait avec mes cuisses, mes hanches nues, et j'arrivais à peine à respirer. Sa bouche se posa sur la mienne, puis recula, puis plongea pour m'embrasser de nouveau. Je ne savais pas jusqu'où irait tout ça, mais je savais que je ne voulais pas que ça s'arrête. J'avais peur, oui, je sentais la peur en moi tourbillonner autour du désir. On ne pourrait pas revenir en arrière si on repoussait les limites. Maintenant que je connaissais la sensation de sa peau nue sous mes mains, je ne serais plus jamais capable de m'en passer. C'est à ça que conduiraient nos baisers désormais. C'est comme tomber d'une poutre. Une fois que vous avez perdu l'équilibre et commencé à tanguer, vous ne pouvez plus empêcher la chute.

Je savais tout ça, et pourtant je levai quand même les mains au-dessus de ma tête, tandis que Jason me regardait faire avec de grands yeux, glissai un bras en dehors de ma manche, puis l'autre. Il suffisait d'un seul petit mouvement pour exposer mes seins devant lui. Il avala sa salive et mes yeux suivirent l'agitation de sa pomme d'Adam. Je caressai la ligne saillante de sa mâchoire d'une main et, de l'autre, me découvris sous ses yeux.

Oh! mon Dieu, j'avais envie de me cacher. Ma peau me sembla soudain trop étroite, mon cœur s'emballa, et je clignai fort des yeux pour faire fuir mon stress et mon embarras. Ses narines se dilatèrent, ses yeux devinrent ronds comme des billes et ses doigts se plantèrent dans mes hanches. Je ne pus que rester là, allongée, et attendre sa réaction, ce qu'il allait faire, ce qu'il allait dire.

– Mon Dieu… Becca. (Sa voix était lourde, faible, éraillée.) Comment suis-je censé pouvoir respirer quand tu es aussi belle ?

Il prétendait être mauvais avec les mots, mais il savait vraiment être poétique quand il le voulait.

Je faillis pleurer de soulagement. Je voulais être belle pour lui. Je voulais qu'il aime ce à quoi je ressemblais, qu'il aime mon corps, même si ce n'était pas tout le temps mon cas.

Il retira la main de mes hanches et parcourut mon ventre, mes côtes, puis s'arrêta sur le tissu froissé de ma robe, juste en dessous de mes seins. Ses yeux balayèrent mon corps, puis plongèrent dans les miens pour y chercher une éventuelle hésitation ou un regret. Je me cambrai, m'agrippai à sa nuque et l'attirai contre mes lèvres. J'avais besoin de l'embrasser. Ses baisers faisaient s'envoler ma peur, mon inquiétude de me dire que tout ça était trop rapide, trop tôt. Sa paume se posa sous la courbe de mon sein et j'arrêtai tout bonnement de respirer. Et puis… oh! mon Dieu, oh! mon Dieu… Son pouce effleura mon téton, je le sentis se contracter, enfler, se durcir. J'avais sincèrement l'impression de pouvoir sentir la moindre molécule d'air, la moindre cellule de sa peau qui passait sur ma poitrine. Il saisit mon sein et ma chair se répandit dans sa main, sa paume pétrissait, pressait contre mon téton. Je gémis, électrifiée, et aspirai sa langue dans ma bouche.

J'avais envie de le toucher, de repousser les limites encore plus loin. Je n'avais jamais été si entreprenante, si audacieuse de ma vie. Toujours cambrée dans sa paume, je glissai ma main le long de son dos tandis qu'il m'explorait avec de plus en plus d'assurance. Je suivis la taille de son pantalon de costume. Il portait une ceinture, une fine bande de cuir brillant. Mais elle n'était pas vraiment serrée. Ma main glissa facilement dans son pantalon, sous le coton doux de son caleçon, je saisis son cul rebondi et ferme. Il m'embrassait la mâchoire, près de l'oreille, et j'entendis son souffle se couper. Je franchis la ligne pour lui caresser l'autre fesse, et sa respiration reprit d'une façon effrénée, presque douloureuse.

Je ne pus empêcher un sourire d'envahir mon visage. Je le touchai de façon si audacieuse, mes lèvres se retroussèrent contre la barbe de trois jours de sa joue et la peau douce de son cou.

– Quoi? demanda-t-il, sa voix étouffée dans un murmure contre ma clavicule.

– J'aime bien ton derrière.

Je gloussai en le disant.

Je le sentis sourire.

– Tant mieux. J'aime le tien aussi.

– Tu ne l'as pas encore vraiment touché, lui fis-je remarquer.

Il acquiesça avec sérieux.

– C'est très vrai. Mais comment suis-je censé pouvoir le faire, quand tu es allongée?

Je haussai les épaules, feignant l'insouciance.

– Je suis sûre qu'on va trouver une solution.

Ma voix s'érailla quand ses lèvres s'aventurèrent le long de mon buste, chaudes et humides sur ma chair, s'approchant de mon sein gauche, me coupant le souffle et le fil de mes idées.

– Mon Dieu… continue…

Sa bouche s'approcha de plus en plus près de mon téton, et plus il approchait, plus ma respiration s'amplifiait. Jusqu'à ce que ses lèvres soient à un millimètre de la pointe tendue et que je retienne totalement mon souffle. J'attendis, il hésita, et je caressai l'arrière de sa tête avec les doigts pour l'encourager subtilement à continuer. Ses lèvres se refermèrent sur mon téton, et mon souffle explosa dans un long gémissement. Je sentis un tiraillement ancré profondément en moi au fond de mon ventre, une contraction, comme un désir chaud et pressé, à la fois physique et émotionnel.

Je retirai ma main de ses fesses et traçai une ligne le long de sa colonne, puis m'agrippai à sa nuque à deux mains, tandis qu'il déplaçait sa bouche vers mon sein droit. J'avais de plus en plus conscience de nos corps, je sentis son bras comme une barre d'acier à côté de mon visage. Il s'appuya sur une main et traça de l'autre l'extérieur de ma cuisse, de ma hanche. Et puis je l'ai senti, *lui.* Un bâton dur contre ma cuisse. Je savais ce que c'était. J'avais regardé *True Blood* avec Jill et Nell. Je savais, dans le principe, comment ça se passait dans ces cas-là et quelle chose servait à quoi. Mais savoir en principe ne vous prépare pas à la réalité de la chose contre votre cuisse.

Devais-je le toucher à cet endroit ? Pouvais-je ? Osais-je ? Je savais, toujours dans le principe, ce qu'il se passait quand on touchait un mec à cet endroit de la bonne manière.

Je repoussai doucement le torse de Jason, et il se redressa, penché face à moi, un pied sur le sol et un genou entre mes cuisses. J'étais allongée, quasi nue sous ses yeux. Ma robe était froissée, remontée au-dessus de mes hanches et en dessous de mes côtes, mon shorty rouge exposé. Je fus embarrassée en réalisant que je mouillais au creux des cuisses. Je savais que le coton de ma culotte était humide. Je me demandai, légèrement horrifiée, s'il pouvait voir cette humidité et ce qu'il en pensait.

Puis je vis le devant de son pantalon, et cette bosse épaisse au niveau de sa braguette. Je regardai Jason. Il se mit à rougir et je réalisai qu'il était aussi embarrassé par cette bosse visible. C'était facile de me dire que tout ça était normal et naturel, mais ce n'était pas aussi facile d'effacer le sentiment d'embarras lié au fait que quelqu'un vous voie comme ça. Je me sentais vulnérable d'être à ce point quasi nue devant quelqu'un d'autre. D'un coup, la réalité de ce que nous étions en train de faire s'abattit sur moi.

Devions-nous nous arrêter ?

Peu importe, la partie de moi qui s'était laissé emporter par ce flot de désir audacieux et enivrant n'en avait aucune envie. La partie de moi qui aimait le corps de Jason, aimait voir sa peau nue, aimait *toucher* son corps et sentir sa réaction – cette partie de moi là ne voulait pas s'arrêter. Je voulais défaire sa ceinture, comme je l'avais vu à la télé, défaire sa braguette et ouvrir le bouton de son pantalon. Je voulais le voir tout entier. J'avais même envie de le toucher à cet endroit. J'en avais envie. J'avais envie de voir ce qu'il se passerait si je continuais à le toucher.

J'avais envie d'aller jusqu'au bout avec lui.

Mais ma fragilité finit par reprendre le dessus. Je n'arrêtais pas de penser à comment réagiraient mes parents s'ils savaient ce que j'étais en train de faire. Mon désir bataillait avec cette vulnérabilité et cette interprétation torturée du bien et du mal. Est-ce que tout ça était mal ? Comment était-ce possible ? Je savais que j'aimais Jason. J'étais convaincue que les gens m'auraient dit que je n'avais pas la moindre idée de ce qu'était l'amour, puisque je n'avais que seize ans, mais j'étais sûre des sentiments dans mon cœur. J'étais attirée par l'homme qu'il y avait à l'intérieur de l'esprit et du cœur de Jason, pas seulement son corps. J'étais amoureuse de ce qu'il était. J'avais tout le temps envie d'être avec lui. Je voulais l'aider, j'avais mal quand il avait mal, j'étais heureuse quand il était heureux.

N'était-ce pas ça, l'amour ?

Et puis, presque par accident, les doigts de Jason remontèrent le long de ma cuisse et vinrent caresser l'endroit où elles se rejoignaient, le centre de mon corps, mon intimité. Ce frôlement me frappa comme la foudre, et ma respiration se bloqua. J'avais comme un caillou épais dans la gorge et du feu dans les veines.

Et puis, pas par accident, il m'embrassa et je fus perdue encore une fois, toutes mes pensées s'évanouirent, mes guerres de raison s'effacèrent. Sa main s'arrêta en bas de mon estomac, juste au-dessus de l'élastique de ma culotte taille basse. Mes doigts tracèrent une ligne le long de son torse et saisirent la boucle de sa ceinture. Je sentis son ventre se contracter sous mon geste, comme s'il voulait me faire de la place pour le toucher encore plus.

Sa langue qui chahutait mes dents et cherchait avidement ma bouche suffit à anéantir toute hésitation. Oh! mon Dieu, j'allais le toucher et il allait me toucher. Oh! mon Dieu.

On avait le droit. Nous étions amoureux, et ça faisait partie du fait de tomber amoureux.

Je défis l'extrémité de sa ceinture du passant de son pantalon, puis la boucle, fis sortir la dent de métal du trou dans le cuir et lui enlevai sa ceinture d'un coup. Il ne respirait plus, ne bougeait plus, sa bouche était collée à mon oreille, son souffle suspendu. Son bras trembla et il s'appuya sur son autre main. Ses doigts étaient là, pliés contre la peau chaude de mon ventre, son pouce traçait de minuscules cercles sur le coton de ma culotte, trois centimètres au-dessus de mon sexe. Si près, et pourtant si loin.

Oh! mon Dieu, j'en avais envie. J'avais envie qu'il me touche encore plus. J'avais envie qu'il me donne encore plus. Tout ça était tellement enivrant, je ne pouvais plus m'arrêter.

Le bouton de son pantalon ouvert, mon pouce et mon index firent glisser sa braguette. Mon regard se posa sur cette partie de lui, et je vis son boxer tendu et un point humide sur le coton bleu. L'humidité du désir, ce que nous avions en commun.

Il restait de marbre, le regard posé sur moi, puis sur mes seins, puis mes cuisses, ma culotte, et finalement mes yeux.

Il avait envie de tout ça autant que moi, mais je vis également mes propres doutes se refléter dans son regard. Il déplaça légèrement son poids et son pantalon tomba sur ses hanches. Je touchai sa taille, près de son ventre, en le regardant dans les yeux. Mes doigts attrapèrent le bandeau élastique gris, hésitèrent. Mon cœur n'était qu'un tambour fou dans ma poitrine.

Les doigts de Jason se posèrent entre ma hanche et mon genou, puis remontèrent lentement vers le haut. Je détendis mes jambes, laissai mes cuisses s'écarter encore un peu plus, et puis sa paume atterrit sur la peau douce et sensible de l'intérieur de ma cuisse, caressant le muscle à cet endroit, les doigts pointés vers le bas. Si proche. Mon corps entier trembla et je frémis un peu plus quand sa main approcha encore plus près de mon sexe. Je sentis mon désir se liquéfier un peu plus.

Nous avions nos regards plongés l'un dans l'autre, comme pour échanger nos consentements, dire notre envie, notre désir et nos doutes.

– Tu en as envie ? demanda-t-il en murmurant dans le silence du camion.

J'acquiesçai.

– Oui. Et toi ?

– Oui. Mais tu crois qu'il faudrait qu'on arrête ?

– Pourquoi ?

Il ne répondit pas tout de suite.

– Je ne sais pas quand on s'arrête, à quel moment ce serait trop. Je ne veux pas. Je veux continuer. Mais je… je ne veux pas qu'on regrette de franchir une ligne et qu'on ne puisse plus revenir en arrière.

Je décidai de ne pas réfléchir à ce que j'allais dire. Je me contentai de foncer et de le balancer, bégaiement inclus.

– Si on allait j-j-jusqu'au b-b-bout toi et m-m-moi… est-ce q-q-que tu le r-r-regretterais ?

Mes doigts tenaient toujours l'élastique de son caleçon, et les siens étaient posés contre la peau chaude et tremblante de ma cuisse, à moins de deux centimètres de mon sexe humide.

Il secoua la tête.

– Je sais que je t'aime. Je sais que j'ai envie d'être avec toi, seulement toi. Je ne le regretterais pas. Toi, oui ?

Je secouai la tête.

– Non. Certainement pas. (J'étais tellement convaincue que je ne bégayais même pas.) Je sais que je t'aime, moi aussi.

Sa main s'aventura plus haut, et le bout de son pouce explorait désormais le pli de mon sexe à travers le coton humide de ma culotte. Son geste m'empêcha de respirer.

Puis il s'arrêta et ses yeux plongèrent dans les miens.

– On ne peut pas aller jusqu'au bout ce soir, en revanche, dit-il. On n'a pas le temps, et je ne veux pas que notre première fois ait lieu dans le camion.

– Pourquoi p-pas ? (Je tirai sur son caleçon, juste un petit peu.) C'est là qu'on passe le plus clair de notre temps ensemble, non ?

– Ouais, mais… (Il avait l'air gêné d'en parler.) Ça devrait être un moment spécial. Dans un lit, et dans un bel endroit. En plus… on n'a pas de… tu sais… truc. De protection.

Il murmura le dernier mot d'une voix à peine audible.

Je soupirai.

– Oui, je sais. Tu as raison. On devrait le prévoir, alors. Faire que ça soit parfait.

Il acquiesça.

– Eh pour ce soir ? Qu'est-ce qu'on fait ?

J'avalai avec difficulté.

– Et bien, on ne fera pas ça, mais on peut… on peut juste passer plus de temps ensemble, jusqu'à ce qu'il soit l'heure de rentrer, non ?

Il eut l'air soulagé et satisfait.

– Oui. De toute façon, c'est pas comme si ça allait arriver par accident, hein ?

Je secouai la tête.

– Non. On prend les décisions ensemble.

Je me sentais adulte, j'avais de vraies discussions jusqu'au bout, et faisais des choix avec mon petit ami concernant notre sexualité. Il se pencha pour m'embrasser, et mes poings s'enfoncèrent dans le creux de ses hanches, à l'endroit où ses muscles formaient ce V hallucinant. Je l'embrassai de tout mon saoul, les yeux fermés, le cœur comblé. J'aimais Jason pour de vrai. C'était assez excitant à admettre, à dire, à ressentir, à savoir.

Après m'avoir embrassée à en perdre le souffle, Jason se redressa légèrement. Ses grands yeux verts et ses lèvres entrouvertes me rendaient folle. Il était si beau, superbe, et je l'aimais, c'est tout. Je plongeai mes yeux dans les siens, puis lui enlevai son boxer et le fis glisser le long de ses hanches. Ses yeux s'écarquillèrent, et même sa respiration s'arrêta quand il se retrouva nu devant moi.

– Oh. Oh! putain.

Je me mordis la lèvre, détournai le regard de son… Je n'arrivais même pas à savoir quel mot employer dans l'intimité de mon propre esprit. Je cherchais ses yeux, il était nerveux et un peu gêné. Je n'étais pas sûre de savoir ce que j'étais censée faire. Y avait-il une certaine façon de le toucher?

Je fermai les doigts autour de lui. Il prit une grande inspiration, et sa poitrine se gonfla. Waouh! Juste… waouh! Une pagaille complexe de contradictions. Dur, doux, épais, un côté spongieux sous mes doigts à certains endroits, dur à d'autres. Ma main était d'un brun profond contre le rose presque pâle de sa chair à cet endroit. Je la glissai vers le bas, puis remontai, j'avais simplement envie de le toucher en entier. Il suffoqua, trembla dans ma main.

Il ferma les yeux et essaya de se dégager.

– Becca, oh! mon Dieu, je vais… tu devrais arrêter, maintenant.

J'étais perdue.

– Pourquoi? Tu… tu ne veux pas que je te touche?

Il voulut rire, mais s'étouffa à moitié.

– Si, j'en ai envie. Plus que tu ne pourrais l'imaginer. Mais… si tu continues, je vais… il va… Je veux dire, je vais tout tacher.

Je devins écarlate, j'imagine, et faillis me mordre la lèvre jusqu'au sang. Je ressentais mille émotions à cette seconde, de la curiosité ainsi que de l'étonnement, de l'émerveillement et de l'angoisse… Trop pour toutes les citer, toutes mélangées les unes aux autres. J'aimais le toucher. J'aimais comme il avait l'air d'avoir du mal à se contenir. Que mes caresses le rendent fou. J'aimais ça.

Je passai un doigt sur son gland, et il se mit à gémir. Chaque muscle de son corps était contracté. Je ne voulais pas le lâcher, j'aimais ça. C'était audacieux, à l'inverse de ce que j'étais, moi qui suis d'habitude si prudente, si sage, si calme et si réservée, qui me plie en général à la moindre petite règle.

Je resserrai les doigts autour de lui et glissai la main le long de son membre. Je pouvais sentir chaque ligne et chaque ondulation de sa peau, voir son visage se tordre, les veines de son front, de son cou et de ses bras se gonfler, sentir ses abdos se durcir comme de la pierre. Son bras lâcha, et il s'effondra en partie sur moi, mais je m'en moquais complètement. À vrai dire, j'aimais vraiment la sensation de son poids sur moi. Il se tenait sur son flanc, coincé entre le dossier de la banquette et mon corps. Ses hanches étaient au même niveau que les miennes, et il s'accrochait à ma hanche, les doigts plantés dans ma chair, son front contre mon épaule. J'attendis qu'il soit à nouveau immobile et me remis à glisser ma main de haut en bas. C'était ce geste qui semblait vraiment le rendre fou, son corps bougeait en rythme avec ma main. Puis il se contracta encore un peu plus et se raidit d'un seul coup.

– Mon Dieu, Becca. Tu ne sais pas… ce que tu es en train de me faire. Le plaisir que ça me donne. Tu devrais arrêter avant que je…

Je secouai la tête, c'était la seule réponse que je fus capable de lui donner. Je n'allais pas m'arrêter. On était allés trop loin pour s'arrêter maintenant. Je voulais voir ce qui allait arriver et je voulais lui donner du plaisir, autant de plaisir que j'en avais eu quand il avait embrassé mes seins.

Il se pencha brusquement par-dessus moi et attrapa un T-shirt abandonné sur le sol du camion, un débardeur noir taché de sueur. Il le fourra entre lui et ma peau, ma robe, et il se mit à gémir du plus profond de sa poitrine quand je resserrai la main autour de lui. Il trembla, glissa ses hanches vers l'avant pour accompagner mon geste. Je remontai son membre, en caressai le bout.

– Oh… merde, soupira-t-il.

Et puis je sentis ses tremblements, ses spasmes. Quelque chose de chaud et d'humide dégoulina sur mes doigts et sur le débardeur, je resserrai mes doigts autour de lui et son corps se tendit à nouveau, un autre jet de liquide blanc émana de lui. C'était incroyable à regarder. Tout son corps réagissait, et une expression de pure extase traversa son visage tandis qu'il balançait toujours dans ma main, désormais luisante et humide.

– Oh ! (J'entendis l'étonnement dans ma voix.) Effectivement, ça tache…

Il se mit à rire, les yeux fermés et le visage enfoui dans mon décolleté.

– Je te l'avais dit. Je suis désolé. Je n'ai pas taché ta robe, si ?

– Pourquoi serais-tu désolé ? Ça m'a plu de voir ça. Et non, je ne crois pas. En revanche, il y en a partout sur ton débardeur.

Il inspira, et je sentis son souffle chaud contre ma peau. J'avais étrangement mal. Tout au fond de moi, je sentais un désir que je ne pouvais pas exprimer et que je ne comprenais pas. Bien sûr, je m'étais déjà caressée là, en bas, mais je n'avais jamais vraiment rien ressenti d'incroyable, comme pouvaient le décrire certaines filles que j'avais entendues en parler à l'école.

Il prit le débardeur, le mit à l'envers pour emballer tout ça, puis s'essuya, lui et mes doigts. Il se redressa sur son coude et sa main frôla l'élastique de ma culotte. Je le regardai et pris une grande inspiration. J'étais désormais aussi figée qu'il l'avait été, lui, il y avait quelques minutes. Ses yeux vagabondèrent sur mes seins tandis que ses doigts glissèrent sous l'élastique, au niveau de ma cuisse. Je brûlai d'excitation quand il glissa sur ma peau et sur la toison douce de mes boucles. J'étais à nouveau mortifiée. Est-ce que ces boucles-là allaient lui déplaire ? Toutes ces pensées s'évanouirent quand il traça ma fente. C'était un angle un peu étrange et il retira sa main. Je faillis gémir d'avoir perdu ce contact entre nous. C'était si délicieux, juste ce petit point de contact. J'en voulais encore. Il glissa ses doigts sur mon ventre et sous l'élastique du haut, je soulevai mes hanches pour accompagner son geste. Oh ! mon Dieu. Ma culotte était serrée, elle collait à sa main et me tiraillait à certains endroits. Je la retirai, la fis rouler le long de mes jambes. Jason semblait avoir saisi l'idée et m'aida à la retirer. Quand elle fut autour de mes genoux, j'eus assez de place pour écarter un peu plus les cuisses. Ce geste me donna l'impression d'être transgressive, comme le fait de vouloir que sa main se pose encore plus sur moi… dans moi.

– Oh !… mon Dieu.

Il me toucha, et je pouvais à peine respirer. J'étais tremblante, brûlante, et en même temps tendue, tirée comme un fil sur le point de se rompre. Et il n'avait fait que me frôler d'un doigt. Je cambrai le dos et écartai les genoux, tirant sur ma culotte et m'en moquant. Ses doigts me touchèrent, frôlèrent, caressèrent. Je n'eus même pas assez d'air pour soupirer de surprise en réalisant à quel point cet endroit était sensible. Je n'avais pas ressenti ça quand je m'étais touchée. Quelque chose d'énorme grandissait en moi, je pouvais sentir une pression, comme un ballon près d'exploser.

Le bout d'un de ses doigts plongea plus bas, et je me mis à gémir à voix haute, encore plus fort que quand il avait touché mes seins. Il remonta un peu et je me forçai à ouvrir les yeux, à regarder son doigt blanc caresser ma peau mate. Son long majeur plongea un peu plus bas. Puis il trouva le bouton dur et sensible de chair en haut de mon intimité – j'étais bien trop embarrassée pour pouvoir prononcer des termes sexuels explicites, même mentalement. Je ne savais pas vraiment s'il savait déjà ce que c'était, et à quel point c'était sensible, ou s'il avait simplement compris en entendant mon souffle aigu et en remarquant le mouvement soudain de mes hanches sous sa caresse, mais il se concentra sur cet endroit.

Il le massa, et je me mis à bouger sous son doigt. Il allait et venait, le caressait, et puis il appuya un tout petit peu trop fort, ce qui me fit suffoquer.

– Pas si fort, murmurai-je.

– Désolé, dit-il en commençant à retirer sa main.

– Non, ne t'arrête pas, dis-je. Sois juste… doux.

Il effleura mon bouton du doigt, et j'en eus le souffle coupé, je gémis et me remis à onduler. Je me sentais vraiment femme en m'entendant. Comme Sookie dans *True Blood,* quand elle était avec Eric. Un mot que j'avais lu dans un livre traversa mon esprit : licencieuse. Je me sentais licencieuse, coquine. Je gloussai en y pensant, mais mon gloussement s'évanouit quand son doigt se mit à tracer des petits cercles. Je ne pus que gémir de nouveau. Ses mouvements étaient lents et un peu maladroits, mais je m'en moquais. Un petit peu brusques, mais ça allait. Le ballon en moi continuait de grossir, gonflé à l'extrême, proche de l'explosion.

– Embrasse-moi, murmurai-je.

Il baissa sa bouche sur mes lèvres et je me mis à sourire, à rire, haletante.

– Pas… là.

Je poussai sa tête vers mes seins.

– Embrasse-moi là encore.

Il s'exécuta de bon cœur, et je sentis ce tiraillement en moi, comme s'il y avait un fil qui reliait mes seins à mon sexe.

C'était comme si les mouvements de sa bouche, les lapements de sa langue et le suçotement de ses lèvres tiraient sur ce fil pour défaire quelque chose en moi. Ses mouvements étaient lents, consistants, et j'en voulais encore plus.

– Plus vite.

Je m'entendis à peine, et je ne crois pas que lui m'ait entendue. Je répétai plus fort, plus fermement :

– Plus vite, s-s-s'il te plaît.

Son doigt accéléra, et je suffoquai. J'entendis un gémissement s'échapper de ma gorge et sentis ma colonne se cambrer loin de la banquette, la chaleur balayer mon corps, la sueur perler sur ma peau et mon cœur marteler. Je ne pus empêcher un autre gémissement de franchir mes lèvres, et puis plus vite ne fut plus suffisant, plus ne fut plus suffisant, et je bougeai inconsidérément en rythme avec sa caresse, me tortillant désespérément, perdue dans l'instant.

La chaleur, la pression, les éclairs, le mouvement, la montée… Je n'avais pas les mots justes pour décrire tout ce qu'il se passait en moi. Je ne pensais plus à rien, j'étais cambrée au point de ne presque plus toucher la banquette, j'essayais de m'approcher, encore et encore, et je me moquais de ce dont j'avais l'air, des sons qui émanaient de moi et de tout. Il n'y avait de place pour rien d'autre que cette bombe qui explosait en moi, comme une étoile qui se serait transformée en supernova au plus profond de mon ventre.

Je crois avoir vraiment hurlé. Puis je ne fus plus qu'une masse flasque et essoufflée. Je levai les yeux vers Jason, et leur vert flamboyant me transperça avec chaleur et sensualité.

– Mon Dieu… C'était… in-in-incroyable, bégayai-je en lui souriant.

– Maintenant, tu sais ce que j'ai ressenti tout à l'heure.

Je jetai un œil à l'horloge du tableau de bord.

1 h 48.

– Merde, il faut que tu me ramènes, dis-je en m'asseyant, tremblante.

Chaque muscle de mon corps frémissait encore.

On arriva devant chez moi à 1 h 59, et mon père m'attendait. Il avait éteint la plupart des lampes, Dieu merci, et ne sembla donc pas remarquer le brillant de mes yeux, ni le rayonnement de mon teint, ni l'ébouriffement de mes cheveux emmêlés. Toutes ces choses que je vis, moi, en me déshabillant pour aller me coucher.

Je m'observai dans le miroir avant d'enfiler un grand T-shirt par-dessus mon corps nu. Je me tournai d'un côté, puis de l'autre, en posant, en m'examinant, tentant de voir ce que Jason avait vu. Je me vis juste moi : un mètre soixante, oscillant entre cinquante-quatre et cinquante-six kilos. Une forte poitrine avec un mamelon large, sombre et épais et des tétons tout roses. Des hanches larges et rondes, des cuisses musclées, un ventre plat et une peau sombre couleur caramel. Des cheveux si noirs qu'ils avaient presque l'air bleus, tombant juste en dessous de mes épaules en spirales épaisses et serrées, impossibles à dompter. Les yeux d'une couleur approchant celle de mes cheveux, un marron si obscur qu'on aurait dit du noir, rendant impossible à distinguer la pupille de l'iris. J'avais le dos un peu cambré, ce qui faisait que mon cul avait l'air encore plus gros qu'il ne l'était. En général, quand je me regardais, je voyais la somme de mes défauts. Je me voyais désormais d'un œil un peu différent. Désormais, je voyais mes défauts comme la somme de ma beauté.

Je dormis profondément en rêvant aux caresses de Jason.

7

Nous succomber

Jason
Deux semaines plus tard, fin janvier

Assis sur l'accoudoir du canapé qui trônait au milieu de la cave de Kyle, la manette blanche sans fil de la Xbox collant à ma main gluante à cause des quatre dernières heures passées à jouer à *Madden, Halo 3* et *Call of Duty*: *Black Ops.* Les filles faisaient leur truc de manucure-pédicure-shopping-milkshakes hebdomadaire. On s'était donc retrouvés seuls, Kyle et moi, un samedi après-midi froid et enneigé, avec rien de mieux à faire que de jouer aux jeux vidéo.

J'étais en train de mettre une sérieuse raclée à Kyle à *Madden*, mon équipe des Chargers écrasait ses Vikings par 48-14, quand il me regarda d'un air étrange.

– Alors… toi et Becca ?

Je lui lançai un de ces regards du genre *ouais… et alors ?*

– Quoi, moi et Becca ? demandai-je.

– Est-ce que vous vous êtes déjà, genre, envoyés en l'air ? Il posa la question sans me regarder ; sa langue tirée dépassait du coin de sa bouche.

Je jurai quand il marqua un touchdown, ramenant le score à 48-21.

– Vous l'avez fait, toi et Nell ? répondis-je.

– Je t'ai posé la question en premier, connard.

J'attendis d'avoir choisi ma tactique suivante pour répondre.

– Ça dépend de ce que tu entends par s'envoyer en l'air.

Il sourit bêtement.

– Jusqu'au bout. Une relation sexuelle, pas que des préliminaires.

– Alors, la réponse est non.

– Mais elle et toi, vous avez fait des trucs ?

Assis sur le canapé, il se pencha en avant, puis bondit sur ses pieds quand il intercepta la passe de mon quarterback et marqua un autre touchdown derrière, amenant son score à 28 points.

Je m'essuyai les paumes sur mon jean au niveau des genoux, et lui lançai un regard.

– Ouais, on a fait quelques trucs.

Il mit le jeu sur pause, et je compris que cette conversation allait devenir sérieuse.

– Et tu vas le faire ?

– Faire quoi ?

Il me donna un coup de poing dans le biceps, suffisamment fort pour que ça me fasse mal.

– T'envoyer en l'air avec elle ?

Je posai la manette sur la table basse devant moi, et me laissai tomber en arrière. Je relevai mes pieds tout en réfléchissant à comment répondre à la question de Kyle.

– Je ne sais pas. Probablement.

Il se contenta de rire.

– Allez, Jason. C'est à moi que tu parles, là. Arrête de me raconter des conneries. Tu vas coucher avec elle, oui ou non ?

Je le regardai en fronçant les sourcils.

– Mec, arrête de faire ton trou du cul. On parle de Becca, là, pas d'une meuf au hasard. Si on le fait, déjà j'appellerais pas ça s'envoyer en l'air. L'expression est juste… je sais pas… un peu vulgaire. Becca n'est pas vulgaire.

Il leva les mains devant lui.

– Ce n'est pas ce que je voulais dire, mec. Je suis simplement curieux, c'est tout.

– Et Nell et toi ?

Ce fut à son tour de se tortiller sur le canapé en réfléchissant à sa réponse.

– On a fricoté, genre, beaucoup. Je crois qu'à un moment, il faudra simplement qu'on prenne la décision de le faire.

– Qu'est-ce que tu ressens pour elle ?

Il ricana.

– Quoi ? On va parler de nos sentiments, maintenant ? Tu veux pas que je te mette du vernis sur les ongles, aussi ?

Je lui lançai un coup de pied dans la cheville.

– Arrête de faire le con. On n'est pas dans le vestiaire, c'est une conversation privée. On se connaît depuis presque aussi longtemps que tu connais Nell.

Il soupira.

– Je crois que je suis amoureux d'elle.

Il se mit à tirer sur un des fils blancs qui pendaient du trou de son jean de marque avait au niveau du genou.

– Si tu ris ou que tu te moques de moi, je vais te botter le cul.

Il me lança un regard noir en guise d'avertissement.

– Je ne t'aurais pas posé la question si j'allais te faire chier sur la réponse, mec.

Je sortis mon téléphone portable de ma poche pour regarder si j'avais reçu un message.

– Est-ce que tu lui as dit ce que tu ressentais ?

Il secoua la tête.

– Non. Comment ça se fait que je puisse te parler de ça à toi, mais que dès que je m'imagine le lui dire à elle, je panique ?

Je me mis à rire.

– C'est flippant, ça, c'est sûr. Les filles, ça peut vraiment te tourner la tête. Quand tu me le dis à moi, tu sais que je vais soit comprendre, soit me moquer de la petite poule mouillée que tu es, auquel cas tu essaieras de me botter le cul…

– Je n'aurais pas à essayer. Je te le botterais, interrompit-il.

– Ouais, c'est ça, petite poule. Tu chialeras comme un bébé quand j'en aurais fini avec toi.

Je lui balançai un coup de talon, faisant tomber ses pieds de la table basse.

– Ce que je veux dire, c'est que tu ne peux qu'espérer que Nell ressente la même chose que toi. Il n'y a aucun moyen de savoir comment elle va réagir. Je crois que c'est ça qui fait que c'est plus difficile de lui en parler à elle qu'à moi. Mon cœur battait si fort que j'étais sûr qu'elle pouvait l'entendre quand j'ai dit à Becca que je l'aimais.

– Tu le lui as dit?

J'acquiesçai, avec une fierté un peu stupide.

– Ouais, mec. Juste après le bal d'hiver.

– Et elle t'a dit qu'elle aussi?

Je souris.

– Ouais.

Je fus trahi par l'air satisfait qui envahit mon visage, je crois.

– Qu'est-ce que vous étiez en train de faire tous les deux, quand tu lui as dit?

– Tu vois cet endroit sur la colline, près du grand chêne, là où on va tirer des conserves avec mon 22 mm? (Il fit oui de la tête.) On est allés là-bas après avoir quitté le Ram's Horn.

Il haussa un sourcil.

– Et?

– C'est vraiment cool d'avoir un camion avec une longue banquette.

Je savais que j'avais un sourire de connard jusqu'aux oreilles en disant ça.

– Putain, mec, arrête de tourner autour du pot.

– Ça reste entre toi et moi, Kyle. Je suis sérieux.

– Putain, bien sûr.

– Tu te souviens de la robe qu'elle portait au bal d'hiver ?

Il sourit bêtement en acquiesçant.

– Elle était sexy.

– Eh bien, j'ai découvert qu'elle ne portait pas de soutien-gorge en dessous.

L'image de Becca allongée sous moi me revint à l'esprit, et je dus résister à mon envie de changer de position.

– Elle portait une culotte, en revanche.

Le sourire stupide sur le visage de Kyle me fit penser qu'il avait dû avoir un genre d'expérience similaire avec Nell à un moment ou à un autre.

– J'adore ce genre de robe.

– Presque autant que j'aime les pantalons de yoga.

– La personne qui a inventé les pantalons de yoga est forcément un mec, dit Kyle.

– Putain, aucun doute. Alors, Nell et toi ?

Il secoua la tête.

– Comme vous. On a fricoté, on a vraiment été plutôt loin, mais on n'a pas encore couché ensemble.

– Mais vous allez le faire.

Il acquiesça sans me regarder.

– Ouais, on va le faire. Je ne suis pas sûr d'où et quand pour l'instant, mais ouais. Je sais qu'elle en a envie et je sais que j'en ai envie, de toute évidence.

– De toute évidence. (Je lui lançai un sourire moqueur.) Est-ce que tu lui as enlevé tous ses habits ?

Il secoua la tête.

– Pas tous en même temps, non. J'ai vu chaque partie d'elle à un moment ou à un autre, mais elle avait toujours une partie de ses vêtements.

– Est-ce que tu l'as fait… tu sais…

Je m'interrompis, incertain de savoir comment dire ça sans avoir l'air d'un idiot ou d'un pauvre type.

Kyle n'allait pas lâcher l'affaire aussi facilement, il voulait me voir lutter.

– Est-ce que je l'ai fait quoi ?

– Est-ce que tu l'as fait jouir ?

Je le dis à toute vitesse, les yeux rivés sur l'ongle de mon pouce, conscient d'être en train de rougir comme un petit garçon.

Le sourire de Kyle était à la fois abruti et gêné.

– Non, on est pas allés si loin pour l'instant. Je crois qu'on a tous les deux un peu peur de ne pas pouvoir s'arrêter, si on se laisse trop aller.

Il me regarda avec curiosité.

– Pourquoi ? Toi, si ?

Je fis oui de la tête en regardant mes pieds.

– C'était comment ?

Il se redressa sur le canapé.

– Putain, c'était fantastique, dis-je en riant. C'était comme la regarder… perdre tout contrôle. C'était cool.

– Comment t'es… tu sais… arrivé à ce qu'elle… Comment t'as fait ?…

Il n'arrivait de toute évidence pas à le dire, ce qui me fit rire.

– Sincèrement, je ne sais pas. Il faut juste la toucher au bon endroit, là où tu vois qu'elle aime ça. Tu continues, et elle finira par juste…

Je haussai les épaules en souriant d'un air gêné.

– La toucher… en bas ?

Il avait l'air passionné et embarrassé. C'était bizarre de lui parler, de lui expliquer et de lui raconter un truc que j'avais fait, et pas lui.

– Ouais. (Je ris pour me moquer de moi-même.) Je n'avais honnêtement pas la moindre de putain d'idée de ce que j'étais en train de faire. J'étais juste… en train d'essayer de comprendre ce qu'elle aimait, et puis elle est devenue folle.

– Est-ce qu'elle a crié ? demanda Kyle.

– Ouais. Assez fort. Je ne suis pas sûr qu'elle l'ait fait exprès. Heureusement qu'on était au milieu de nulle part.

Il haussa un sourcil.

– Et toi ?

– Moi quoi ? demandai-je, même si je savais exactement de quoi parlait Kyle.

– Est-ce qu'elle a… est-ce que tu…

Il s'interrompit et attrapa un sous-bock sur la table basse pour me le jeter à la figure. Tu comprends ma question, espèce de bâtard.

Je ris en repoussant le sous-bock.

– Ouais, je sais. Et ouais.

Ce fut tout ce que je dis.

– Mais vous ne l'avez pas fait pour de vrai, en revanche ?

Je secouai la tête.

– Non.

– Vous n'avez pas peur d'aller trop loin ?

Je fronçai les sourcils en le regardant.

– Mec, c'est pas… C'est pas comme ça que ça se passe. C'est pas un truc où tu peux simplement dire « Oups, j'ai glissé ! ». Tu te laisses emporter, ouais, mais tu peux pas, genre, te déshabiller complètement par accident et coucher par accident. C'est sûr que, une fois que tu as franchi certaines limites physiques en ce qui concerne jusqu'où aller, c'est à peu près impossible de revenir en arrière. Ça, je peux au moins te l'affirmer. (Je fis craquer les jointures de mes doigts, puis je lançai mon téléphone en l'air et le rattrapai.) Je veux dire, au début, lui tenir la main et l'embrasser, c'est déjà excitant, n'est-ce pas ? Et puis après, quand tu sais à quel point s'embrasser c'est génial, tu ne veux plus t'arrêter. Puis un jour elle te laisse la toucher un tout petit peu, et à partir de ce moment-là, tu veux l'embrasser et la toucher. Par-dessus ses vêtements au début, hein ? Et puis, le jour où tu sens sa peau, c'est… Toucher son soutien-gorge ne suffit plus.

Kyle acquiesça, il comprenait.

– C'est ça que je veux dire. Tu veux toujours aller plus loin.
– Ouais, mais entre s'embrasser, genre, se peloter ou un truc comme ça, et coucher ensemble pour de vrai ? Personnellement, je ne crois pas que tu peux simplement te retrouver à faire un truc pareil. C'est seulement mon avis.

On finit par changer de sujet, mais je pouvais voir que le cerveau de Kyle tournait à plein régime, tout comme le mien. Tout ce que j'avais dit à Kyle était vrai, en tout cas, Becca et moi, on naviguait sur cette ligne très fine entre faire des trucs et coucher ensemble. Et je savais qu'il fallait soit qu'on ralentisse, soit qu'on aille jusqu'au bout. Cet exercice d'équilibrisme ne pouvait plus vraiment durer.

La vérité, c'était que je n'arrêtais pas de m'imaginer coucher avec Becca, et que j'en avais vraiment envie. Grave. Et bon sang, j'étais à peu près sûr qu'elle ressentait la même chose.

Becca

Envahie par un grand huit d'émotions, je fixai la plaquette argentée de pilules que j'avais dans la main.

J'avais demandé à ma cousine Maria de m'emmener au Planning familial pour qu'on me prescrive une contraception. Et honnêtement, j'étais en train de vivre une des expériences les plus flippantes de ma vie. Être assise dans cette salle d'attente, puis allongée sur cette table médicale recouverte d'un papier qui crissait, se faire examiner… Arf! Si on prenait chaque moment séparément ce n'était pas si horrible. Mais de savoir que je le faisais dans l'intention de coucher avec Jason, et que le médecin en avait conscience… J'étais tellement nerveuse que j'arrivais à peine à respirer ou à avaler ma propre salive.

Maria était d'un vrai réconfort, elle m'expliquait ce qu'il se passait, ce qui allait se passer, tout ça. Ça aidait. Elle avait quelques années de plus que moi et elle avait accepté de m'emmener en secret à la clinique. Elle disait que c'était mieux d'attendre que je sois un peu plus âgée, et que même la pilule n'était pas sûre à cent pour cent, mais qu'elle préférait que je la prenne, sachant que je serais probablement prête à le faire, de toute façon. Elle me dit aussi de ne pas laisser Jason me mettre la pression de quelque manière que ce soit, et de venir la voir si j'avais la moindre question.

Je n'arrivais pas à dire à Maria que c'était moi qui me mettais la pression toute seule, beaucoup plus que Jason. Je savais qu'il avait envie qu'on couche ensemble, et j'en avais envie aussi. Même à moi-même, j'avais du mal à m'expliquer ce que je ressentais à ce sujet. J'en avais vraiment envie. Je savais ce que cela faisait de le caresser, d'être caressée. Je savais ce que c'était d'avoir un orgasme, son visage à lui quand il en avait un. Je connaissais tout ça. On avait franchi toutes les lignes qui existaient, quasiment, sauf le sexe pour de vrai. Je pouvais facilement imaginer ce que cela ferait, à vrai dire j'avais fantasmé sur l'idée plus souvent qu'à mon tour. Je m'étais même caressée en pensant au corps de Jason sur le mien.

Nous savions tous les deux vers où se dirigeait notre relation physique, que ce n'était qu'une question de temps. Alors, pourquoi attendre ? Pourquoi sans cesse reporter ? Pourquoi continuer à se torturer ? Jason n'arrêtait pas de me dire de ne pas me sentir obligée jusqu'à ce qu'on soit tous les deux prêts. Ce qui… était un peu une pression pour moi. Une pression involontaire, mais réelle. Et je ne savais pas quoi faire à son sujet. Je ne voulais pas le décevoir. Je ne voulais pas qu'il pense que je n'avais pas envie de le faire avec lui, mais il y avait un sentiment de peur qui planait au-dessus de toute cette histoire. J'avais seize ans et j'étais vierge, et une fois que j'aurais franchi cette ligne, je ne pourrais plus revenir en arrière. J'avais l'impression que c'était le dernier pas vers l'âge adulte, vers devenir une femme pour de vrai. Je savais que je serais toujours moi, au fond.

Mais comment tout ça allait me changer ? Je me sentais déjà différente après ce que lui et moi avions fait ensemble.

Je poussai la pilule à travers la fine couche d'aluminium et la tins dans ma paume, un minuscule cercle jaune de produits chimiques qui signifiait tellement, tellement de choses. Selon le médecin de la clinique, comme j'avais eu mes règles mercredi, je pouvais commencer la plaquette maintenant et être tout de suite protégée. Le médecin m'avait donné une longue et consciencieuse explication de pourquoi tout ça était nécessaire, et comment les pilules d'œstrogène différaient de celles qui contenaient uniquement du progestagène de synthèse, mais tout ça m'était un peu passé au-dessus de la tête. J'avais enregistré son avertissement sévère sur l'importance d'une prise à heure fixe, mais c'était tout.

Je jetai la pilule dans ma bouche et l'avalai avec une gorgée de l'eau d'Évian qui se trouvait sur ma table de nuit. Voilà, je prenais officiellement la pilule. Je glissai la plaquette dans ma boîte de maquillage en plastique rose. C'était en gros un simple poudrier, mais la plaquette ronde de pilules entrait parfaitement dedans. J'avais fait une recherche Google sur « comment cacher à vos parents que vous prenez la pilule », et le poudrier m'avait paru la meilleure option parmi toutes celles que j'avais trouvées. Je fourrai le poudrier dans la poche zippée intérieure de mon sac à main et essayai de calmer la panique qui m'envahissait. Je n'avais pas dit à Jason que j'allais me faire prescrire la pilule, mais seulement parce que je ne l'avais pas vu depuis. C'était une escapade de dernière minute. Maria avait débarqué de l'université un week-end sans prévenir, et on était allées faire du shopping. Des confidences sur les garçons, on était passées à ma relation avec Jason, ce qui avait poussé Maria à me harceler pour savoir si on était actifs ou non. Tout ça avait mené Maria à m'obliger à quitter le centre commercial, et à me conduire de force au Planning familial le plus proche.

Pas question que je m'y oppose.

– Becca, ne sois pas stupide à ce sujet, OK? Peut-être que tu ne couches pas encore avec lui, mais ça va arriver. Comme ça, s'il se passe quoi que ce soit, tu es protégée.

Maria était quelqu'un de très pragmatique et rationnel.

– Tu n'as que seize ans, et tu ne devrais pas avoir de relations sexuelles, mais j'en avais à ton âge, donc je ne peux pas dire grand-chose.

J'enfilai mes écouteurs et fouillai dans la liste de lecture de mon iPod jusqu'à trouver quelque chose qui soit en harmonie avec ce que je ressentais : *First Day of My Life,* des Bright Eyes. J'avais mon carnet ouvert, un stylo à la main, j'attendais. Je connaissais ce sentiment depuis le temps, le gonflement de mon cœur et de mon esprit, l'écoulement et le flot des mots déconnectés en moi. Je mis l'iPod en mode aléatoire, fermai les yeux et attendis en me contentant d'écouter. *We're Going To Be Friends,* des White Stripes, commença, et mon Dieu que j'aimais cette chanson. J'avais entendu la version de Jack Johnson en premier, puis celle des White Stripes était sortie sur Pandora, et j'étais devenue accro. Je n'étais toujours pas sûre de savoir qui l'avait enregistrée en premier et je m'en moquais. *Falling Slowly,* de Glen Hansard et Marketa Irglova, suivit, et je faillis me mettre à pleurer. Je ne savais pas vraiment pourquoi, pourquoi tout ce flot d'émotions, mais quelque chose dans cette chanson fit remonter en moi tout ce à quoi j'avais été confrontée.

Mon stylo se mit en mouvement, et je laissai le flot des mots se déverser.

NOUS SUCCOMBER
Comment résister au doux désir de tes yeux ?
Infaisable
Impossible
Pas quand ce même désespoir déchirant est ancré au fond de
mon cœur,
Qu'une herbe folle et brûlante s'empare de mon âme,

Comme le lierre sur un mur de brique.
Mon Dieu, tes yeux
Plus verts que l'herbe d'été,
Plus verts que la mousse et le jade ensoleillé,
Plus tranchants que l'obsidienne,
Plus doux que les nuages et la caresse d'une plume…
Ils brûlent en moi lorsqu'on s'embrasse
Ils m'écorchent quand je marque ta peau de mes ongles tremblants,
Et je sais, je sais, je sais,
Je ne sais que trop bien
Où tout ça nous conduit.
Je l'ai vu dans mes rêves,
Je l'ai vu dans l'intimité de ma douche et des auréoles de vapeur,
Quand je touche ma chair chaude et frissonnante
Et que j'imagine que c'est toi,
Que je souhaite que ce soit toi,
Ça a déjà été toi,
Mais pas de la façon que nous voulions tous les deux.
Et c'est là qu'on se dirige,
Nous dansons sur le fil d'un couteau
Et je veux tomber par-dessus bord
Avec toi.
Mais je ne peux pas m'empêcher d'avoir un peu peur
De l'âge adulte qui nous attend de l'autre côté,
J'ai peur de ce qu'on ne pourra plus retrouver,
De donner la dernière pièce de mon enfance,
Même à toi.
Et ouais, je sais, je t'aime,
Et ouais, je sais, tu m'aimes,
Mais ouais, je sais, nous ne sommes encore que des gamins,
On est aussi près du collège que de l'université,
Aussi près de douze ans qu'on l'est de vingt,
Et je ne veux rien regretter.
Mon Dieu, je suis si perdue,
Et le seul moment où je suis sûre de ça,
C'est quand tu m'embrasses

Et alors tout s'oublie trop facilement,
Tout sauf cette sensation,
Cette sensation que j'ai quand tu es près de moi.
Et je ne peux pas m'empêcher de me demander
Si c'est le meilleur moment pour prendre ce genre de décision,
Parce que justement je suis si perdue,
Parce que j'ai l'impression de succomber
À l'amour,
À toi et moi.
Être amoureuse fait tellement peur,
C'est comme une chute,
Une descente terrifiante dans
La folie sublime.
Oui, toi et moi
Nous nous
Succombons
Et je n'ose pas arrêter la chute
Parce que j'en ai bien trop besoin.

Je posai mon stylo et me laissai tomber sur la chaise de mon bureau en regardant le brouillard épais de neige par la fenêtre. Je laissai l'ivresse des mots s'apaiser. *Comes and Goes (In Waves),* de Greg Laswell, chantait dans mes oreilles, et j'étais reconnaissante que ses paroles ne s'appliquent pas à mon cas, qu'elles ne soient pas en phase avec mes émotions. Il arrivait si souvent que la musique que j'écoutais corresponde à ma vie, comme une bande-son de mon âme. J'aimais beaucoup ça, en général, je choisissais les chansons et les artistes pour cette raison. Mais avec la poésie qui vibrait encore dans mes veines, j'avais besoin de musique qui soit juste de la musique, juste une beauté sonore et rien d'autre.

On frappa à la porte et je sursautai dans ma rêverie.

– Qui est-ce ?

– Ben.

– C'est ouvert.

Je fermai le carnet et le fourrai dans mon sac à main.

Ben entra et se laissa tomber sur mon lit, comme il le faisait si souvent. Il n'alluma pas de joint, cette fois-ci, Dieu merci.

– Alors, quoi de neuf, Becca ?

Je haussai les épaules.

– Les devoirs, la maison, Jason.

Ben sourit avec ironie.

– Et quoi de neuf entre toi et M. Football ?

Je lui lançai un regard.

– Tout va bien. Je l'aime bien.

– Tu as réussi à ce que maman et papa te laissent officiellement le fréquenter, hein ?

Je souris.

– Ouais, c'est grâce à lui, pour être honnête. On s'est fait surprendre, alors Jason a, en gros, confronté Père, et lui a fait réaliser que s'il nous laissait nous voir, il aurait en réalité plus de contrôle sur la situation.

– Il en faut une sacrée paire. Papa peut être flippant.

J'acquiesçai.

– Il n'y a pas grand-chose qui fasse flipper Jason.

Ben me toisa, perplexe.

– Tu as l'air… mieux. Heureuse. Tu ne bégaies plus du tout.

Je haussai les épaules pour masquer un sourire niais.

– Je le suis. Je suis heureuse. Jason est génial.

– Alors, c'est lui qu'il faut remercier, hein ?

Ben fouilla dans sa poche pour en sortir un téléphone portable qu'il balança entre ses doigts.

– Il prend soin de ma petite sœur ? Il ne te met pas la pression pour faire quoi que ce soit, hein ? Je lui botte le cul, si c'est nécessaire.

Je ris.

– Je t'aime, Benny, mais tu serais incapable de lui botter le cul. Et oui, il est formidable. Il ne me met aucune pression pour rien, promis.

Je regardai mon frère sévèrement.

– Et c'est tout ce que je te dirai. Cette conversation n'ira pas plus loin.

Ben pianotait sur son téléphone, et j'entendais le son si distinctif des *Angry Birds.*

– Crois-moi, je n'ai aucune envie d'avoir cette conversation avec toi, moi non plus. Mais tu es ma petite sœur et je sais que les parents ne sont pas vraiment disposés à parler de cette réalité avec toi. Tout ce que je dis, c'est sois prudente, d'accord ? S'il te plaît. Je veux pas te voir dans *Seize ans et enceinte,* ou une connerie de ce genre.

Il ne leva pas les yeux de son jeu, mais je savais que mon frère était aussi sérieux qu'il pouvait l'être, de la seule façon dont il savait le faire.

Je me levai de ma chaise et me glissai sur le lit, à ma place habituelle, entre le mur et Ben. Je sentis l'odeur de cigarette sur sa chemise, mais pas de beuh ou d'autre produit chimique. J'aimais ces moments-là, quand Ben était heureux, lucide et sobre. C'était comme ça qu'on passait du temps ensemble, comme ça depuis qu'on était petits. Il venait dans ma chambre sans prévenir à un moment ou à un autre, et on se contentait de discuter, d'être ensemble. Il s'allongeait sur mon lit et je m'allongeais à côté de lui, et on restait là, c'est tout. Il ne le faisait que quand il était de bonne humeur cependant. S'il était en descente, il disparaissait plusieurs jours d'affilée, et quand il était là, il se refermait sur lui-même, silencieux, se cachant dans sa chambre avec du rap à fond.

Je regardai Ben jouer à *Angry Birds* pendant quelques minutes avant de lui dire ce que j'avais dans la tête.

– Tu n'as pas l'air défoncé.

Il ne réagit pas tout de suite.

– Je ne le suis pas, dit-il.

– Du tout ?

Il haussa les épaules.

– J'essaie d'apprendre à gérer les sautes d'humeur tout seul, sans drogues et sans médocs.

– Tu penses que tu retourneras un jour à la fac ?

Il haussa les épaules.

– Peut-être. Probablement pas. J'ai toujours détesté l'école. Je travaille chez Belle Tire pour l'instant. Je change l'huile et les pneus. Ça craint, mais c'est un job, et ça m'évite les emmerdes.

– Je suis contente que tu travailles.

Ben me regarda tandis que le niveau suivant de son jeu chargeait.

– Pourquoi ?

– Eh bien, comme tu l'as dit, ça t'évite des emmerdes. Tu connais mon avis sur la beuh. Tu devrais prendre tes médicaments, Ben. Je sais que tu détestes ça, mais ça aide.

– T'es ma petite sœur ou ma mère ?

Il avait l'air écœuré.

– Tu comptes pour moi. Je me fais du souci. Parfois… (Je luttais pour trouver les mots justes sans qu'il se sente insulté.) Parfois, j'ai l'impression que… tu t'en fous. De ton avenir. De toi.

– Parfois, je m'en fous. Je n'accomplirai jamais rien, Beck.

Son ton était si pragmatique que c'en était douloureux.

– Ne dis pas ça, Ben. Ce n'est pas vrai.

– Je suis bon à quoi, alors ? Qu'est-ce que je peux faire de valable ?

Je n'avais pas de réponse. Il n'avait vraiment aucune passion à ma connaissance.

– Tu es quelqu'un de bien, Ben. Tu as un talent. Tout le monde en a un. Il faut juste que tu trouves le tien.

– Putain, on dirait une foutue conseillère d'orientation. Je n'en ai aucun, Becca. Je suis bon à fumer de la beuh. Je suis bon à la vendre. Je suis bon à être une putain d'épave schizophrène, les voilà, mes talents.

Il appuya sur une touche pour mettre son téléphone en veille, et le fourra dans sa poche, en colère.

Je soupirai.

– Je suis désolée, Ben. Je ne voulais pas te mettre en colère. Je voulais juste souligner combien j'étais contente que tu ne fumes pas.

– Et ben… j'essaie, d'accord ? Je ne peux pas faire plus.

Il se leva et fit trois pas énervés dans la pièce.

– Ben, attends. Ne t'énerve pas. Je-je suis désolée.

Il laissa tomber ses épaules, se retourna et s'accroupit près du lit, son visage au niveau du mien.

– Je ne suis pas énervé, sœurette.

– Je sais que ça compte pour toi.

Il me sourit avec douceur.

– Mais tu ne devrais pas gâcher ton temps à t'inquiéter pour moi. Ça va aller. Je peux m'occuper de moi. Tu t'inquiètes pour toi, OK ?

Je le regardai en fronçant les sourcils.

– Tu es mon frère. Je t'aime. Bien évidemment je vais m'inquiéter pour toi. Je ne peux pas m'en empêcher.

Il secoua la tête.

– Tu n'as pas besoin de porter le fardeau de ton frère déglingué sur tes épaules, Beck.

Il posa une main sur mon épaule et l'agita.

– Je vais bien, OK ? Je suis dans une bonne phase. Je travaille. Je suis sobre, et j'ai même une petite amie. Elle me fait du bien, comme Jason à toi. Kate ne me laisse pas fumer autre chose que des cigarettes, et c'est une bonne motivation. Elle se refuserait à moi si jamais elle découvrait que je me suis défoncé.

– Se refuserait à toi ?

Je fronçai le nez, confuse.

Ben agita un sourcil en me regardant.

– Tu sais… Elle coucherait pas avec moi.

Je couinai de mortification et enfouis mon visage dans mon dessus-de-lit.

– Beurk, Ben ! Je n'avais pas besoin de savoir ça.

Il se mit à rire et me donna une claque sur l'épaule avant de se relever.

– Hé, ça marche, n'est-ce pas ?

– Je suis sûre que oui. Je n'ai juste pas besoin de le savoir.

Ben quitta la pièce et je me concentrai alors sur mes devoirs du cours de biologie avancée. Jason passait me prendre à 19 h 30, il fallait donc que j'aie fini à ce moment-là, ce qui ne me laissait plus que trois heures pour finir au moins quatre heures de devoirs.

8

La première nuit de pour toujours

Jason
Deux jours plus tard

Je glissai la clé en forme de carte de crédit dans ma poche. J'étais assis dans mon camion, et j'attendais Becca. On avait tout prévu, et nous mettions désormais notre plan à exécution. J'étais pétri de nervosité et je me demandais si Becca était dans le même état. J'étais sûr que oui. J'avais monté un lecteur CD sur l'autoradio en le branchant à l'allume-cigare; un bidouillage de la vieille école que je n'utilisais que lorsque j'étais d'humeur à écouter une musique en particulier. Aujourd'hui, c'était Johnny Cash et, à cet instant précis, passait *God Is Gonna Cut You Down*[1], ce qui semblait affreusement ironique, vu la situation, mais c'était quand même une chanson qui déchirait.

Becca arriva pile au moment où la chanson se terminait, et j'éteignis la radio. Elle grimpa dans le camion, referma la portière derrière elle, laissant entrer un courant d'air d'un froid polaire. C'était une journée particulièrement glaciale, le ciel était d'un grand bleu, le soleil distant et flou, l'air si figé et froid que même respirer faisait mal. Elle me sourit, et je fus ébahi

1. Le titre de cette chanson signifie littéralement: «Dieu va te tuer».

de voir combien elle était belle. Ses cheveux étaient détachés, elle portait un bonnet de laine blanche qui tombait très bas sur l'arrière de sa tête, un contraste pur avec sa peau mate et ses cheveux bleu-noir. Elle avait un caban noir qui lui arrivait à mi-cuisses, et un pantalon de yoga gris très moulant.

– Prête ? demandai-je.

Elle fit un petit mouvement de tête pour dire oui et me prit la main. J'entremêlai mes doigts aux siens, ils étaient gelés de sa marche entre la maison et la voiture.

– Oui, allons-y.

– Où as-tu dit à ton père que tu allais ?

– Au centre commercial de Great Lake.

– Tu veux qu'on y passe d'abord, donc ?

Elle acquiesça.

– Oui. J'ai besoin d'acheter deux ou trois choses.

Elle me lança un sourire mystérieux.

Une fois arrivés au centre commercial, on erra pendant un moment en bavardant et en grignotant. Puis Becca me laissa en plan devant un magasin et me dit de la retrouver dans la zone des restaurants une demi-heure plus tard. Je savais qu'elle mijotait quelque chose, mais je ne posai aucune question. Je passai le plus clair de mon temps au magasin de sport. J'en sortis avec une nouvelle paire de baskets pour le printemps, et j'arrivai devant le McDonald's avec cinq minutes d'avance. Elle débarqua avec un sourire immense, mais aucun sac de course.

– Tu n'as rien acheté ? demandai-je.

Elle haussa les épaules.

– Si.

Je fronçai les sourcils.

– Quoi, alors ?

Elle enroula son bras autour de ma taille, se colla contre moi.

– Tu verras. Ça va te plaire, j'espère.

Elle se mit à rire en voyant mon regard toujours plein de perplexité.

– Je te donne un indice : je le porte.

J'eus alors une petite idée et me mis à déglutir, en me demandant comment j'avais pu un jour croire que Becca était du genre timide.

– Pourquoi tu souris comme ça ? demanda-t-elle tandis qu'on roulait vers l'hôtel où j'avais loué une chambre.

– C'est juste qu'à une époque, je pensais que tu étais timide.

Elle rit.

– Je suis timide, mais je ne le suis simplement pas avec toi.

– Alors… Quelle couleur ?

Elle pencha la tête en avant et ses joues s'assombrirent légèrement.

– Je ne te dirai rien. Il faudra que tu le découvres.

On atteignit l'hôtel assez vite, mais on resta un moment dans la voiture avant de sortir, dans un silence nerveux.

Becca regardait ailleurs en se grattant le genou avec concentration.

– Je ne veux pas que tu croies… (Je soupirai et recommençai.) Je veux dire, on n'a pas à le faire maintenant. On peut retourner au centre commercial ou aller voir un film. Ou même rentrer à la maison.

Elle secoua la tête, mais continua de regarder ailleurs.

– Non, j'en ai envie. Je suis juste… nerveuse.

– Moi aussi, Beck. Moi aussi.

– Tu crois que ça veut dire que nous ne sommes pas prêts ? demanda-t-elle en levant enfin ses yeux noirs vers moi.

Je secouai la tête.

– Je crois qu'on serait nerveux, peu importe le temps qu'on attendrait. Je crois que ce qui serait bizarre, c'est qu'on ne le soit pas.

Elle acquiesça.

– Entrons. Faisons juste… un pas à la fois.

Je descendis et contournai le camion pour lui ouvrir la portière pendant qu'elle défaisait sa ceinture. Elle prit ma main, ses doigts froids glissèrent parfaitement dans ma paume. Ses dents étaient blanches et elle me sourit, un sourire intime, étincelant et beau, juste pour moi. Le concierge, un vieux monsieur renfrogné, nous lança un regard sévère de désapprobation quand on le croisa en se dirigeant vers les ascenseurs. On se tenait enfin devant la chambre 425, j'avais la carte dans la main, main qui s'était soudainement mise à suer et à trembler un petit peu. Mes yeux, rivés sur elle, lui demandaient en silence si elle en avait toujours envie. Elle se pencha sur moi, posa son bras autour de ma taille, sa main sur l'os de ma hanche.

Je glissai la carte dans le verrou d'un geste sec. La lumière verte s'alluma et je poussai la porte. La pièce était sombre, obscurcie par l'ombre des rideaux fermés d'où transparaissait tout de même un léger faisceau de lumière étincelante. Je tâtonnai dans l'obscurité, trouvai l'interrupteur et allumai. Un seul lit double, énorme, occupait la majeure partie de l'espace. J'avais dépensé une petite fortune pour une chambre de catégorie supérieure dans un hôtel assez beau.

Je me retournai après avoir allumé les lumières, vis Becca enlever son manteau et découvris le T-shirt blanc moulant en V qu'elle portait en dessous, et qui épousait si bien ses formes. Le V descendait assez bas pour avoir une vue alléchante sur son décolleté. Un pantalon de yoga et un T-shirt moulant ? Oh ! mon Dieu. Elle remarqua mon regard qui parcourait son corps et me lança un sourire étonnamment timide, puis elle se retourna en prenant la pose pour moi. Elle contracta ses fessiers, le pantalon moulait ses hanches et ses fesses généreuses comme une seconde peau, et tout ce dont j'avais envie, c'était de faire courir mes mains sur son corps. Je me retins pendant environ six secondes avant de me rappeler pourquoi on était ici, seuls dans une chambre d'hôtel un samedi soir.

J'avançai vers elle et me tenais désormais à quelques centimètres. Elle était sur le point de se retourner, mais je l'interrompis en posant doucement les mains sur ses épaules. Elle tourna la tête pour me regarder. Je fis glisser mes paumes le long de ses côtes, la sentis retenir son souffle quand je creusai la courbe de ses hanches de mes mains et attrapai son derrière. Elle laissa échapper un soupir, ses yeux se fermèrent brièvement.

– J'adore ton cul. Surtout en pantalon de yoga, murmurai-je.

Elle leva ses yeux brun-noir vers moi.

– Je sais. C'est pour ça que je le porte. J'ai dû sortir en courant pour que mon père ne voie pas à quel point il est moulant.

Mes mains explorèrent la courbe souple et ferme de son cul, descendirent le long de ses cuisses, remontèrent sur ses hanches. Je m'aventurai un peu et fis glisser mon majeur sur la fente, à l'endroit où le tissu élastique se tendait entres ses deux fesses. Elle retint sa respiration à mon geste, alors je recommençai, laissant mon doigt aller un peu plus loin, jusqu'à ce qu'elle se dégage en riant tout bas.

Elle fit quelques pas en avant et se retourna vers moi. Elle ôta son bonnet de laine et secoua ses boucles.

– Assieds-toi sur le lit, Jason.

Sa voix avait quelque chose d'étrangement autoritaire, et je ne pus que lui obéir.

– Ne m'interromps pas et ne ris pas, dit-elle. Je veux faire ça pour toi, mais je sais que je vais me sentir ridicule.

– Faire quoi ?

Je balançais mes Adidas, puis enlevai mes chaussettes.

Elle pencha la tête en arrière, ferma les yeux en passant la main dans sa masse rebondie de cheveux.

– Ça.

Elle lâcha sa chevelure et glissa les mains sur sa taille, comme je l'avais fait, puis croisa les bras devant elle et saisit le bas de son T-shirt.

J'avalai ma salive, et sentis un flot de sang quitter mon cerveau pour aller se loger dans une autre partie de mon corps. De façon visible, j'en étais convaincu.

Et puis, oh! Seigneur Dieu, elle me regarda avec des yeux aguicheurs et releva tout doucement son T-shirt. Quand elle atteignit la courbe inférieure de ses seins, elle s'arrêta, fit durer le moment. Elle n'était pas en train de danser, elle n'essayait pas de faire un strip-tease, elle était juste… naturellement sexy. Elle m'offrait un spectacle. Et, oh! mon Dieu, quel spectacle! Je pouvais voir ses mains trembler sur l'ourlet du T-shirt, voir ses genoux frémir juste un petit peu.

Elle tira le T-shirt encore plus haut; le tissu blanc était si serré sur sa peau que ses seins remontèrent, écrasés sur son buste, pour venir retomber dans un rebond sublime. Je devins encore plus dur au moment de ce rebond. Et j'arrêtai carrément de respirer quand je compris ce qu'elle portait. Un soutien-gorge rose sans bretelles, entrelacé de dentelle noir en bas, les bonnets très échancrés entre les seins, sa chair mate à peine contenue. J'eus du mal à avaler à cause de la boule que j'avais dans la gorge, du mal à respirer tout court à la vue de Becca ne portant rien d'autre qu'un pantalon de yoga et un soutien-gorge. Elle se tenait debout, les mains sur les hanches, prenait de longues respirations, chacune faisant gonfler encore plus sa poitrine. Je ne pus m'empêcher de me rajuster un peu ses yeux suivirent mes mains.

– Tu veux voir le reste? demanda-t-elle.

J'acquiesçai.

– Ou-oui.

Elle me sourit, amusée.

– Eh bien, regardez-moi qui bégaie, désormais?

– C'est moi. Mon Dieu, Becca. Qu'est-ce que tu essaies de me faire?

C'était une question rhétorique, mais elle y répondit quand même.

– J'essaie de t'exciter.

Elle tourna sur ses talons, m'offrant une belle vue sur son cul et son dos légèrement cambré, la sangle de son soutien-gorge serrant sa peau douce.

– Tout ce dont tu as besoin pour m'exciter, c'est d'être toi, dis-je. Je suis excité chaque fois que tu te contentes de respirer. Qu'est-ce que tu es en train de faire? Tu me tues. Je vais exploser. Tu es bien trop sexy, putain, pour que je puisse le supporter.

– Eh bien, je n'ai pas encore fini. (Elle glissa les mains dans le creux de ses reins et passa les pouces sous l'élastique de son pantalon.) Est-ce que tu veux voir la culotte que j'ai achetée pour aller avec?

– Mon Dieu, quelle question!

– Tu ne vas pas t'évanouir, hein?

Je la reconnaissais à peine. Elle était… sûre d'elle, sexy, envoûtante… Rien à voir avec la fille que j'avais connue à l'origine. Je me demandai une seconde si elle n'essayait pas de cacher ses angoisses, ses peurs et ses doutes. Je savais que j'aurais dû lui demander pourquoi elle faisait ça, enlever ses vêtements pour moi comme ça, mais je ne le fis pas. Je me sentais un peu con de ne rien dire, mais… je n'aurais pas supporté qu'elle s'arrête là.

Elle me tourna le dos, observant ma réaction. Elle fit lentement glisser son pantalon de yoga jusqu'à ses genoux, quoique… il était si serré qu'il s'agissait plutôt de se tortiller pour s'en extraire. Ma braguette se tendit encore plus à la vue de ce qui m'attendait en dessous: sa culotte était taillée de façon à lui arriver à mi-fesses puis à disparaître entre ses cuisses. Il y avait de la dentelle noire en haut et en bas, avec des rayures blanches et roses entre les deux.

Je n'y tenais plus. Elle était là, debout devant moi, avec rien d'autre qu'un soutien-gorge et une culotte, de dos, immobile, à me regarder. Je me levai du lit – tout mon corps tremblait, je n'arrivais pas à croire que j'avais autant de chance. Je me mis derrière elle, suffocant et, la bouche sèche.

– Mon Dieu, Becca.Je m'entendis à peine, mais je savais qu'elle, oui.

– Tu… tu es la chose la plus incroyable que j'aie vue de toute ma vie.

Ses joues devinrent roses et elle plongea la tête en avant.

– Merci, Jason.

Elle se retourna sur elle-même et s'écrasa contre moi, levant ses lèvres vers les miennes.

– À ton tour.

– Mon tour ?

Elle acquiesça en défaisant la fermeture Éclair du blouson de cuir que je portais encore.

– Je veux te voir, moi aussi.

Becca nous fit tourner sur nous-mêmes et je me retrouvai face au lit. Elle recula et s'assit, croisa les jambes modestement, les mains posées sur les genoux.

Je ne pouvais pas m'empêcher de la regarder, et je n'essayais pas non plus. Je m'imprégnais de sa beauté. Je n'aurais jamais cru qu'une fille puisse être aussi belle. Je veux dire, oui, j'avais vu des filles à la télé et dans les films, j'avais feuilleté des catalogues de Victoria's Secret. Mais c'était incomparable avec la réalité de ma petite amie dans la vraie vie, de la chair qu'on touche pour de vrai, qu'on embrasse, qu'on serre dans ses bras.

J'étais loin d'être aussi sûr de moi que Becca en avait l'air. Je n'avais pas la moindre idée de comment me déshabiller en gardant l'air cool. Mais ce qui était sûr, c'est que j'allais faire de mon mieux, putain !

Becca

J'étais assise sur le rebord du lit. La peur, l'embarras, l'angoisse et l'excitation frissonnaient en moi. Je ne savais pas comment Jason avait pu ne pas remarquer que je tremblais de la tête aux pieds. Je n'arrivais pas à croire que j'étais là à faire tout ça. Je n'arrivais pas à croire à ce que je venais de faire, enlever mes vêtements comme une fille de petite vertu. Je m'étais sentie si stupide en le faisant, comme une frimeuse, une fille moche qui essaierait bien trop désespérément d'avoir l'air sexy. Mes genoux s'étaient entrechoqués pendant tout mon numéro, et mes mains avaient tellement tremblé que j'avais presque failli ne pas réussir à passer mon T-shirt par-dessus ma tête. Je l'avais, à vrai dire, coincé au niveau de mes seins que ce soutien-gorge transformait en deux énormes ballons. Je l'avais acheté chez Victoria's Secret et enfilé dans les toilettes du centre commercial, puis j'avais fourré mes anciens sous-vêtements dans mon sac à main. Je crois que Jason avait cependant apprécié la façon dont mes seins avaient rebondi, quand j'avais finalement réussi à enlever mon T-shirt.

Chacune de mes respirations était tremblante, ma peau frissonnait, chaude, puis froide. Jason se tenait face à moi, il portait un vieux jean délavé plutôt serré, des baskets noires avec une bande rouge près de la semelle, et un T-shirt noir à manches longues avec les trois boutons en haut, lesquels étaient défaits et laissaient apparaître l'éclat bronzé de sa peau. Je m'autorisai à le fixer en attendant qu'il enlève ses habits.

Dieu que ce type était sexy. J'avais toujours eu le béguin pour lui, et tout ça se transformait désormais en un amour véritable. Il était plus sexy qu'il ne l'avait jamais été, simplement debout, là, son poids légèrement de côté, ses biceps tendant le tissu de ses manches, ses épaules larges et fortes. Ses yeux me balayèrent, deux pépites vertes ancrées dans son visage saillant. Je regardai sa pomme d'Adam bouger le long de sa gorge, ses poings puissants se serrer, puis se détendre. Il était pieds nus, et je me souvins d'avoir lu dans je ne sais plus quel roman qu'il n'y avait rien de plus sexy qu'un mec pieds nus avec un jean. En voyant Jason comme ça, je ne pus qu'être d'accord.

Il finit par sourire, et son regard se détourna de tous mes attributs pour plonger dans mes yeux. Je levai un sourcil et lui lançai un sourire *Allez, on y va*, lequel n'était pas forcément convaincant. Je faisais semblant pour masquer ma peur. Je n'étais pas sûre d'être prête pour tout ça, mais je savais que je ne pouvais, et ne voulais plus faire marche arrière désormais. Enfin non, ce n'est pas vrai. Je pouvais faire marche arrière. Jason comprendrait totalement, il m'emmènerait où que je veuille aller sans se plaindre si je lui disais que je n'étais pas prête. Le problème, c'était que je *voulais* être prête. J'avais envie de ça avec lui. C'est juste que je n'avais pas l'impression d'arriver à me débarrasser de mes tremblements, de ma peur que les choses se passent mal, que quelqu'un le découvre, que je me mélange avec ma pilule et tombe enceinte…

Puis Jason attrapa le bas de son T-shirt et le souleva ; ses abdos fermes se contractèrent tandis qu'il l'enlevait d'un seul geste fluide. Je me léchais les lèvres à la vue de son corps. Oui, je les léchais pour de vrai. Pour moi, c'était un dieu, un athlète blond de la Grèce antique, le muscle ferme et parfait. Il se tenait là torse nu en blue-jean, une bande de coton élastique dépassant au-dessus de la ceinture de son pantalon. J'avais les jambes croisées, et je dus resserrer mes cuisses pour m'empêcher de sauter du matelas et d'entourer mes jambes autour lui. Le désir faisait rage, luttait contre la peur toujours présente.

Il saisit le bouton de son jean et l'ouvrit lentement, puis s'arrêta.

– Contracte pour moi, dis-je en murmurant. Montre-moi tes muscles.

Il secoua la tête en riant.

– Contracter ? Comme un body-builder ?

Il avait l'air de penser que c'était l'idée la plus absurde qu'il ait jamais entendue, mais il n'était pas à ma place en train de le regarder.

Même au repos, il était sublime, là, debout avec une main dans sa poche et l'autre derrière sa tête pour se gratter l'épaule opposée. Ses bras étaient longs et épais, ses biceps ressortaient, striés de veines, mais c'est son torse et son ventre que je préférais. Il avait des pectoraux larges et impressionnants qui ressortaient de sa poitrine. Au milieu, une ligne fine et dessinée montrait le chemin qui menait au monde merveilleux de ses abdos. Il n'avait pas les abdos ultrasculptés de Kyle. Le ventre de Jason était dur et musclé, aucun doute, mais d'une façon différente. Je n'essayais pas de comparer les deux, mais il y avait une différence. J'avais vu les deux garçons torse nu à de nombreuses occasions, nageant à la plage durant l'été après l'entraînement de foot… Kyle avait cette apparence que je qualifierais de sculptée, tandis que les muscles de Jason étaient plus massifs, plus épais, plus durs, moins définis mais plus puissants.

Il me fit une grimace, puis prit une pose totalement ridicule. Je ris tellement que je laissai échapper un grognement de cochon, tout en appréciant la vue. Il faisait l'idiot, je le savais, se penchait en avant avec les mains jointes devant lui, mais dans cette pose réussissait quand même à contracter tous les muscles de la partie supérieure de son corps d'une façon incroyable.

Une idée me traversa l'esprit, et je la mis à exécution avant d'avoir le temps de perdre mon sang-froid. Je me levai jusqu'à lui, attrapai sa braguette et sentis la bosse dure comme de l'acier sous son boxer. Je tremblai à nouveau, frissonnai de partout, j'étais à nouveau gelée et terrifiée par ce que j'étais sur le point de faire, mais déterminée à aller jusqu'au bout. Je défis sa braguette, tirai son pantalon vers le bas, puis m'accroupis pour l'aider à sortir ses pieds des jambes de son jean, l'un après l'autre. J'étais à genoux devant lui, les yeux au même niveau que son intimité. Je pouvais le voir se tendre sous le coton fin de son boxer gris. Toujours à genoux, je passai les doigts entre sa peau et l'élastique puis, en levant les yeux pour le regarder, je baissai son caleçon, le mettant totalement à nu.

Je pris une grande inspiration en le regardant à nouveau. Oh ! mon Dieu ! Oh ! mon Dieu ! Il y en avait tellement. Est-ce que j'allais y arriver ?

Je me penchai en avant en entrouvrant la bouche, le sentis sur mes lèvres un goût de sel et de musc. Et puis Jason me força à me relever.

– Non, Becca. Non. (Il prit mon visage dans ses mains, me força à le regarder.) Pas ça, pas maintenant, pas comme ça.

Je ne savais pas si je devais me sentir soulagée ou vexée qu'il m'ait arrêtée, surtout après m'être autant motivée pour lui faire ça.

– Tu n'en as pas envie ?

Il fronça les sourcils, luttant à n'en pas douter pour formuler sa réponse.

– Je ne crois pas qu'il existe un seul mec au monde qui puisse dire : « Non, je n'en ai pas envie. » Mais pas… pas de cette façon. Ce n'est pas pour ça que nous sommes là. Nous sommes là pour partager quelque chose ensemble.

Il chercha mes yeux.

– Est-ce que tu as peur ?

Je baissai les yeux vers le sol, loin des siens à lui, et tombai nez à nez avec sa virilité en pleine gloire, longue et épaisse. Je relevai la tête vers lui et acquiesçai.

– Oui, dis-je dans un murmure. Je suis terrifiée.

Il m'attira contre lui et je me sentis tout à coup vulnérable et nue, même si je portais encore mon soutien-gorge et ma culotte, alors que lui était entièrement déshabillé.

– On n'a pas à le faire. Tu n'avais pas… tu n'avais pas à faire ça. Acheter de la lingerie neuve et tout ce truc de strip-tease.

– Ça ne t'a pas plu ?

Je sentis mes nerfs prendre le dessus et mon assurance feinte s'envoler.

Il se mit à rire.

– Becca, bébé. J'ai adoré. Mais… j'ai peur que tu l'aies fait parce que tu pensais que c'est ce que je… Je ne sais pas, voulais, sans doute ? Ou peut-être que je n'aurais pas envie de toi si tu ne le faisais pas ? Soit ça, soit tu… cherchais à masquer ta peur.

– Tu n'as pas peur, toi ?

Il acquiesça.

– Putain, si. Je n'ai aucun problème à reconnaître que j'ai peur. Je suis nerveux. Je ne sais pas ce qu'on est en train de faire… ce que je dois faire. J'ai entendu dire que ça pouvait te faire mal et je n'ai pas envie de ça. Je veux juste… je veux que ce soit parfait, vu que c'est notre première fois, à tous les deux et en tant que couple. Et juste, je… je t'aime et je ne veux pas tout foirer.

Je posai la tête sur son torse, sentis ses mains caresser mes épaules, mon dos. J'aimais ses mains sur mon corps. C'était apaisant, relaxant, calmant… et érotique. Il avait un accès total à mon corps dans cette position. Il aurait pu me déshabiller d'un seul geste. Ses mains me faisaient oublier mes peurs et les accentuaient à la fois. C'était si déroutant.

Il se contenta de me tenir dans ses bras, en me caressant doucement la colonne, les omoplates, les bras. Je respirai et fis un effort pour me détendre.

– Est-ce que tu veux qu'on s'en aille, Becca ?

Sa voix était douce, préoccupée.

Je secouai la tête contre son torse.

– Non, je ne veux pas.

– Tu es sûre ?

J'acquiesçai à nouveau.

– Alors embrasse-moi, dit-il en attrapant mon menton.

Je relevai mon visage vers le sien, puis appuyai doucement mes lèvres contre les siennes pour l'embrasser. C'était doux, hésitant, presque chaste au début. Puis ses mains glissèrent sur mon dos, le long de mon soutien-gorge et descendirent jusque dans le creux de mes reins. Je suffoquai dans sa bouche, sous ses caresses de plus en plus avides. Je m'appuyai encore plus contre lui, me sentis m'écraser contre son torse. Ses mains se plièrent au creux de mon dos, puis sur mes fesses, caressaient, tenaient… Mon Dieu, ses mains étaient si parfaites. Je sentis une hésitation dans son baiser, puis il glissa ses doigts sous le tissu de ma culotte, contre ma peau, frôlant d'abord mes hanches puis tirant sur le bout de coton pour me l'enlever. J'arrêtai de l'embrasser mais laissai mes lèvres contre les siennes, j'ouvris les yeux pour les plonger dans le vert brillant des siens.

Il continua de faire glisser ma culotte le long de mes jambes, puis posa sa main sur ma chair nue, et je fermai les yeux dans un clignement interminable. Mes mains étaient sur ses épaules, c'est là qu'elles semblaient toujours s'égarer quand nous nous embrassions. Je l'imitai et passai mes mains sur ses bras jusqu'à sa taille, ses hanches, l'acier froid de son derrière, puis le saisis, le malaxai, l'explorai tandis qu'il faisait pareil avec le mien.

On s'habituait aux caresses de l'autre, à la sensation de la peau nue. C'était une introduction lente à la nudité totale. Je n'avais touché que sa virilité (je faillis glousser tout haut en pensant à cette appellation stupide et niaise dans ma tête). Je me demandai quel nom lui donner. Je fis un pas en arrière et posai ma main sur son torse, puis dessinai une ligne jusqu'en bas, en m'arrêtant juste au-dessus.

Je la saisis d'un coup avec audace, et je vis la surprise dans ses yeux.

– Ça… comment tu l'appelles ?

Il haussa les épaules.

– Je ne m'y réfère pas très souvent. (Il leva les yeux vers la gauche en réfléchissant, puis les reposa sur moi.) Si je devais employer un mot pour le désigner, je crois ce serait le mot « queue ». Pourquoi ?

Je haussai légèrement une épaule.

– Simple curiosité. Je n'arrivai pas à me décider. Je n'aime pas la plupart des mots qu'on emploie généralement.

Il rit.

– Moi non plus. En général, pour être sincère, je l'appelle juste « elle ». (Il prit ma main et l'enleva.) Il faut que tu arrêtes, sinon tout ça va être fini avant même d'avoir commencé.

Je me remis à caresser ses fesses.

– Je peux te toucher là, n'est-ce pas?

Il rougit, ce qui était absolument adorable.

– Oui, si tu veux. Ça me plaît.

– Ça te plaît?

Il haussa les épaules, les mains posées sur mes hanches.

– Ouais.

Il fit glisser ses paumes sur mon derrière.

– Est-ce que tu aimes ça?

J'acquiesçai sans le quitter des yeux.

– Oui. Beaucoup.

J'avais toujours ma culotte autour des genoux, ce qui me donnait l'impression d'être ridicule, je me tortillai donc pour l'enlever.

– Et maintenant?

– Le lit?

Je le laissai me guider en arrière jusqu'à ce que mes genoux cognent contre le rebord du lit. Je m'assis, laissai son corps écarter mes jambes. Ses yeux verts ne me quittèrent pas une seconde quand je reculai sur le matelas. Jason me suivit. Il passa son bras au-dessus de moi pour défaire les draps et la couverture, je m'allongeai sur la pile d'oreillers, Jason au-dessus de moi, le cœur battant, les nerfs à fleur de peau. Mon pouls tambourinait, ma peau chantait et ses mains remontaient le long de mes cuisses.

J'avalai un peu de salive avec difficulté en regardant son corps planer au-dessus du mien. Tout en moi luttait. J'avais tellement envie de tout ça. J'étais à la fois terrifiée et affamée, je me sentais sexy, désirée, mais aussi mal à l'aise et hésitante. Jason s'arrêta, puis jura dans sa barbe. Il se leva avant que je n'aie eu le temps de lui demander ce qu'il se passait, fouilla dans la poche de son jean pour en sortir une ribambelle de préservatifs.

Oh, oh! mon Dieu. Cela rendait tout ça encore plus concret. Ça allait vraiment arriver, si je ne faisais pas ma poule mouillée à la dernière minute.

Il les posa sur la table de nuit et se glissa sur le lit près de moi, plutôt que sur moi. Je traçai la ligne de ses pectoraux du doigt.

– J'ai commencé à prendre la pilule, dis-je.

Il eut l'air choqué.

– Ah bon ?

J'acquiesçai.

– Oui. Ma cousine Maria m'a emmenée à la clinique la semaine dernière. Donc… je suis protégée, même sans ça.

– On devrait quand même en utiliser un, non ?

Je haussai les épaules.

– Je ne sais pas. Probablement. Juste pour être… encore plus sûr ?

Il fit oui de la tête et ses doigts glissèrent le long de ma hanche, sur mon ventre, et remontèrent entre mes seins.

– Avant qu'on aille plus loin, je voulais te dire… que je t'aime.

Je souris ; le fardeau d'angoisse et de peur qui me paralysait s'allégea un peu.

– Je t'aime aussi. Comment as-tu su que j'avais besoin de l'entendre ?

Son index suivit la courbe de mon sein.

– Je crois que j'avais envie que tu l'entendes, que tu saches ce que je ressentais avant qu'on… plonge dans tout ça. Pour que tu saches que je ne le disais pas dans le feu de l'action, tu comprends ? Que je le pensais vraiment. Je t'aime pour de vrai.

J'inclinai mon corps vers le sien, en essayant d'avoir l'air aussi à l'aise avec ma nudité que lui semblait l'être avec la sienne. J'avais envie de me cacher, de tirer la couverture sur mon corps, de croiser les bras devant ma poitrine, mes jambes et mes parties intimes. Je ne le fis cependant pas. Je rassemblai tout mon courage et le laissai regarder mon corps en entier. Son regard me balaya de la tête aux pieds en passant par mes seins, mes hanches, mes jambes, et puis le V entre mes cuisses.

Je me souvins de la sensation que j'avais eue quand il m'avait touchée à cet endroit, de l'explosion que cela avait provoquée. Sentir ça à nouveau valait tous les malaises du monde. Aucun doute là-dessus.

– Embrasse-moi, Jason.

Il se pencha sur moi, ses lèvres se posèrent doucement sur les miennes, comme si elles cherchaient tendrement à provoquer chez moi une réaction. J'ouvris ma bouche dans la sienne, laissai ma langue explorer ses lèvres, ses dents, laissai mon propre désir prendre le dessus. Ça ne suffisait pas pour gommer tous mes doutes et mes peurs, mais c'était assez pour les dépasser malgré tout. Il saisit mes hanches et inclina mon corps jusqu'à ce que je sois complètement allongée sur le lit. Puis, il vint s'allonger sur moi sans jamais cesser de m'embrasser. Mes cuisses étaient serrées l'une contre l'autre, et quand ses doigts vinrent se perdre dans le creux entre ma hanche et ma jambe, je les serrai encore plus fort sans m'en rendre compte. Sa main glissa le long de ma cuisse, de mon quadriceps, puis sur mon genou, plongea entre mes cuisses et commença à remonter doucement, embrasant ma peau à chaque centimètre qu'elle parcourait. Je m'efforçai de détendre un peu mes cuisses tandis que sa main continuait de remonter de plus en plus haut. Je m'efforçai de me souvenir de la sensation de ses caresses pour éradiquer les doutes. Je m'efforçai de le caresser, moi aussi, de savourer la chaleur de sa peau, l'acier de ses muscles, savourer la sensation de son corps sous ma main. Je touchai chaque endroit que j'étais en mesure d'atteindre, sauf… *cet endroit.* Couchée dans un lit, son corps nu contre le mien… l'imminence de l'acte sexuel, tout ça était un peu trop, et tout à coup, je n'étais plus sûre d'être prête. Je ne voulais pas qu'il arrête de me caresser, cependant. La pulpe calleuse de son index et de son majeur remontait désormais vers le creux de mes cuisses et je tremblais de partout, haletante, et notre baiser s'arrêta. Je sentis ses yeux sur moi et je sus que j'avais toujours les cuisses bien trop serrées pour qu'il puisse me caresser correctement. Il fallait que je me détende un peu. Ou que j'annule tout.

– Est-ce que tu es sûre que c'est ce que tu veux, Becca ? On peut encore s'arrêter.

Il parlait à voix basse au creux de mon oreille.

À entendre ses mots, si soucieux, si authentiques, j'eus étrangement la conviction qu'il fallait que je vive cette expérience. Je ne voulais pas le décevoir. Je ne voulais pas qu'il croie que je n'en avais pas envie. Je n'en étais pas sûre, pas à cent pour cent. J'étais majoritairement sûre, et c'était probablement suffisant.

Je relâchai d'abord mes genoux, puis mes cuisses. Je croisai son regard, ses yeux si verts, si doux et si pleins d'amour. Je m'efforçai de détendre mes muscles et me rendis compte en le faisant que tout mon corps était contracté et dur, même mon poing était serré sur mon ventre.

– Je suis sûre. Je suis simplement… nerveuse, dis-je.

– Moi aussi.

– Tu n'en as pas l'air.

Il dessina une ligne le long de ma cuisse, puis remonta l'autre… Chaque caresse semblait me contracter et me détendre à la fois.

– Je le suis, pourtant. J'essaie d'avoir l'air cool, mais… je suis nerveux aussi.

– Tu as peur ou tu es nerveux ?

– Les deux. Je n'ai pas envie de m'arrêter, cependant. Mais je ne veux pas que tu te sentes obligée.

– Mais tu en as envie ?

– Absolument.

Il n'y avait pas la moindre hésitation dans sa voix.

J'écartai les jambes et sa main plongea entre mes cuisses. D'un seul doigt, il passa le long de ma fente – c'était comme un effleurement, presque une chatouille sur ma peau sensible. Je soupirai sous la chaleur de ce doigt qui m'effleurait de bas en haut, et laissai mes jambes s'écarter un peu plus. Je réalisai que j'avais encore les yeux fermés et me forçai à les ouvrir, à trouver les siens. Son regard semblait chercher mon approbation, et il glissa le bout de son doigt à l'intérieur de moi. Je retins ma respiration et mes hanches se soulevèrent. Ce fut pour lui un encouragement suffisant.

Oh… Il avait trouvé l'endroit parfait où me toucher, et je ne pus m'empêcher de retenir à nouveau mon souffle, d'inspirer et de pencher ma tête en arrière, de relever les hanches, d'écarter les cuisses et de le supplier en silence de continuer. Comment savait-il exactement ce dont j'avais besoin ? Comment pouvait-il savoir que c'était si bon ? Est-ce qu'il mentait quand il disait qu'il n'avait jamais fait ça avec personne d'autre avant moi ? Non, je savais qu'il ne mentait pas, mais l'idée me traversa l'esprit parce que la façon dont il caressait mon clitoris était si précise, exactement celle dont j'avais besoin pour permettre au plaisir de m'envahir.

En quelques secondes, je fus au bord de l'explosion, quelques mouvements circulaires de ses doigts avaient suffi à ce que mon corps se torde. Je réalisai qu'il n'en fallait pas beaucoup. J'avais entendu d'autres filles dire qu'elles n'y arrivaient pas, qu'elles simulaient avec leur petit ami ou qu'elles exagéraient leurs réactions. Je n'arrivais pas vraiment à imaginer. Une simple caresse, ses doigts seuls me touchant à cet endroit suffisaient à me perdre, à me rendre incapable de retenir les gémissements qui m'échappaient. Comment pouvait-on simuler ça ? Comment pouvait-on simuler une extase aussi incroyable ? Je gémis en explosant, le souffle haletant et le corps tremblant, plus de nervosité désormais, mais de frissons d'extase.

J'entendis quelque chose se déchirer, et le sentis à genoux au-dessus de moi, ses mains à côté de ma tête. J'ouvris les yeux juste à temps pour voir sa bouche glisser vers ma poitrine et enrober mon téton, ce qui me fit gémir. Et puis je la sentis, elle. Une légère pression entre mes cuisses. Je pouvais voir ses mains de chaque côté de mon visage, donc, je savais ce que c'était.

Ses yeux cherchèrent les miens.

– Becca? Est-ce que ça va? Tu es prête?

Tous ces mots s'évanouirent, et il n'y avait plus que les yeux de Jason dans les miens, son souffle lent et ses lèvres près des miennes… et cette présence dure et chaude entre mes jambes. J'hésitai tout à coup, à nouveau incertaine. Il sentit mon hésitation et commença à se redresser si gentiment, si respectueusement qu'il n'en fallut pas plus pour me décider. Je plongeai la main entre nous deux, mon cœur battait si fort dans ma poitrine que j'étais sûre qu'il pouvait voir mes côtes se soulever. J'enroulai ma main autour de lui, c'était si doux et chaud, et pourtant si dur… Il suffoqua sous ma caresse, ferma les yeux. Je le calai entre les lèvres humides de mon intimité, et pris une grande inspiration.

– Je suis p-ppp-prête.

C'était la première fois que je bégayais depuis des semaines. Il s'en rendit compte, bien évidemment, et hésita. Je fis glisser mes mains sur son dos et l'attirai un peu plus contre moi.

– Je te promets. Je suis prête.

Je m'assurai que ma voix soit ferme, convaincue et assurée.

Tout le contraire de ce que je ressentais. Oh! mon Dieu. «Elle» était désormais en moi, et c'était tellement *plus* que ses doigts. Je refusai de penser aux histoires que j'avais entendues sur les premières fois d'autres filles. Il n'y avait que ce moment qui comptait. J'en avais envie. Une partie de moi en était convaincue.

Je gardai les yeux rivés sur les siens, puis les refermai et me redressai pour l'embrasser. Il glissa un peu plus profond, et je gémis dans sa bouche tandis qu'il me remplissait lentement. Ça faisait mal. Je ne pouvais pas m'empêcher de cligner des yeux et de contracter les muscles de mon corps. C'était comme une invasion. Il m'écartait tellement, tellement. Jason s'était figé comme une statue.

– Est-ce que ça va?

Il avait l'air préoccupé.

J'acquiesçai.

– Oui, c'est juste… Attends un petit peu.

Il était tendu, je sentais ses muscles se nouer et se durcir comme de la pierre sous mes mains. Lentement, mon corps s'habitua à sa présence, et je fis oui de la tête.

– Ça va. Encore un peu.

– Est-ce que ça fait mal ? demanda-t-il.

– Oui, dis-je, convaincue qu'il voulait savoir la vérité. Mais ça va. Ce n'est pas horrible. Ça va même de mieux en mieux. Continue encore un peu.

Il ajusta son poids et avança ses hanches vers les miennes, glissant encore plus profond. C'est là que je sentis la pression d'un obstacle, et je sus ce qui allait arriver. Je ne savais pas s'il pouvait le sentir lui aussi, mais je savais que la seule solution était de le laisser continuer, de le dépasser. Je m'accrochai à lui, un bras autour de son cou et l'autre sur sa taille, puis le guidai vers moi en appuyant sur ses fesses. Je sentis un pincement court et douloureux, et ne pus m'empêcher de soupirer. Cette sensation de plénitude, d'être ouverte par lui, augmenta quand il me pénétra encore plus. On passa de l'inconfort à quelque chose proche du plaisir. La douleur disparaissait tandis que ses hanches s'écrasaient contre les miennes. Je posai les lèvres contre son épaule et me concentrai sur les sensations de mon corps. Je me sentais… bien, et même de mieux en mieux à chaque seconde. Il était toujours contre moi, tremblant. Je compris que tout cela n'allait pas durer beaucoup plus longtemps, mais j'avais envie du contraire. Je ne dis rien mais posai la main sur sa fesse et balançai mes hanches contre les siennes, juste pour l'encourager. Mais ce faisant, ce mouvement minuscule de balancement de mon corps contre le sien… fit exploser une comète de chaleur en moi, comme si la foudre résonnait dans mon bas-ventre.

– Oh ! suffoquai-je en ouvrant grande la bouche. (Je recommençai, balançai mes hanches contre les siennes, mais plus fort cette fois.) Oh… Oh ! mon Dieu.

Le corps de Jason était dur comme du bois, chaque muscle était tendu. Il se retenait, il essayait de tenir.

– C'est… incroyable, dit-il.

Sa voix n'était qu'un murmure étouffé.

– Bouge avec moi, lui dis-je tout bas.

Il laissa échapper un soupir de soulagement et recula, pour plonger en avant de nouveau, et je gémis sous la sensation. C'était une vague de frissons différente de celle que j'avais ressentie en frottant mon intimité contre lui, mais tout aussi incroyable. Il recula, et cette fois j'avançai à sa rencontre, poussant contre lui, et l'on grogna tous les deux presque à l'unisson.

– Je ne vais pas… Je ne peux pas m'arrêter…

La voix de Jason était comme un murmure profond dans le creux de mon oreille.

Je comprenais ce qu'il essayait de dire.

– C'est bon, lui répondis-je en murmurant, comme si parler à voix haute aurait gâché l'instant.

– Ne… ne te retiens pas.

Il bougeait désormais en rythme, chaque mouvement semblaint plus intense que le précédent.

– Je ne pourrais pas m'arrêter, même si j'essayais, murmura-t-il.

J'avais le corps en feu, et même si je ne m'attendais pas à avoir un autre orgasme, j'étais proche du basculement. Je bougeai avec lui, à la recherche de mon propre soulagement. Convaincue qu'il prenait du plaisir, je m'autorisai à courir après le mien. J'écrasai mon corps contre le sien, j'avais envie d'être encore plus près de lui, j'avais besoin de plus, encore et encore. Je me souvins de quelque chose que j'avais vu dans *True Blood* : je soulevai les jambes et les entourai autour de sa taille.

– Merde… que c'est bon, dit Jason.

– Si bon, fut tout ce que je réussis à dire.

Je me servis de mes jambes pour l'attirer contre moi, et la pression augmenta encore, la chaleur en moi prenait des proportions insoutenables. Il bougeait vite. En le regardant s'écraser contre moi comme il le faisait, j'aurais pu penser avoir mal, mais ce n'était pas le cas. J'aimais ça. Chaque pénétration m'envoyait encore plus haut, et je savais qu'il était sur le point d'exploser, et j'avais envie qu'il le fasse.

Mes doigts se plantèrent dans la chair de ses épaules, je l'agrippai fermement, comme pour m'assurer qu'il ne s'arrête pas.

Puis la terre s'ouvrit sous moi. Mon corps trembla, se contracta et explosa. Ce que j'avais ressenti auparavant était à peine un frisson dans le sol, en comparaison avec le tremblement de terre trépidant qui me secouait désormais. Je gémis, et il s'écrasa contre moi en hurlant. Je sentis une bombe détonner en moi, et entendis pour de vrai un cri s'échapper de ma bouche en jouissant quelques secondes après lui.

On bougeait tous les deux en rythme, le souffle coupé, haletant, gémissant.

– Oh p-putain, dis-je. Je ne savais pas que ce serait s-s-si b-bon.

Il rit en entendant mon emploi un peu atypique du mot *putain*.

– Moi non plus, dit-il en s'immobilisant au-dessus de moi.

Et puis c'était fini. Le tout avait duré moins de cinq minutes, mais ces cinq minutes venaient de bousculer mon monde entier et de changer ma vie.

Jason se leva et marcha jusqu'à la salle de bains. Je gloussai en voyant ses fesses nues tandis qu'il s'en allait. Puis il revint et se glissa sur le lit près de moi.

– Est-ce que tu as saigné ?

Je soulevai les draps en me redressant. Et la vue de la tache de sang luisant sur le lit me ramena violemment à la réalité. Je n'étais plus vierge. Quelque chose dans ce sang ouvrit les vannes. Je sentis mes yeux me brûler, je ne voulais pas pleurer, mais j'étais si dépassée que je ne pus pas m'en empêcher.

Jason me serra dans ses bras avant même que la première larme ne coule.

– Becca ? Pourquoi tu pleures ?

Il avait l'air effrayé et je savais qu'il devait s'imaginer le pire, mais j'étais en plein craquage et incapable de parler. Je me mis à trembler, et des larmes inondèrent mon visage.

– Oh, mon Dieu, Becca. Je suis désolé. Je n'aurais pas dû…

Je secouai la tête contre son torse nu.

– Non, dis-je en m'étranglant. Je suis simplement… simplement ch-ch-chamboulée. Pas c-c-contrariée.

Il soupira de soulagement.

– Tu ne m'en veux pas ?

Je gloussai à travers mes larmes.

– T'en vouloir ? Pourquoi t'en voudrais-je ?

Il haussa les épaules.

– Je ne sais pas. Tu as vu le sang et tu t'es mise à pleurer, et j'ai cru… je ne sais pas. J'ai cru que peut-être tu regrettais d'avoir fait ça… avec moi.

Je le serrai dans mes bras, assise sur ses genoux et toujours en larmes.

– Non, Jason. Non, je ne regrette rien. Je suis juste un peu dépassée. C'était tellement mieux que tout ce que j'aurais pu imaginer. Mieux que la plupart des histoires que j'ai entendues certaines filles me raconter sur leur première fois.

– Vraiment ?

Il avait l'air plein d'espoir.

J'acquiesçai.

– Ouais. Je ne crois pas que beaucoup de filles aient un… un orgasme la première fois. (Je penchai la tête en arrière pour le regarder.) Tu m'en as donné un.

Il rougit mais eut l'air ravi.

– Je suis content. Est-ce que tu as vraiment eu mal ?

Je secouai la tête.

– Un peu, au début, et puis il y a eu ce pincement quand…

tu sais. Mais je n'ai absolument plus eu mal et après ça, ça a même commencé à être agréable. Vraiment agréable.

Il y avait encore tellement de choses qui se bousculaient dans ma tête, que je n'arrivais pas à exprimer. Je ne regrettais pas ce que nous venions de faire, mais je savais que j'étais désormais quelqu'un d'autre. C'était un moment que je ne pourrais jamais revivre. Je n'étais plus vierge, je n'étais plus une petite fille, j'étais une femme désormais.

Je jouis à nouveau la seconde fois, encore plus fort que la première. Jason dura encore plus longtemps, nous conduisit tous les deux à l'orgasme et au frisson de l'extase. Je savais, en somnolant dans ses bras après cette seconde fois, que je ne pourrais jamais plus me passer de tout ça. J'en avais encore envie alors que je ressentais toujours les secousses de mon dernier orgasme.

Jason me déposa à la maison cinq minutes avant mon couvre-feu de 1 heure, et on s'embrassa lentement et doucement dans la chaleur de son camion avant que je n'en sorte. Je me rendis compte qu'on ne s'embrassait plus de la même manière. Nous savions désormais ce qui venait après les baisers.

Une fois devant la porte, je lui fis un signe de la main puis montai dans ma chambre. Je m'affalai sur mon lit, un sourire idiot et incontrôlable collé au visage. Je laissai mes idées flotter dans mon cerveau en m'endormant. J'avais un peu mal entre les jambes et je savais que ce serait pareil le lendemain. Ça en valait la peine, même si je me demandais au fond de mon cœur si nous l'avions fait trop tôt, si nous n'étions pas trop jeunes, si j'avais vraiment été totalement prête.

9

Un arbre tombe

Jason
Août, deux ans plus tard

J'étais affalé à ne rien faire sur le canapé, en attendant le coup de fil de Becca. Mon téléphone était posé sur ma cuisse, la télé allumée sur la chaîne sportive. C'était bizarre de se dire que le lycée était fini pour de bon, un peu comme une période de flottement. J'avais été accepté à l'université du Nebraska et à celle du Michigan. Les deux m'offraient des bourses autant pour mes talents de footballeur que pour mes mérites académiques. J'avais besoin de ces bourses, surtout depuis que j'avais arrêté d'accepter quelque argent que ce soit de la part de mon père. J'avais battu les records nationaux que je visais en milieu de saison, durant ma classe de terminale, et mon père avait voulu me donner quelque chose comme deux mille dollars pour chaque record battu. Je les avais refusés, ça l'avait énervé, on s'était battus et je l'avais envoyé à l'hôpital. Il n'avait pas osé croiser mon regard une seule fois depuis ce jour-là.

Becca était censée m'appeler en sortant de son rendez-vous chez le coiffeur pour qu'on aille déjeuner, même tard, et discuter de nos options pour l'université. Pour elle, il n'y avait que l'université du Michigan qui comptait, à tel point qu'elle n'avait déposé sa candidature dans aucune autre. Grâce à ses notes, elle avait évidemment été acceptée avec une bourse considérable, à laquelle il fallait ajouter tout un tas d'autres subventions qu'elle avait réussi à obtenir. Elle était sortie major de toutes les matières de terminale, avec une moyenne de 19,5 sur 20. Ouais, elle était ce genre de fille. Son discours à la remise des diplômes était émouvant et fluide, elle n'avait pas bégayé une seule fois. De deux séances par semaine chez l'orthophoniste, elle était même passée à une fois par mois. Elle avait obtenu tellement de bourses qu'elle avait déjà de quoi payer toutes ses études jusqu'à la fin de sa maîtrise. Je n'étais pas sûr de savoir comment elle avait réussi à faire ça, d'ailleurs. Enfin si, à vrai dire. Elle avait passé des heures et des heures depuis des mois à remplir des dossiers de candidature, écrire des dissertations, les envoyer, chercher encore d'autres subventions. Ses parents pouvaient lui payer ses études, vu qu'ils étaient plutôt pleins aux as – même s'ils ne le mentionnaient jamais –, mais Becca refusait d'accepter leur aide, car celle-ci n'était pas sans conditions. La principale était qu'elle et moi ne vivions pas ensemble. Une condition rédhibitoire pour ma meuf, bénie soit-elle.

Je jetai un œil à mon téléphone : 15 h 52. Elle était censée m'appeler à 15 h 30. Je n'étais ni inquiet ni en colère, juste intrigué. Elle était d'une ponctualité sans faille, son retard avait donc quelque chose d'étrange.

J'éteignis la télé et me dirigeai vers la table du salon, sur laquelle étaient empilés les factures et le courrier. Je pris mes deux lettres d'acceptation à l'université et les fixai sans savoir ce que je devais faire. J'adorais l'équipe de football de l'université du Nebraska, et ils avaient un excellent programme d'architecture qui m'intéressait. C'était l'université pour laquelle mon père aurait voulu que je joue, ce qui, dans ma logique personnelle, était plutôt un point négatif. Le gros problème de l'université du Nebraska, bien évidemment, c'était qu'elle se trouvait au Nebraska. Au putain de Nebraska. À 1 120 kilomètres d'Ann Arbor, où étudierait Becca.

Hors de question, putain.

Aller à l'université du Michigan, en revanche, signifiait habiter avec Becca. Ils avaient deux cursus qui m'intéressaient, en dehors de l'équipe de football qui s'était franchement améliorée depuis quelques années. Leur quarterback titulaire était prometteur, et j'étais convaincu que son style et le mien s'accorderaient. Kyle et moi avions discuté l'idée d'intégrer la même fac pour pouvoir continuer à jouer ensemble, mais on avait des plans de carrière différents, et ça n'allait juste pas le faire. Il n'avait pas vraiment l'intention de passer pro, je ne crois pas. Il aimait le foot, et bon sang qu'il était doué, mais… ce n'était pas ce qui l'intéressait le plus. Je crois qu'il voulait être entraîneur. Je n'étais pas sûr. Moi ? Je voulais passer pro, mais je voulais aussi obtenir un diplôme pour pouvoir me retourner, préparer ma reconversion. Mon père m'avait finalement appris quelque chose. Il n'avait jamais prévu de faire autre chose que jouer au foot. Toute sa vie ayant tourné autour du foot, il s'était laissé porter pendant toutes ses études, avait un diplôme de littérature qui avait servi à que dalle dès qu'il s'était agi de trouver un boulot.

Je ne voulais pas qu'il m'arrive la même chose. Je savais que j'étais malin, je savais que j'avais du potentiel au-delà du foot. Je n'avais pas dit un mot à qui que ce soit à ce sujet, pas même à Becca, mais j'avais parcouru les programmes de l'UM (université du Michigan) sur son site Web, et son département d'arts et de design m'avait vraiment plu. Surtout le cours de photographie.

J'avais désormais un énorme book de photos. Becca m'avait aidé à le constituer en prétendant que c'était pour elle, pour qu'elle puisse admirer mes photos sur papier. Mais je savais bien ce qu'elle trafiquait. Elle aimait mes photos. Elle m'encourageait sans cesse à persévérer dans cette voie. Elle aurait été aux anges si elle avait su que je projetais, ne serait-ce qu'une seconde, d'intégrer un cours de photographie.

Aussi stupide que ça en ait l'air, la seule chose qui me retenait de le faire, c'était mon père. Il me déshériterait. La photographie était un art, et l'art, c'était pour les tapettes. Je devais jouer au football, et c'est tout. J'avais beau détester mon père, je savais bien que, tout au fond de moi, je cherchais encore son approbation.

J'entendis le bruit d'un moteur s'arrêter devant chez moi, ce qui retint immédiatement mon attention. Ce n'était pas le diesel F-350 de mon père, ça, c'est sûr. Je marchai à la fenêtre et faillis m'évanouir en voyant Becca sortir d'une Volkswagen Jetta noire rutilante, toute neuve. Ses parents refusaient de lui acheter une voiture, surtout que je l'emmenais partout, de toute façon, et ils refusaient également de la laisser travailler pour s'en acheter une. C'était une dispute récurrente entre eux, même si leurs relations s'étaient un peu améliorées ces deux dernières années.

Je sortis pour l'accueillir. Elle sauta dans mes bras, entourant ses jambes autour de ma taille, avec un énorme sourire sur son beau visage.

– Ils m'ont acheté une voiture !

Elle m'embrassa violemment, en tenant ma nuque à deux mains. J'adorais quand elle faisait ça.

– Est-ce qu'elle n'est pas sublime ? Ils ont dit que j'avais besoin d'une voiture pour m'emmener à la fac et m'en ramener.

Elle sauta à terre et courut vers le véhicule, puis caressa le capot.

Je ris en la voyant si excitée, j'étais content pour elle.

– C'est génial, bébé. Je suis ravi pour toi !

Elle se redressa, sauta dans tous les sens sur la pointe des pieds en frappant dans ses mains. Je ne l'avais jamais vue comme ça, on aurait dit une gamine. Je ne pus m'empêcher de regarder ses seins qui s'agitaient tandis qu'elle bondissait. Elle s'en rendit compte et me lança un regard noir.

– On me regarde dans les yeux, chéri.

Je souris honteusement.

– Désolé. Ce n'est pas ma faute si tu as des nibards que je ne peux pas m'empêcher de regarder.

Elle se glissa dans mes bras

– Est-ce que tu n'en as pas assez de mes *nibards,* depuis le temps ?

Elle grimaça en reprenant le mot que j'avais employé.

– On va fêter nos deux ans le mois prochain. On pourrait croire que tu t'y es habitué, depuis le temps.

Elle me sourit, elle connaissait la vérité.

Je secouai la tête.

– C'est impossible. Je suis un mec. On ne peut jamais se lasser des bonnes choses. Et, bébé, tes seins sont une chose délicieuse.

Elle frappa mon bras, mais c'était une protestation en l'air.

– T'es vraiment un cochon.

– Ouaip. Groin, groin.

Elle se contenta de glousser, et mon Dieu que j'adorais ses petits rires adorables.

– Monte, beau gosse. Aujourd'hui, c'est *moi* qui t'emmène faire un tour.

– J'adore quand tu m'emmènes faire un tour.

Je souris en me glissant sur le siège passager.

Becca ignora mon allusion pas vraiment subtile.

– C'est une hybride, donc elle c-c-consomme du cinq l-l-litres au cent en ville, et six sur l'autoroute…

Elle fit marche arrière dans mon allée, énumérant toutes les options de sa nouvelle voiture. Ça me rendait sincèrement heureux de la voir excitée au point qu'elle ne se rende même pas compte de ses bégaiements, qui n'arrivaient plus que quand elle était hypernerveuse ou hyper excitée. Ou également durant ce que nous appellerons les affres de la passion. Elle avait tendance à bégayer un tout petit peu quand elle jouissait, ce qui me faisait invariablement sourire. Je trouvais ça absolument adorable. Ça faisait partie d'elle, et savoir qu'elle était assez à l'aise pour ne même plus remarquer qu'elle bégayait, ça voulait dire beaucoup pour moi.

On croisa mon père, en sortant de l'allée, qui haussa les sourcils en signe de dérision à la vue de la voiture étrangère de Becca. Acheter une voiture étrangère constituait pour lui un véritable crime. Le fait que Becca soit à moitié arabe lui posait déjà un vrai problème, et on avait d'ailleurs eu l'une de nos plus grosses bastons à cause de ça. Il avait employé un terme injurieux à son égard quand j'étais en classe de première, et je lui en avais collé une sans la moindre hésitation. On s'était jetés l'un sur l'autre au moins trois fois de suite, là, au beau milieu de la cuisine, jusqu'à ce qu'on soit tous les deux en sang et qu'il nous faille des points de suture. Aucun de nous deux n'en avait eu, cependant, et bon Dieu, au-moins sur ce point-là, on se ressemblait. J'étais parti fou de rage, toujours en sang, et Becca m'avait retrouvé sous notre arbre avec une trousse de premiers secours. Elle ne m'avait pas demandé ce qui avait démarré la bagarre, Dieu merci. Je ne crois pas que j'aurais été capable de le lui raconter sans perdre à nouveau mon putain de sang-froid.

Je m'efforçai de ne plus penser à mon père et d'écouter les joyeux bavardages de Becca. J'avais un peu déconnecté et n'avais pas la moindre idée de ce qu'elle était en train de me raconter. J'essayai donc de rattraper le fil et me rendis compte qu'elle parlait du fait qu'elle avait déjà commencé à lire les livres de la liste qu'on lui avait envoyée pour ses cours à l'UM.

Bien évidemment, Becca s'était déjà inscrite et lisait déjà les livres requis, quand moi je n'étais toujours pas sûr de savoir à quelle fac j'allais m'inscrire. Becca refusait d'influencer ma décision. Elle n'en parlait jamais, jamais. Elle disait qu'elle voulait que je fasse mon choix tout seul. Elle m'aimait et elle me soutiendrait dans tous les cas. Je savais bien qu'au fond d'elle, elle avait envie que j'aille avec elle à l'UM, mais elle ne l'aurait jamais avoué. Elle avait dit qu'on s'en sortirait, même si je choisissais le Nebraska, et je savais qu'elle le pensait.

Je lui tenais la main tandis qu'elle conduisait, je l'écoutais parler, laissais ses mots me balayer. Ce n'était pas que je n'écoutais pas ce qu'elle disait – je savais que parfois elle avait juste besoin de parler, de faire sortir tous ces mots qu'elle avait gardés pour elle toute la journée. Je m'étais rendu compte que c'était pour elle une façon de gérer son bégaiement. Elle restait silencieuse la plupart du temps, ne disant que ce qu'elle était sûre de prononcer correctement, et puis quand on se retrouvait seuls, elle se mettait à déblatérer sans attendre aucune réponse de ma part. Elle s'autorisait à bégayer, laissait faire en sachant que je m'en moquais.

Je redescendis de mon nuage quand elle prit à gauche sur la route principale qui traversait la ville.

– D-donc bref, je suis assez excitée par ce nouveau cours de littérature. C'est un cours sur la littérature anglaise du d-d-d-ébut du XVIIIe siècle. Il se concentre sur Defoe, Jonathan Swift et la traduction de Galland des *Mille et Une Nuits*, ce qui est rare. C'est une classe de deuxième année, puisque j'ai déjà suivi la plupart des cours de première année de toute façon.

Je ne connaissais que Defoe mais ne l'aurais jamais admis, même sous la torture.

– Mes cours principaux sont ceux qui m'intéressent le plus. Ce ne sont que des classes de premier cycle, bien entendu, mais l'UM est une université respectée, m-m-même si elle n'est pas particulièrement réputée pour son programme en orthophonie. Je ferai sans doute ma thèse ailleurs, peut-être à l'université de l'Iowa. Il paraît que ce sont les m-m-meilleurs. Je ne p-p-peux pas dire que l'idée de vivre en Iowa m'enchante, mais… ce n'est pas pour demain, je n'ai pas à me décider m-m-maintenant.

Je ris.

– Mais tu y penses déjà ?

Elle me sourit.

– Ouais, tu sais bien que oui.

Je me mis à glousser.

– Ouais, tu es une psycho de la carrière.

Elle fronça les sourcils.

– Qu'est-ce que c'est censé vouloir dire ?

Oh-oh.

– C'est un compliment, Beck. Tu es toujours préparée et tu es brillante dans tout ce que tu fais, putain. Je ne crois pas que tu sois capable de, genre, échouer à quoi que ce soit, même si tu essayais.

Elle me fit les gros yeux.

– J'ai eu un D à un contrôle, une fois.

Je la dévisageai, je ne savais pas si c'était une blague ou non.

– Doux Jésus, un D ? C'était quand ? En CE 1 ? dis-je en me moquant gentiment.

Elle répondit sans me regarder.

– C'était à la fin de l'année dernière. De cette année. Bref, en terminale. À ce cours stupide de dissertation pour la recherche scientifique. Je veux dire, toute l'idée du cours, c'était d'apprendre à écrire en dehors des méthodes scolaires, spécifiquement pour la recherche. Il n'est pas censé y avoir d'autres notes que les dissertations elles-mêmes. Et d'un coup, elle nous sort ce questionnaire à choix multiples, sans thème spécifique et sans nous avoir prévenus. Personne n'a eu au-dessus d'un C, parce que personne n'avait étudié ni n'avait la moindre idée du sujet des q-q-questions.

Elle se mettait en colère rien qu'en en parlant.

– Bon sang ! Ce foutu contrôle ! Ce foutu D, ça a fait baisser ma moyenne de quatre centièmes ! J'aurais eu 19,9 de moyenne sur l'année, sans cette putain de prof !

Mon Dieu, elle avait employé le mot « putain ».

Je ne pus pas m'empêcher de rire un peu.

– Quatre centièmes ? Cette salope.

Il y avait peut-être un peu de sarcasme dans ma voix.

Becca pivota la tête lentement vers moi, les yeux plissés et la mâchoire serrée.

– C'est im-im-important p-p-pour… m-m-moi.

Je soupirai.

– Excuse-moi, bébé. C'était nul de ma part de dire ça.

Elle enleva sa main de la mienne et conduisit en silence jusqu'à ce que je n'y tienne plus.

– Becca, je suis désolé. Je ne me moquais pas de toi. Je veux dire, tu viens d'avoir ton diplôme avec l'une des moyennes les plus élevées de l'État tout entier, et je sais que c'était important pour toi. Je suis désolé.

– Et ces quatre centièmes auraient pu faire la différence entre l'une des plus élevées et la plus élevée. (Elle me jeta un coup d'œil.) Imagine que tu n'aies pas battu le record d'État parce que tu aurais loupé une seule réception.

J'acquiesçai.

– Je sais, Becca. Je voulais juste déconner.

– Ah, ça, les mecs, vraiment.

Elle eut un sourire ironique, et je sus qu'elle m'avait pardonné.

– C'est vrai que nous sommes des idiots. Je ne sais pas comment tu me supportes.

À vrai dire, je ne savais vraiment pas. Mais je restai sur le ton de la blague, car je savais que Becca s'en serait donné à cœur joie si elle avait senti un tant soit peu de sérieux dans ma voix.

– Ça a sans doute quelque chose à voir avec ce que tu m'a fait hier soir.

Elle passa la langue sur ses lèvres et me fit un clin d'œil suggestif.

– Quelle partie ? demandai-je, impassible.

Elle fit semblant de réfléchir.

– Humm. Probablement ce truc que tu as fait avec ta langue.

J'acquiesçai avec sérieux.

– Oh, ça. Eh bien, il faudra que je veille à recommencer, si c'est ce qui t'aide à me supporter.

– T'as plutôt intérêt, valet de ferme.

Depuis qu'on avait regardé *Princess Bride* ensemble l'année dernière, elle s'était mise à m'appeler «valet de ferme», ce qu'elle trouvait adorable pour une raison incompréhensible. J'avais laissé couler, parce que débattre aurait été inutile.

Je glissai la main sur sa cuisse et recouvris son sexe.

– Arrête-toi, et je le fais tout de suite.

Elle referma les cuisses sur mes doigts en faisant semblant d'être horriblement choquée.

– Non! Nous sommes en plein jour!

– Ça ne t'a pas empêchée de me laisser te le faire hier à l'arrière de mon camion. Il faisait jour aussi, à ce moment-là.

– À peine. Le soleil se couchait. Et on était à notre arbre. Il n'y avait personne pour nous voir. Là, on est en pleine rue.

– Alors zappons le restaurant, et allons à l'arbre, suggérai-je.

– C'est tentant, mais j'ai faim. Je n'ai toujours pas déjeuné.

Elle me sourit.

– Mais on ira après le repas.

Elle était aussi avide que moi, aussi insatiable. Voire plus. J'avais entendu des mecs se plaindre de ce que leur petite amie n'en avait jamais autant envie qu'eux, mais, de toute évidence, je n'avais pas ce problème. C'était souvent elle qui venait me chercher pour un deuxième round… voire un troisième. Il y avait des jours où on ne pouvait plus l'arrêter.

Puis son téléphone sonna. Personne d'autre que ses parents ou moi n'aurait pu l'appeler. Nell et Kyle était en vacances dans le Nord, donc ce n'était pas Nell, et ses parents étaient partis pour le week-end à un gala de bienfaisance à Washington, donc ça ne pouvait pas être eux non plus.

Becca fixa l'écran de son téléphone.

– Hum. C'est Mme Hawthorne. Je me demande bien pourquoi elle m'appelle.

Becca fouilla dans l'accoudoir du milieu pour trouver son oreillette Bluetooth, l'enfila et appuya sur le bouton pour décrocher.

– Allô ? Bonjour, madame Hawthorne, comment allez… *Quoi* ? (Becca devint toute pâle.) Mais c'est une blague, putain ! Il est quoi ? Non. S'il vous plaît. Non.

Elle freina d'un coup et dérapa sur le côté de la route, la main sur la bouche, les yeux écarquillés, les larmes qui coulaient et la tête qui se secouait pour dire non.

– Becca ?

Je passai le levier de vitesse au point mort pour elle, et posai une main sur son épaule.

– Qu'est-ce qui se passe ?

Elle ne répondit pas.

– Non. Non. Ce n'est pas vrai.

Elle se tourna vers moi, les yeux horrifiés.

– Et Nell ? Est-ce qu'elle va bien ? Oh ! mon Dieu. Oh ! mon Dieu. D'accord, on arrive. Oui, il est avec moi, je… je vais lui dire. M-merde. *MERDE !*

Elle arracha son oreillette et la balança si fort qu'elle s'explosa contre le tableau de bord.

– Becca ? Qu'est-ce qu'il se passe ?

Il se passait quelque chose de grave, et j'avais l'estomac retourné.

– Pourquoi Nell n'irait-elle pas bien ? Parle-moi !

Becca sanglotait, la tête contre le volant. Je sortis brusquement, contournai la voiture et ouvris la portière du conducteur d'un grand coup. Becca tomba contre moi, je dus la tenir d'une main et lui défaire sa ceinture de l'autre. Je pris son corps désarticulé dans mes bras et la conduisis sur la pelouse au bord de la route, en claquant la portière derrière moi avec le pied. Je m'assis et la posai sur mes genoux en la serrant contre moi.

– Becca, il faut que tu me dises ce qui se passe.

Elle renifla et s'étouffa. Elle leva les yeux vers moi, et il y avait quelque chose de tragique dans son regard.

– Il y a eu un accident. Dans le Nord. C-c-c'est Kyle. Il est… il est… il e-e-est m-mort.

Je n'avais pas bien entendu, voilà ce que j'avais d'abord pensé. J'avais mal compris ce qu'elle venait de dire.

– Quoi ? Qu'est-ce que tu veux dire ? Kyle ? Kyle Calloway ?

– Oui, Kyle ! Notre Kyle. Il… il est mort. Un a-arbre lui est tombé dessus. Les parents de Nell sont en train de rentrer de Traverse City avec elle. Elle a un bras cassé, et elle… elle ne parle plus.

– Comment… Je ne comprends pas. Comment Kyle peut-il…

J'étais incapable d'intégrer ce qu'on était en train de me dire.

– Je ne sais pas ! Tout ce que je sais, c'est ce que Mme Hawthorne m'a dit. Il y a eu un mauvais orage, un arbre est tombé sur Kyle, et maintenant il est mort.

Elle se débattit dans mes bras, s'agita pour se relever.

– Il faut qu'on y aille. On doit les retrouver chez eux dans une demi-heure.

J'étais figé. Tout ça était irréel. C'était impossible. Il… il m'avait dit qu'il allait demander la main de Nell. Il me l'avait dit le jeudi précédent. Je lui avais dit qu'il était barge, qu'il avait à peine dix-huit ans, mais il avait insisté. Il m'avait dit qu'il était assez sûr de son amour pour ne pas avoir à attendre d'être plus âgé.

Tout ça était forcément une blague.

Je fouillai ma poche et en sortis mon portable, puis composai son numéro. J'entendis la sonnerie, encore et encore… puis son répondeur : *Salut, c'est Kyle. Je suis probablement quelque part, occupé à être un mec génial, alors laissez un message et je vous rappellerai. Si j'en ai envie.* Les gloussements qu'on entendait en fond sonore étaient les miens, ceux que j'avais eus en l'écoutant enregistrer son message d'accueil.

Je sentis une petite main froide me prendre mon téléphone. Je la laissai faire. Becca me souleva pour me redresser, me tint à bras-le-corps. – Viens, bébé. Nell a besoin de nous.

Je trébuchai, et elle me rattrapa en glissant son épaule sous mon bras. Je regardai ses yeux noirs et humides, j'y vis de la compassion, de l'amour, de la compréhension. Sa propre tristesse passait au second plan, bien après celle qu'elle éprouvait pour moi. Je ne savais pas quoi dire, pas quoi faire. Tout ce que je savais, c'est que j'avais besoin de Becca pour m'en sortir, et je ne pouvais qu'espérer qu'elle resterait avec moi, qu'elle continuerait à m'aimer pendant toute cette épreuve.

Je me retrouvai sur le siège en cuir de la Jetta. La voiture neuve avait une odeur excessivement sucrée. L'iPhone de Becca était branché sur l'autoradio, et quand elle démarra, on entendit la chanson *Your Long Journey*, de Robert Plant et Alison Krauss. Mes yeux se mirent à brûler et ma gorge se serra. Becca tendit la main pour éteindre l'autoradio, mais je l'en empêchai. Elle prit ma main dans la sienne et conduisit, laissant la musique continuer. Puis il y eut une chanson que je ne connaissais pas. J'attrapai son iPhone pour vérifier ce que disait l'écran. *Been a Long Day*, de Rosi Golan. C'était une chanson lente et belle avec le piano en toile de fond et une douce voix féminine.

On s'arrêta en faisant crisser les pneus contre le gravier de l'allée des Hawthorne. Il y avait déjà plusieurs voitures garées devant chez eux. Becca noua ses doigts aux miens dès que je mis un pied en dehors de la voiture, et elle dut quasiment me traîner jusqu'à la maison. Je ne voulais pas entrer. Je ne voulais pas voir le chagrin des autres. Tout serait devenu trop réel. Si je continuais à prétendre que ça ne l'était pas, peut-être que cela ne le serait pas.

Mme Hawthorne ouvrit la porte, les yeux rouges mais secs.

– Jason, Becca. Merci d'être venus. Nell est dans sa chambre.

– Comment va-t-elle ? demanda Becca.

Mme Hawthorne me serra la main en posant son front contre celui de Becca.

– Pas bien. Elle… elle l'a vu… partir. Elle est complètement amorphe.

Becca renifla doucement ; je la vis faire bonne figure, et littéralement ravaler ses émotions. Elle me tira par la main jusqu'en haut des escaliers et s'arrêta devant la porte de Nell. Elle saisit la poignée, trouva la porte ouverte et entra. Je la suivis.

Nell était couchée sur le flanc dans son lit, les yeux secs, un bout de papier serré dans sa main. Un plâtre recouvrait entièrement l'un de ses bras. Elle avait les yeux dans le vide et ne s'aperçut même pas de notre arrivée. Je ne savais ni quoi faire ni où regarder. Elle portait un vieux sweat à capuche de Kyle et une culotte noire. Elle était allongée sur les draps. Je concentrai mon regard sur le poster des Avett Brothers affiché au mur, et remontai la couverture jusqu'à sa taille. Je m'assis sur la chaise de bureau de Nell et Becca grimpa dans son lit derrière elle. Elle lui dégagea une mèche de cheveux du visage.

– Nell ?

La voix de Becca était hésitante. Elle ne savait pas quoi dire, de toute évidence.

– Qu'est-ce… qu'est-ce q-q-qu'il s'est passé ?

Nell ne dit rien pendant un long moment. Quand elle parla enfin, ce fut d'une voix abîmée, presque un murmure inaudible.

– Il est… mort.

Elle leva les yeux vers moi.

– Il est parti.

Je m'étouffai en secouant la tête.

– Je… putain. Comment ?

Je la vis se refermer sur elle-même.

– On se… disputait. Une tempête, un vent de dingue. Ça a… un arbre est tombé. Il était prêt à tomber sur moi, mais il… m'a sauvée. Il m'a poussée hors de la trajectoire de l'arbre. Sauvée. Ç'aurait dû être moi, mais ç'a été lui.

Ni Becca ni moi ne savions quoi répondre.

– Ce n'est pas ta faute, s'aventura finalement à dire Becca.

Le corps de Nell tressaillit légèrement, mais elle ne répondit pas. Je la vis serrer le poing et planter ses ongles dans la paume de sa main, si profondément que j'étais convaincu que le sang allait couler le long de son poignet d'ici une seconde.

On resta assis dans ce silence affreux et lourd, jusqu'à ce qu'il soit évident que Nell n'allait ni dire ni faire quoi que ce soit d'autre.

– Nous sommes là pour toi, Nell. Je suis là pour toi. Je t'aime.

En entendant ces trois derniers mots, Nell planta ses dents dans sa lèvre inférieure – elle mordait si fort que sa lèvre rose devint blanche.

Becca me conduisit hors de la chambre, laissant Nell dans la même position que celle dans laquelle nous l'avions trouvée en entrant, les yeux ouverts, fixés sur rien, un morceau de papier blanc serré dans sa main.

Mme Hawthorne nous prit à part dans la cuisine.

– Comment va-t-elle ?

Becca secoua la tête.

– Elle a p-p-prononcé trois phrases au grand maximum. Je ne sais pas, Mme Hawthorne. Je m-m-m'inquiète pour elle. Elle est presque apathique.

– Peut-être qu'elle a juste besoin de temps.

Mme Hawthorne regardait à travers la fenêtre de la cuisine.

– Peut-être, lui accorda Becca, mais une note aiguë dans sa voix me dit qu'elle n'était pas fondamentalement d'accord, même si Mme Hawthorne ne semblait pas le remarquer.

– L'enterrement a lieu mercredi.

Les gens allaient et venaient, apportaient des plats cuisinés. J'aperçus M. et Mme Calloway assis sur le canapé, il avait son bras autour de ses fines épaules tremblantes à elle. M. Hawthorne était assis à côté de M. Calloway, n'offrant pour réconfort qu'un silence froid et stoïque.

Becca me ramena chez moi et se glissa dans mon lit contre moi. Elle n'était jamais venue dans ma chambre auparavant. On ne venait jamais ici, parce que je savais que mon père se comporterait comme un connard et ferait une scène, et je ne voulais pas que Becca voie ça. Cependant, à ce moment-là, je n'avais ni la force ni l'énergie de me préoccuper de mon père. Je savais juste que j'avais besoin d'elle à côté de moi.

Je ne savais pas exactement depuis combien de temps on était allongés là en silence. Becca avait son bras autour de mon torse, le visage appuyé contre mon dos. Je sentais l'humidité de ses larmes couler sur le coton fin de mon T-shirt mais ne l'entendais pas faire un bruit.

Ma porte s'ouvrit violemment et vint s'écraser avec fracas contre le mur.

– À qui appartient cette bouse de voiture étrangère qui est garée à ma place, putain ?

Il remplissait l'embrasure de la porte, son énorme carrure, ses yeux fous – il ne titubait pas mais il était clairement ivre.

Becca se fit toute petite derrière moi.

– C'est la mienne, monsieur Dorsey. Je suis désolée. Je vais la déplacer.

– Oh, putain que oui, tu vas la déplacer, grogna-t-il. Dégage ta voiture, et dégage, toi aussi.

– Elle ne va nulle part, dis-je sans regarder mon père. Et sa voiture non plus.

– Et qu'est-ce qu'elle fait dans ton lit, fils ? Tu penses sérieusement que c'est une bonne idée ?

– Kyle Calloway est mort.

Je l'avais dit, et ça me brisa en deux.

Une larme coula de mon œil, juste une, et je ne pus plus m'arrêter.

– Putain, mais t'es pas en train de *chialer,* quand même ?

Becca se redressa et s'assit derrière moi.

– Kyle était son m-meilleur *ami,* vous comprenez. Son meilleur ami est *mort.*

Sa voix était ferme et calme, mais je pouvais y entendre un frisson de peur. Mon père la terrifiait, et il y avait de quoi.

– Laissez-le tranquille.

– Ce n'est pas à toi que je parlais, petite.

Je vis la moue moqueuse qu'il fit en lui lançant un regard noir. Ça me mit hors de moi.

En temps normal, je lui aurais immédiatement sauté dessus, mais je ne voulais pas que Becca nous voie nous battre.

– S'il te plaît, papa, laisse-nous simplement tranquilles. Ne fais pas ça. Pas aujourd'hui.

Je ne lui avais jamais rien demandé de ma vie, jamais.

– Ferme ta gueule, mon garçon. Ne me dis pas ce que je dois faire dans ma propre maison.

Il avança d'un pas vers moi, et je bondis aussitôt sur mes pieds, les poings serrés, prêt. Mais il s'arrêta et me regarda durement pendant un long moment.

– Tu sais combien d'amis j'ai perdus ? Combien de mes potes j'ai vus mourir ? Tu crois que j'ai pleuré comme une tapette, putain ? Je ne crois pas. Les gens meurent, ça craint et c'est comme ça. Sois un homme, et passe à autre chose.

– On n'est pas à la guerre. Je ne suis pas un soldat. Je ne suis pas toi. J'ai le droit d'être en colère parce que mon meilleur ami s'est fait tuer. Je le connais depuis la maternelle, putain. Alors, que dirais-tu de fermer ta gueule à toi et de me laisser tranquille ?

J'entendis le souffle douloureux et terrifié de Becca. Si elle n'avait pas eu à contourner mon vieux, je lui aurais dit de s'en aller.

– Je ne sortirai pas d'ici tant qu'elle sera là.

J'avançai vers lui en le regardant dans les yeux. Je n'avais pas peur, j'étais prês d'exploser.

– Je n'ai pas envie de faire ça devant ma petite amie, mais je le ferai. Tire-toi. Sors simplement de ma chambre. C'est tout ce que je te demande.

Ses narines s'agrandirent.

– Ouais, la vérité, c'est que tu ne veux pas que ta copine te voie en train de te faire botter le cul.

– Pourquoi êtes-vous auss-s-si salaud ?

C'était Becca qui avait dit ça. Mon père et moi, on s'arrêta tous les deux pour la regarder.

– Qu'est-ce que je vous ai fait, à vous ? À part être amoureuse de votre fils ? Est-ce que vous savez combien de fois j'ai épongé son visage en sang après que vous l'aviez tabassé ? C'est quoi, votre p-p-problème ? P-p-pourquoi haïssez-vous au-au-autant votre p-p-propre fils ?

Mon père me regarda d'un air incrédule.

– Tu sors vraiment avec cette connasse d'Arabe qui bégaie ?

Choquée, Becca ne put retenir un hoquet, puis elle se mit à pleurer quand elle me vit balancer le premier coup. J'étais dans une rage folle, aveuglante. Il n'avait aucune chance. Il réussit à me balancer deux ou trois crochets plutôt sévères, mais j'étais impossible à arrêter. Je le frappai, je le frappai encore et encore, jusqu'à ce qu'il cesse de bouger, et là je continuai à le frapper. Je sentis une main tirer mon bras.

– Jason, arrête ! Arrête ! (Elle était hystérique, on comprenait à peine ce qu'elle disait.) S-s-s'il te plaît ! S'il te plaît, arrête !

Elle avait crié le dernier mot au creux de mon oreille et réussis à traverser le mur de ma rage.

Je revins à moi, tremblant, je sentais le liquide couler partout sur moi. Un liquide chaud et collant. Mes mains étaient couvertes de sang. J'étais assis à califourchon sur le torse de mon père – son visage était un désastre. Je sentis le sang couler sur mes joues, ma mâchoire qui me faisait mal, mes côtes qui faisaient la gueule, les bleus. Becca me tira vers elle, en s'étouffant avec ses sanglots.

Je bondis sur mes pieds, l'attrapai par les épaules et la poussai hors de ma chambre jusqu'à la cuisine.

– Je suis désolé que tu aies vu ça. Je suis désolé de t'avoir laissée venir ici.

Tout en parlant, une bulle de salive ensanglantée coula de ma bouche ; je la crachai sur la moquette, je n'en avais plus rien à faire.

– Je suis vraiment, vraiment désolé, Becca. Il faut que tu t'en ailles. Il faut que je m'occupe de ça.

– Je ne te laisse pas seul, Jason.

Elle se défit de mon emprise et se retourna pour me faire face.

– Qu'est-ce que tu vas faire ?

– Appeler une ambulance.

– Ils ne vont pas te poser des questions ?

Je secouai la tête.

– Ils savent que c'est inutile. Ça ne sera pas leur première fois.

Elle ne comprenait pas.

– Mais… ils n'ont pas l'obligation de signaler les violences domestiques ?

– Les signaler à qui ? (Je fis un geste en direction du badge qui était sur la table, une photo officielle de mon père avec son uniforme de capitaine.) C'est *lui*, la police. Il enterrera le rapport. De plus, ce serait moi qu'on arrêterait dans ce cas précis, ce qui conduirait à des questions auxquelles ni lui ni moi n'avons envie de répondre.

– Mais, Jason…

– Non ! (Je détestais lui crier dessus. Je fis un effort pour me calmer.) Je suis désolé, mais non, il n'y a rien à faire. Je m'en vais d'ici aujourd'hui, de toute façon. Finies, toutes ces conneries.

– Où vas-tu v-vivre ?

– Je ne sais pas, putain, Becca ! Mon camion ? Un hôtel ? Putain, je ne sais pas. Je m'en fous pour l'instant. Je ne peux juste pas rester ici un jour de plus.

Elle fit oui de la tête, pour montrer qu'elle avait compris, qu'elle savait que je voulais juste qu'elle lâche le morceau.

– Laisse-moi te nettoyer.

Elle se retourna et arracha avec colère le torchon qui pendait sur la poignée du micro-ondes.

Elle le tapota délicatement sur ma lèvre, essuya le sang, le replia et essuya encore. Elle le passa sous l'eau du robinet et me nettoya le menton. Elle avait le hoquet, elle reniflait, elle clignait constamment des yeux. Elle lécha une larme qui coulait au coin de sa bouche. Je soupirai, énervé contre moi-même de m'être déchaîné contre elle.

Comme j'essuyais sa larme avec le pouce, elle recula.

– Beck, je suis désolé. Je sais que tu ne comprends pas. Je devrais le signaler. Mais si j'avais dû le faire, je l'aurais fait il y a des années. C'est trop tard, maintenant. J'ai dix-huit ans, je suis légalement un adulte et je déménage. C'est la dernière fois que je le vois. Tu n'auras jamais à revivre ça, d'accord ?

Elle acquiesça mais ne répondit pas, elle grattait le sang incrusté dans ma joue.

– Parle-moi, s'il te plaît.

Je voulus essuyer une autre de ses larmes, mais elle recula encore. Comme si… comme si elle avait désormais peur de moi.

– Pour d-dire quoi ? J'ai eu si peur. Pour toi. De toi. Tu n'étais pas… tu n'étais pas toi. Tu étais… si violent. Tu le frappais, il ne se défendait pas et tu continuais à le frapper. C'était s-si terrifiant.

– Tu as entendu ce qu'il a dit ?

Elle secoua la tête.

– Il peut dire ce qu'il veut sur moi. C'est un monstre, et je me moque de ce qu'il pense de moi.

– Je ne le laisserai pas parler de toi comme ça. Il n'a aucun droit. Tu te souviens de la dernière fois où tu m'as vu dans cet état ? Il avait dit un truc exactement du même genre.

La première chose que mon père faisait tous les soirs en rentrant à la maison, c'était d'allumer la poste de radio réglé sur 99.5 FM, une station de musique country. C'était *Please Remember Me* de Tim McGraw qui passait, et je me souvins à nouveau que Kyle était mort. J'avais presque réussi à l'oublier pendant un instant.

Je reçus un coup à l'estomac plus fort que tous ceux que le poing de mon père avait pu me donner dans ma vie. Kyle était mort.

Je m'effondrai à quatre pattes en pleurant. Je n'avais jamais pleuré, jamais. Pas depuis que je n'étais plus un bébé, pour quoi que ce soit. Je n'aurais pas pu m'arrêter, même si j'avais voulu. Je ne sais pas combien de temps je pleurai, mais je sentis Becca près de moi, toujours avec moi, qui caressait mon épaule, qui me laissait pleurer.

J'entendis une toux étranglée et grasse qui venait de ma chambre. Je fis un effort pour me relever.

– Merde, il va s'étouffer avec son propre sang.

Je trébuchai jusqu'à la pièce et retournai mon père sur le ventre, tandis qu'il crachait, vomissait et toussait encore. Je le traînai loin de tout ce bordel mais le laissai au sol, à moitié dans ma chambre, à moitié dans le couloir. Je remarquai les cadres photos ébréchés, les trophées brisés, mon bureau cassé en deux. Je ne me souvenais pas de la bagarre en elle-même, et je n'avais pas réalisé à quel point cela avait dégénéré. Il y avait un trou énorme dans le placo du mur à côté de la porte, un autre dans l'angle de la pièce. Ma chaise de bureau était renversée de côté, une des roulettes arrachée.

– Mon Dieu, dis-je en murmurant.

Je me retournai pour jeter un œil à Becca par-dessus mon épaule : elle était là, au milieu du couloir, à fixer le corps ensanglanté de mon père.

– Je ne savais pas que ça avait dégénéré à ce point-là.

– J'ai cru que vous alliez vous entretuer.

Sa voix était minuscule.

– Ne devrions-nous pas faire quelque chose ?

Je baissai les yeux sur lui ; il gémissait.

– Qu'il aille se faire foutre. Laisse-le saigner. Il survivra.

Becca me dévisagea comme si elle ne me connaissait pas.

– Est-ce que tu sais combien de fois il m'a laissé à terre comme ça ? Laisse-moi prendre quelques conneries, et on s'en va. J'appellerai quelqu'un quand on partira.

Elle resta là sans bouger, à me regarder faire ma valise. Je fourrai quelques habits dans un sac de sport, autant que possible. J'y ajoutai mon ordinateur portable, des chargeurs, mon téléphone, mon précieux blouson en cuir et un ballon. Je balançai quelques produits de toilette dans un sac Ziploc en plastique d'un litre, puis déterrai mon tas de cash de dessous mon matelas. Je laissai tout le reste. Les livres, les trophées, ma collection de vignettes de football de l'école primaire, mes posters de Jerry Rice, de Barry Sanders, d'O.J. Simpson et d'Emmett Smith. Tout. Rien de tout ça n'avait d'importance. Mon appareil photo était dans mon camion, et Becca m'attendait. Il n'y avait que ça qui comptait.

Je mis le sac sur mon épaule et enjambai mon père. Il revint à lui et se roula sur le dos en grognant, puis se redressa en position assise. J'étais sur le seuil de la porte, prêt à partir. Il s'essuya le visage en me regardant, vaseux.

– Je m'en vais, dis-je sans le regarder.

Il se contenta d'acquiescer sans répondre. Je ne reviendrai pas.

Il cracha un peu de sang.

– Très bien.

– Tu as besoin d'une ambulance ?

– Non. Va te faire foutre.

Il lutta pour se relever, s'appuya contre le chambranle pour garder l'équilibre, s'essuya la bouche avec le bras.

– Ouais, va te faire foutre, toi aussi.

Je claquai la porte derrière moi.

Becca m'attendait, debout, sur le trottoir.

– Tu n'appelles pas d'ambulance ?

Je crachai du sang dans l'herbe.

– Non. Il n'en veut pas.

– Mais est-ce qu'il en a besoin ?

Je haussai les épaules.

– Rien à foutre. C'est son problème.

Becca ouvrit la portière de la voiture sans y monter.

– C'est ton père. Et s'il se vide de son sang jusqu'à la mort ?

– Ça n'arrivera pas. Il était debout sur ses deux pieds quand je suis parti.

J'explorai ma lèvre enflée et ma dent branlante avec la langue.

Elle referma la portière de sa voiture et se tint derrière moi, tandis que je balançais mon sac à l'arrière de mon camion et l'attachais avec un tendeur.

– Je ne comprends pas comment vous pouvez tous les deux avoir autant d'indifférence sur ce sujet. Tu es blessé. Il est blessé. Vous avez tous les deux besoin d'un médecin.

Je fis demi-tour.

– Deux choses, dis-je d'une voix calme mais les yeux plein de colère. Premièrement, ne m'associe jamais à ce putain de connard de merde inutile, ce putain de déchet de l'humanité. Je ne suis pas comme lui. Et de deux, j'ai déjà eu bien plus mal que ça. Battre le record de passes réceptionnées en un seul match fait plus mal que ça. Je vais bien. Je n'ai pas besoin de ta pitié, bon sang.

Elle grimaça.

– Je suis… je suis désolée, Jason. Je voulais… je… je…

L'inquiétude, la peur, la tristesse et l'extrême fatigue de ses yeux étaient sur le point de me briser encore une fois. Je m'effondrai en avant, les mains sur les genoux, plié en deux, dégoûté par moi-même.

– Putain, Becca. Je suis désolé. Je suis désolé. Je ne sais pas ce qui m'a pris. Je n'aurais pas dû te parler comme ça. Tu n'as pas besoin de voir toutes ces conneries.

Je me redressai, me rendant malade.

– Mon Dieu, Becca. Je suis vraiment un connard. Tu mérites mieux que ça. Tu mérites mieux que moi.

Je lui tournai le dos, m'acharnant sur le tendeur déjà serré, juste pour avoir l'excuse de regarder autre chose que l'expression dévastée de son visage.

– Rentre simplement chez toi, Beck. Trouve quelqu'un d'autre, quelqu'un digne d'être avec toi.

– Tu… romps avec moi ? Juste comme ça ? (Elle avait murmuré, la voix cassée :) Je… ne veux pas trouver quelqu'un de plus digne. Je te veux toi. Je veux que toi tu m'aimes. Je veux que tu me laisses m'inquiéter pour toi.

– Je ne suis pas… Mon Dieu, je ne suis pas en train de rompre. Je te libère de toutes mes conneries. Tu n'as pas à être avec moi. Je ne… je ne te mérite pas. Je t'ai crié dessus. Tu aurais pu être blessée, là-dedans.

Je pointai la maison du doigt, étouffé par la boule brûlante dans ma gorge, terrifié à l'idée qu'elle fasse exactement ce que j'étais en train de lui dire de faire.

– J'ai laissé tout ça arriver… Et si… Et si je devenais lui ? Et si j'étais comme lui ?

J'avais murmuré cette dernière phrase, comme si j'admettais enfin à voix haute la plus profonde et la plus sombre de mes peurs, cette terreur qui me tenait éveillé la nuit, qui me donnait des cauchemars. Je secouai la tête, puis la regardai enfin.

– Becca, je t'aime. Mais tu ne devrais pas être avec quelqu'un qui te fait peur.

Elle s'approcha de moi et je reculai. Elle avança encore.

– Non, Jason. Arrête. A-a-arrête. Je t'aime. Je ne vais pas te laisser me rejeter parce que tu souf-souffres. Tu as peur. Je le s-s-sais. Mais j'ai confiance en toi, d'accord? Je pen-pense que tu vaux mieux que tout ça, que tu es plus f-f-fort que tout ça.

Elle fit encore un pas, et sa chaleur et sa douceur m'envahirent, son odeur m'enveloppa, ses yeux d'encre noire m'entourèrent d'amour. Je pouvais la voir formuler les mots dans sa tête avant de les prononcer.

– Je ne veux pas être libérée de tes conneries. D'où te vient cette idée? Depuis combien de temps tu penses un truc pareil?

Je haussai les épaules.

– J'y pense de temps en temps. Depuis toujours.

Elle tendit une main hésitante pour me caresser la joue, comme si elle n'était pas sûre que j'allais la laisser me toucher.

– Eh bien, arrête. Tu n'es pas lui, Jason. Tu ne l'es pas. Je choisis d'être avec toi, et je sais que tu viens de… ça. Elle agita son autre main en direction de la maison.

– Maintenant, arrête de faire le macho et rentre avec moi.

– Je suis très bien dans mon camion.

Elle me lança un regard noir.

– T'es vraiment un abruti borné. Tu ne vas pas dormir dans ton camion. Je vais convaincre Père de te laisser t'installer dans le lit pliant du sous-sol.

Je la suivis jusqu'à chez elle, et tout se passa comme elle l'avait dit. Elle se faufila même au sous-sol en plein milieu de la nuit pour se blottir contre moi pendant quelques heures, et remonta discrètement dans sa chambre avant que ses parents ne se réveillent.

Le lendemain, je m'inscrivis à l'université du Michigan et même, sous les yeux de Becca, au cours de photographie.

Elle m'emmena à notre arbre cet après-midi-là, et me fit l'amour sur le siège arrière de sa Jetta. Je me souviens de l'immense nuage sombre de ses cheveux qui entourait sa peau mate et nue.

Le jour d'après, on enfila nos plus beaux vêtements noirs et on alla enterrer notre ami.

10

Des bras qui démangent et des portes qu'on verrouille

Becca
Novembre

Nell était assise en face de moi, les mains enfouies dans les manches de son manteau. Elle évitait mon regard, comme elle l'avait fait toutes les fois où l'on s'était vues depuis l'enterrement de Kyle.

Ce jour-là, elle s'était enfuie au beau milieu de l'oraison funèbre. Elle avait réapparu au cimetière, avec le grand frère de Kyle. Enfin, c'était lui que j'avais cru reconnaître. Je n'étais pas sûre, je ne l'avais pas vu depuis mes dix ou onze ans. Je crois qu'il avait cinq ans de plus que nous, ou quelque chose comme ça, et ça se voyait. Il avait un physique dur, brut, même en costume noir. Je dus cependant admettre qu'il était sublime. Des cheveux sombres, longs et un peu ébouriffés sur la nuque, des yeux d'un bleu perçant, assombris par ce côté mature, et hantés par le spectre de quelque chose d'encore plus profond.

Enfant, Kyle ne nous avait jamais beaucoup parlé de son frère. Je me souviens d'un type solitaire. Il passait la majeure partie de son temps enfermé dans sa chambre ou dans la vieille grange qui servait de garage. Il avait beaucoup d'ennuis au lycée, ça, je m'en souvenais. Ou en tout cas, j'avais entendu les ragots qui circulaient à ce sujet. Il avait quitté le Michigan le jour de la remise des diplômes en laissant tout derrière lui. Je me souviens de Kyle nous racontant l'histoire. Il avait l'air blessé et perplexe, même pour un gamin de onze ans. Colton était juste parti comme ça.

Mais il s'était pointé à l'enterrement, et j'avais vu Nell descendre de son énorme camion. Qu'est-ce qu'elle pouvait bien faire avec lui ? Debout sous l'auvent qui abritait la tombe, la main de Jason dans la mienne, je n'arrivais pas à comprendre. Pourquoi était-il revenu, de toute façon ?

Il avait abandonné sa famille, son petit frère. À ce que je savais, il n'avait jamais ne serait-ce que passé un coup de fil. Et, maintenant, Nell traînait avec lui le jour de l'enterrement de son petit ami ? Bizarrement, je me sentais trahie. Elle ne me regardait pas, elle ne regardait personne. Elle se tenait simplement debout devant le cercueil en cerisier entouré de rampes en cuivre. Le sol trempé autour du trou avait été recouvert d'une espèce de tapis en faux gazon. On aurait dit qu'elle était sur le point de sauter dans ce trou sombre pour rejoindre Kyle.

C'est la main de Colt qui rattrapa Nell quand elle trébucha dans l'herbe. Je ne voulais pas qu'il la touche. Elle appartenait à Kyle. Je sentis la colère de Jason irradier à côté de moi, et je sus que le même sentiment confus le déchirait.

Nell s'assit sur une chaise, les yeux dans le vide, tandis que le curé prononçait des mots insignifiants. Je pleurais doucement, comme la mère de Kyle, comme Mme Hawthorne, comme tellement de gens… sauf Nell. Nell ne pleurait pas. Je ne l'avais pas vue pleurer une seule fois, à vrai dire.

Au milieu du discours, elle lança une fleur dans la tombe, puis se retourna et se mit à courir en trébuchant sur ses talons hauts. Elle les balança au loin, en tenant son plâtre contre elle avec son bras valide. Et devinez qui courait après elle ? Colton.

J'avais entendu les murmures des gens qui prononçaient à haute voix les mêmes questions que je me posais tout bas.

Elle était désormais assise devant sa tasse de café, qu'elle remuait négligemment avec une vieille cuillère. Nous étions dans un restaurant d'Ann Arbor. Elle était venue me rendre visite, elle, parce que je croulais sous les devoirs et les cours. Quand je l'avais appelée ce matin-là pour savoir si elle voulait venir passer quelques heures avec moi, elle avait accepté. Mais sa voix m'avait paru apathique et résignée.

Je sirotais mon café en regardant Nell, elle fixait le tourbillon couleur caramel du sien.

– Nell ? Est-ce que tu… vois quelqu'un ?

– Voir qui ?

Elle me jeta un bref coup d'œil, puis se remit à fixer sa tasse, seul le bout de ses doigts dépassait des manches de sa polaire North Face gris souris.

Je haussai les épaules.

– Quelqu'un. Un… psychothérapeute. Pour parler de ce qu'il s'est passé.

Elle secoua la tête, le bout de sa natte défaite s'agita sur son épaule.

– Non. Je vais bien.

– Je n'en suis pas si sûre.

Elle me regarda enfin, les yeux presque en colère.

– D'accord, si tu veux, mais comment pourrais-je aller bien ? Il est mort il y a à peine trois mois. Je l'aimais. Que va faire un psy à ce sujet ? Me dire que ce n'était pas ma faute ? Me parler de l'acceptation et des étapes du deuil ? Je n'ai pas besoin de ces conneries, Becca.

Elle détourna le regard vers la fenêtre, fixa l'horizon froid de cet après-midi d'octobre.

– Je veux juste qu'il revienne.

– Je sais.

– Non… Tu ne sais pas.

Le dernier mot avait été prononcé dans un murmure intense, et l'angoisse pure que je vis dans son regard me déchira.

– Nell…

Je voulais l'aider, la faire parler.

Elle s'y refusait. Elle n'avait pas dit un mot sur l'accident depuis le jour où on avait été la voir dans sa chambre. Elle était restée vivre chez ses parents, au lieu d'intégrer une des universités qui l'avaient acceptée. Elle allait à la fac publique d'Oakland et travaillait au bureau de son père. Bref, elle avançait, en théorie, mais j'avais quand même l'impression qu'elle avait cessé de vivre.

– Il faut que j'y aille, dit Nell en finissant son café.

Elle se leva.

– Tu viens d'arriver.

– Je suis désolée, j'ai juste… Je dois y aller.

Je posai l'argent sur la table pour le café. Mon estomac gargouilla, vu que j'avais zappé le petit déjeuner, pensant manger tôt avec Nell.

– Bon, d'accord.

Nell avait dû entendre l'irritation dans ma voix.

– Beck, je suis désolée. C'est juste que… je ne peux simplement pas être une bonne amie en ce moment.

– Ce n'est pas ça, Nell.

Je la suivis dehors, dans l'air frais de l'automne, en boutonnant mon caban jusqu'en haut.

– Je m'inquiète pour toi.

Elle s'arrêta et se retourna pour me regarder.

– Je sais. Tout le monde s'inquiète. Je ne sais pas quoi dire. Il faut juste que je m'en sorte, mais je ne sais pas comment faire, et personne ne peut m'aider à le faire. Il faut simplement que je rentre chez moi. J'ai besoin d'être seule.

Elle se grattait le bras droit par-dessus sa polaire, on aurait presque dit un tic nerveux.

Je fixai sa main.

– Nell, tu ne… tu ne te drogues pas, rassure-moi ?

Elle tressaillit et laissa retomber sa main.

– Non ! Bien sûr que non.

– Montre-moi ton bras. Celui que tu grattais.

Nell croisa les bras sous sa poitrine.

– Non. Arrête de t'inquiéter pour moi. Je jure sur la tombe de Kyle que je ne prends aucune drogue.

J'entendis la sincérité dans sa voix et je n'eus pas d'autre choix que de la croire. Je me penchai vers elle pour la prendre dans mes bras, et sentis l'odeur alcoolisée de son haleine.

– Mais tu bois, en revanche.

Je la serrai fort, refusant de la laisser se dégager.

Elle baissa les yeux vers moi.

– Un peu, de temps en temps. Ça aide, OK ? Ça m'aide à surmonter tout ça, et je contrôle la situation.

On pouvait sans doute voir l'inquiétude sur mon visage.

– Je suis une adulte, Becca. Je bois si j'en ai envie.

Je plissai les yeux en la regardant.

– Tu n'as pas l'âge[1].

Elle soupira d'énervement.

– Arrête d'être aussi rigide, Beck. Si tout ça n'était pas arrivé, je serais sur un campus de fac en train de boire, de toute façon. Il n'y a que le contexte qui soit différent.

Elle plongea la main dans son sac pour prendre ses clés.

– On se voit plus tard, OK ?

– Est-ce que tu es en état de conduire ? demandai-je.

– Mon Dieu, Becca, oui, je vais bien ! Bon sang, tu es pire que mes parents. Au moins ils me laissent tranquille, eux, putain.

– Eh bien, peut-être qu'ils ne devraient pas, Nell, explosai-je. Peut-être qu'ils devraient s'inquiéter à ton sujet. Je sais que c'est mon cas. Tu me fais peur.

---

1. Aux États-Unis, l'âge légal pour pouvoir consommer de l'alcool est de vingt et un ans.

– Tu es mon amie. Tu es censée me comprendre et me soutenir.

– C'est ce que je suis, et c'est ce que je fais. Mais ça ne veut pas dire que je doive rester en plan et te laisser s-s-sombrer.

Je serrai les dents sur le dernier mot bégayé, fermai les yeux et me concentrai. Je ne bégayais plus jamais, surtout pas en public.

– Je sais que ça ne fait que deux mois, mais tu as l'air d'aller… plus mal, en tout cas, pas mieux.

Elle haussa les épaules.

– Je ne sais pas ce que tu attends de moi. Ce n'était pas seulement mon petit ami, c'était mon meilleur ami. Je le connaissais depuis toujours. Je l'ai vu tous les jours de ma vie pendant dix-huit ans. (Sa main tremblait et elle serra le poing, les ongles plantés dans sa paume.) Il était tout pour moi. Et il est parti. Comment suis-je censée m'en remettre un jour ?

– Je ne sais pas, Nell. Vraiment. Je sais que je ne peux pas comprendre ce que tu traverses.

– Alors, arrête d'essayer.

– Mais je…

Nell se pencha pour m'embrasser sur la joue.

– J'y vais. Merci pour le café. On se voit plus tard.

Elle se retourna et partit sans un regard, se glissa sur le siège conducteur de la Lexus de sa mère.

Je la regardai s'en aller, le cœur lourd d'inquiétude pour elle. Elle n'avait pas l'air ivre, mais je me demandais si je n'étais pas une mauvaise amie de la laisser conduire alors qu'elle avait bu. Et cette façon dont elle s'était gratté le bras ? J'avais déjà vu Ben faire ce geste auparavant, et je savais qu'il avait essayé les drogues dures. Mais elle ne m'aurait pas menti, elle n'aurait pas juré sur la tombe de Kyle. Je connaissais suffisamment Nell pour être sûre de ça.

N'est-ce pas ?

Je rejoignis Jason dans la salle de sport réservée aux joueurs de l'équipe de foot. Il était assis sur une machine, en train de soulever ce qui semblait un poids d'une tonne avec ses jambes. Il était torse nu, son corps luisait de sueur, ses muscles étaient gonflés par l'effort. J'avais beau être chamboulée, je ne pus empêcher un grognement sourd de désir de me parcourir. Je le regardai faire descendre le poids jusqu'à ce que ses genoux soient repliés contre sa poitrine, puis expirer doucement avant d'étendre ses jambes avec, de toute évidence, une certaine difficulté.

Il était seul dans la salle. Je m'approchai discrètement derrière lui, le cliquetis de la machine et le bruit de ses expirations couvrait mes pas. J'attendis qu'il ait fini son mouvement pour glisser mes mains sur son torse en sueur.

– Salut, bébé.

Il pencha la tête et me regarda à l'envers.

– Salut, beauté. Qu'est-ce que tu fais ici ? Je croyais que tu voyais Nell ?

Je me penchai pour l'embrasser, sentis la sueur sur ses lèvres et le Gatorade sur sa langue.

– Je suis en nage. Ça ne te dégoûte pas ?

– Ai-je un jour été dégoûtée par le fait que tu sois en nage ? (Je caressai sa mâchoire avec mes doigts.) Je trouve ça sexy. Te regarder t'entraîner, ça m'excite, dis-je en murmurant, bien que nous soyons seuls.

Il me sourit, mais dut voir mon regard préoccupé.

– Que se passe-t-il, Beck ? Où est Nell ?

Il pivota sur le banc et se leva.

Je ne voulais pas qu'il me prenne dans ses bras. Ce n'est pas parce que j'aimais son allure quand il était en sueur, et que ça ne me dérangeait pas de l'embrasser dans cet état, que je voulais pour autant salir tous mes vêtements. Il le savait apparemment, puisqu'il se contenta de me tenir à bout de bras.

– Elle est partie.

– Déjà ?

Il défit les boutons de mon caban l'un après l'autre.

J'acquiesçai.

– Ouais. Je suis vraiment inquiète pour elle, Jase. Elle s'est pointée avec une demi-heure de retard, est restée pour un café, et puis elle est repartie. Je le laissai m'enlever mon manteau et l'accrocher à une des machines.

– On s'est disputées. On ne se dispute jamais. Elle était si fermée, si agressive…

– Elle traverse un enfer, Beck. Tu le sais.

Il sortit une serviette de son sac de sport posé par terre et s'essuya le visage, le cou et la poitrine, après quoi je le laissai m'attirer contre lui.

Je soupirai contre sa peau.

– Ouais, je sais. Mais… elle avait l'air… ailleurs. Elle se grattait constamment le bras et elle sentait l'alcool.

Cela surprit Jason.

– L'alcool ? À une heure de l'après-midi ? Un samedi ?

– Tout à fait. La façon dont elle se grattait le bras m'a dérangée. Ben faisait pareil quand il se droguait. Et je ne parle pas de drogues douces.

Jason plissa les yeux.

– Ton frère se pique ?

Je secouai la tête.

– Plus maintenant. Il a suivi un programme de désintoxication en externe l'année dernière, il est clean depuis. Et il y est allé volontairement. Mais Nell ? Je n'aurais jamais imaginé qu'elle sache ce qu'est la drogue, encore moins qu'elle en prenne.

– Est-ce que tu lui as posé la question ?

Les lèvres de Jason s'égarèrent sur mes cheveux, ma tempe et le lobe de mon oreille.

– Oui, bien sûr. Elle m'a juré sur la tombe de Kyle qu'elle n'en prenait pas.

Il réfléchit une minute.

– Je ne sais pas. Peut-être que c'était simplement une allergie.

Je secouai la tête.

– Elle tirait constamment sur ses manches pour cacher ses poignets. Et elle a refusé de me montrer son bras.

– Qu'est-ce que tu peux faire? Le dire à ses parents? Elle a dix-huit ans, ils ne peuvent pas la forcer à faire quoi que ce soit.

– Je sais, dis-je. Je m'inquiète, c'est tout. Elle n'est plus elle-même. Elle a changé. Soit, je sais bien qu'elle traverse beaucoup de choses avec la mort de Kyle… Mais nous aussi. On a tous dû encaisser sa disparition.

– Tu crois qu'elle irait voir un psys?

Il me massa les épaules, puis glissa le long de mon dos en malaxant chaque muscle au fur et à mesure.

– J'y suis allé, moi, et ça m'a aidé. Et pourtant, tu sais ce que je pense des psy.

J'avais dû le harceler et le menacer d'arrêter de coucher avec lui pour qu'il se décide à m'accompagner voir le psychothérapeute de la fac après la mort de Kyle. Il y allait toujours une fois par mois. C'était également devenu pour lui une façon de gérer sa relation avec son père.

– Je sais. Et, oui, je lui ai demandé si elle en voyait un. Elle a répondu que ça ne servirait à rien. Elle ne veut qu'une chose, c'est que Kyle revienne.

Jason se contenta de soupirer.

– Je ne sais pas quoi te dire. C'est vrai que c'est inquiétant. Mais… on ne peut pas faire grand-chose, à part l'aider et être là quand elle a besoin de nous.

J'acquiesçai et redressai le menton pour l'embrasser.

– Je vais prendre une douche vite fait, et après on ira déjeuner, ça te dit? J'entends ton estomac gargouiller.

– Maintenant que je me suis frottée à toi, monsieur Muscles en sueur, je vais avoir besoin d'une douche moi aussi.

Ses yeux s'embrasèrent et ses doigts se plantèrent dans le creux de mes reins.

– Mon coloc est parti pour le week-end.

– La mienne aussi, dis-je, en remettant mon manteau.

– Ma chambre est plus près d'ici, fit-il remarquer, mettant ainsi fin à la discussion.

Il enfila un sweat à capuche à même la peau, attrapa son sac d'une main et me tira contre lui de l'autre. Son dortoir était à dix minutes de marche, mais il nous en fallut à peine cinq. Jason poussait mes hanches avec son bras. J'appuyai mon visage contre son épaule pour cacher mon sourire niais. On avait tous les deux hâte.

Je glissai moi aussi mon bras dans le creux de ses hanches. Je sentais ses muscles tanguer sous ma main au rythme de nos pas. Je nous y voyais déjà. Je l'imaginai dès qu'on aurait refermé la porte de sa chambre : son torse nu, ses muscles épais, lourds et enivrants, ses mèches blondes emmêlées trempées de sueur, son short de sport qui lui tombait sur les hanches, laissant apparaître le V, juste en dessous de son abdomen.

Il tourna la clé et je le poussai à l'intérieur de la chambre. Je m'adossai à la porte dès qu'elle se referma en trafiquant dans mon dos pour la verrouiller à double tour. J'étais là, debout, les pieds joints et les mains contre la porte derrière moi, la tête légèrement penchée en arrière. J'attendais.

Dès que nous fûmes enfermés, Jason décida de s'amuser un peu. Il laissa tout doucement tomber son sac par terre, vida ses clés, son téléphone et son portefeuille de sa poche, puis les posa sur le bureau. Il ne m'avait pas regardée, il ne s'était même pas retourné. Il bougeait aussi lentement que possible, juste pour voir combien de temps j'allais tenir avant de lui sauter dessus.

Au cours des deux dernières années, force était de reconnaître que c'était moi qui initiais le plus souvent nos relations sexuelles. Il aimait ça, et moi aussi.

Il ouvrit son ordinateur portable, l'alluma, vérifia ses mails et tapa même une réponse de quelques lignes à un de ses camarades de classe. Puis, avec une lenteur qui me mit à l'agonie, il enleva son sweat-shirt. Je pus admirer son dos scandaleusement musclé, ses énormes deltoïdes, ses dorsaux et ses trapèzes qui se contractaient délicieusement. Il roula son sweat en boule et le balança dans le panier à linge sale qui traînait dans un coin. Puis, juste pour jouer avec moi, il étira les bras et se retourna lentement en contractant les abdos – il savait très bien l'effet que ça me faisait.

Ouais, j'étais vraiment une chanceuse.

Il haussa un sourcil en me regardant. Je l'imitai. Je déboutonnai mon caban, le fis glisser de mes épaules et le laissai tomber à terre. Puis, parce que c'était une blague entre nous, je mordis ma lèvre inférieure et secouai mes cheveux comme dans une pub pour du shampoing. Jason essaya de ne pas rire et y arriva plus ou moins. Je vis quand même le coin de sa bouche se retrousser.

On balança tous les deux nos chaussures et nos chaussettes. On se tenait à trente centimètres l'un de l'autre, se regardant droit dans les yeux, mettant l'autre au défi de faire le premier pas. Je craquai et attrapai le bas de mon T-shirt pour l'enlever tout doucement. Les yeux de Jason se posèrent aussitôt sur mes seins, enfermés dans un soutien-gorge rouge qui s'agrafait sur le devant. Je continuai de le provoquer en faisant glisser la bretelle d'une épaule, puis de l'autre. J'hésitai sur l'agrafe, la défis en tirant sur chaque extrémité, de sorte qu'il n'y ait plus que mes mains qui maintiennent le soutien-gorge en place. Je pris le tout dans une seule main et glissai l'autre hors de la bretelle, puis fis pareil de l'autre côté. À la vitesse de l'éclair, je laissai tomber mon soutien-gorge et recouvris mes seins de mes mains. Jason grogna sans retenue.

– Tu veux vraiment me mettre la fièvre, Kool Shen. Il avança d'un pas vers moi, les yeux affamés et rivés sur les globes de chair qui dépassaient de mes mains.

Je restai là, debout, relevant la tête au fur et à mesure qu'il approchait.

– J'enlèverai mes mains quand tu enlèveras ton short.

– Mais je vais me retrouver nu, dans ce cas-là, alors que toi tu seras toujours en pantalon.

Je haussai négligemment les épaules.

– Je suis sûre que tu peux m'aider à remédier à ça.

Il enleva son short et se tint face à moi, dans son boxer moulant à carreaux bleus et verts, taché de sueur. Je trouvai un compromis et déplaçai mes mains, afin que seuls mes deux doigts du milieu recouvrent mes tétons. Il prit une grande inspiration, puis parcourut les quelques centimètres qui nous séparaient. Il s'agenouilla doucement en face de moi, posa les mains sur mes hanches nues juste au-dessus de la ceinture de mon jean slim. Il garda ses yeux plongés dans les miens en ouvrant le bouton et en faisant glisser la fermeture Éclair. Il fit descendre le pantalon le long de mes cuisses, lequel se bloqua à mi-chemin.

– Bon sang, bébé, c'est vraiment supermoulant. Comment diable as-tu fait pour l'enfiler ?

– Une bonne dose de margarine, et un réveil à 5 heures du matin, dis-je.

Il rit très fort en enfouissant son visage dans mon ventre.

– Mon Dieu, ce que tu me fais rire. Mais sérieusement, comment tu fais pour l'enlever ?

– Tire sur l'ourlet.

Il souleva mon pied et tira sur une jambe du pantalon, puis sur l'autre. J'étais désormais nue devant lui, à l'exception de mon string.

– Oh putain, quand est-ce que tu as acheté ce truc ? (Il saisit mes hanches et me fit pivoter pour que je sois face à la porte.) Bon sang, Beck. On dirait du fil dentaire et un minuscule pansement.

Ses mains glissèrent sur mes flancs, puis vers l'intérieur de mes fesses pour en saisir chaque courbe ; il malaxa ma chair et mes muscles avec gourmandise.

Je ris, haletante.

– Je l'ai acheté hier. Il y avait des soldes chez Victoria's Secret, pour tout te dire, donc j'en ai pris plusieurs.

Je cambrai le dos, relevai la poitrine, fis ressortir mes fesses, avançai une jambe et étirai l'autre en arrière. Je me sentais un peu idiote dans cette position, mais de toute évidence elle rendait Jason dingue, à en juger par le grognement de sa poitrine et la façon dont ses mains caressaient mes cuisses et mon cul.

– Il ne cache pas grand-chose, hein ?

– Pas grand-chose ? Il ne cache rien du tout, oui. Ton cul est complètement exposé.

– C'est une bonne chose que tu sois le seul à le voir, alors, n'est-ce pas ? Enfin, à part ma coloc.

– Elle n'est pas lesbienne, rassure-moi ?

Je levai un sourcil interrogateur.

– Ça te dérangerait qu'elle le soit ?

– Pas sur le principe, non. Mais en ce qui te concerne, oui. Tu es à moi. Homme ou femme, peu importe, personne d'autre que moi ne peut t'avoir.

Je soupirai.

– Non, elle n'est pas lesbienne. À vrai dire, c'est même un peu une traînée. Elle ramène des mecs dans notre chambre presque tous les soirs, et couche avec eux, que je sois dans la pièce ou non. Et ils ne prennent pas toujours la peine de le faire sous les couvertures. C'est dégueulasse.

Une idée me traversa l'esprit, et je penchai la tête vers lui.

– Je croyais que ça excitait les mecs, l'idée de deux filles ensemble.

Jason passa les deux index sous la ficelle de mon string et tira doucement pour me l'enlever. Puis il enfouit son nez dans le bout de tissu pour le renifler, ce qui me mortifia au plus haut point.

– Je crois que c'est plus visuel, dit-il en se relevant pour que son érection vienne se loger entre mes fesses.

Ses mains glissèrent autour de mon corps pour venir se poser sur mes hanches.

– Je suis à peu près sûr que pour la plupart des mecs, ce n'est pas l'idée de deux femmes qui font l'amour qui les excite, à savoir leur homosexualité. C'est plus l'image de deux femmes nues ensemble. Toutes ces formes, tu comprends? Et, non, te voir avec une autre femme ne m'exciterait pas. Je serais aussi possessif et jaloux que si tu étais avec un autre homme.

– C'est bon à savoir, dis-je en soupirant.

Ses doigts se rapprochèrent du creux de mes cuisses, et je luttai pour me retenir, pour ne pas écarter les jambes et le supplier de me toucher. Au lieu de ça, je frottai mes fesses de bas en haut contre son érection dure comme de l'acier. J'en avais envie, mais je ne n'allais pas céder. C'est lui qui devait craquer le premier, sinon j'allais encore en entendre parler pendant des lustres.

J'avais toujours les mains sur mes tétons, et Jason essaya de me les enlever.

– Tss-tss, jeune homme, tu connais les règles. Tu enlèves d'abord ton caleçon, et seulement après tu as le droit de toucher.

– Oh, c'est ça la règle, hein? Depuis quand?

– Depuis maintenant.

Il posa les lèvres sur mon épaule pour l'embrasser, puis le long de ma colonne, vers le bas, encore et encore. Chaque baiser faisait frissonner mon corps, trembler ma peau. Il m'embrassait dans le dos tout en enlevant son boxer, puis je sentis le tissu se poser sur ma tête. Je l'enlevai en hurlant.

– Beurk! Je ne veux pas de ton caleçon plein de sueur sur ma tête, espèce de salaud!

Je pivotai pour lui lancer un regard noir.

Il riait et profita de ce moment de distraction pour tendre les bras et saisir mes seins, que j'avais libérés pour poser les poings sur mes hanches, accentuant mon air en colère.

– J'ai gagné, dit-il.

J'essayai de ne pas gémir quand ses pouces se mirent à caresser mes tétons.

– Non… ce… n'est… pas vrai, dis-je soupirant. Je t'ai laissé…

– Tu m'as laissé quoi?

Il pinçait mes pointes toutes dures entre le pouce et l'index, les fit rouler jusqu'à ce que je sois incapable de réfléchir à quoi que ce soit.

– T'ai laissé… gagner.

Il fallait que je reprenne le dessus, mais ses mains à lui savaient comment m'empêcher de me concentrer. Puis sa bouche descendit sur ma poitrine et m'inonda de baisers chauds, et je fus perdue, incapable de m'empêcher de me cambrer dans sa bouche.

– Oh ! mon Dieu, ne t'arrête pas.

– Non ? Tu aimes ça ? (Il arrêta une seconde sa petite attention buccale pour me sourire, un sourire arrogant qui savait que j'avais capitulé.) Ouais, je sais que tu aimes ça. Tu as envie de plus ?

Je ne pus qu'acquiescer en tentant de me souvenir de respirer.

On avait tous les deux été tellement plongés dans nos études ces derniers temps que c'était la première opportunité qu'on avait de faire l'amour depuis plus d'une semaine. Nous étions tous les deux affamés. J'avais envie de plus, et il le savait, mais il voulait m'entendre le dire.

– Oui, j'ai envie de plus, dis-je en murmurant et en tenant sa tête contre moi, les doigts perdus dans ses cheveux.

– Et de quoi as-tu envie ?

Je pris une grande inspiration quand il pinça mon téton entre ses lèvres, tira doucement dessus et le lâcha d'un coup. Il fallait que je reprenne un peu de contrôle. Je me creusai la tête et souris quand une idée me vint.

– Prends-moi, dis-je en murmurant.

Il remonta le long de mon corps, son érection trembla contre ma cuisse, puis atterrit, brûlante et dure, contre mon ventre. Il m'attira contre lui, m'embrassa, puis se pencha pour me soulever et me porter jusqu'au lit.

Je le repoussai.

– Non, pas comme ça.

Il fronça les sourcils de confusion.

– Comment, alors ?

Je me retournai à nouveau face à la porte. J'y posai mes paumes à plat, écartai les jambes, me penchai légèrement en avant et tournai la tête pour le regarder à travers un rideau de boucles noires.

– Comme ça.

– Oh, putain, t'es sérieuse ?

Ses mains attrapèrent mes hanches, s'immobilisèrent quelques secondes, puis basculèrent mes fesses.

– Comme ça. Tout de suite.

Il glissa la main entre mes jambes et caressa d'un doigt ma fente humide avant de faire pénétrer son majeur, puis de le remonter pour former des petits cercles sur mon clito.

– J'ai menti, murmura-t-il en saisissant son sexe dur pour le guider vers l'entrée du mien. Tu as gagné.

– Ne l'oublie jamais, dis-je.

Je perdis toute capacité de parler quand il glissa doucement en moi, me pénétrant de plus en plus profondément, jusqu'à ce que ses hanches s'écrasent contre mon cul.

Une main sur ma hanche, l'autre glissant sur mon dos, il se retira doucement, puis poussa à nouveau vers l'avant en gémissant. Il me pénétra deux fois, puis trois, et j'étais déjà sur le point de devenir folle, j'étais déjà sur le point de basculer juste grâce au plaisir de l'avoir en moi, mais je luttais pour me retenir. Je voulais m'envoler avec lui, je voulais sentir mes parois internes se contracter sur son membre quand il exploserait.

Il accéléra le rythme de ses hanches et, même si c'était exactement ce dont j'avais besoin à ce moment-là, je le forçai à ralentir en murmurant :

– Pas si vite, Jason. Ralentis. Va aussi doucement que possible.

Il arrêta sa pénétration à mi-chemin, puis glissa le reste de son sexe en moi d'une façon incroyablement lente.

– Comme ça ?

Il recula au même rythme, si doucement que le mouvement devenait à peine perceptible.

– Oui, dis-je, haletante. Exactement comme ça. Tout doucement.

– Pourquoi ?

Je pinçai mon téton d'une main, tandis qu'il glissait à nouveau en moi, et qu'un éclair parcourait tout mon corps.

– Pour que je puisse sentir chaque centimètre de toi aussi longtemps que possible.

Il tendit le bras pour saisir mon sein, fit rouler mon téton entre ses doigts, pinça presque trop fort tout en m'empalant. Je suffoquai, plongeai la tête en avant tandis que l'orgasme latent vibrait, montait en moi. Je sentis son orgasme approcher aussi, à la façon dont son membre tremblait par spasmes tandis qu'il glissait en moi.

Il commença à perdre le contrôle de son rythme. Il serrait mes hanches dans ses mains pour me guider contre lui, tremblant et gémissant à chaque pénétration. J'adorais quand il perdait le contrôle. J'adorais être capable de le mettre dans cet état-là, de lui donner tant de plaisir qu'il ne pouvait plus se retenir. Il fallait que je bouge, moi aussi. Je me mis sur la pointe des pieds et tendis mes hanches pour venir à sa rencontre, me penchai encore plus, m'appuyant sur les mains pour m'éloigner de la porte, le laisser me pousser avec des coups de reins de plus en plus puissants. La pièce fut vite remplie des claquements de nos chairs l'une contre l'autre, de nos soupirs et de nos gémissements coordonnés. Puis je sentis mon corps se contracter et frissonner, un spasme chaud de pression explosa et l'orgasme vibra en moi. Je me mordis le bras et hurlai contre ma peau en jouissant. Puis je le sentis se contracter derrière moi, les doigts plantés dans mes hanches.

– Mon Dieu, Beck, c'est tellement bon de te prendre comme ça, grogna-t-il.

J'étais incapable de répondre, je ne pouvais que gémir et me serrer contre lui, tandis qu'il me martelait de façon désormais frénétique, me pénétrant plus fort qu'il ne l'avait jamais fait. Je l'entendis grogner, puis il recula, s'arrêta, s'enfonça plus fort encore, et je ne pus m'empêcher de hurler quand il s'enfouit à nouveau en moi, en s'écrasant presque douloureusement. Je n'avais jamais eu besoin de beaucoup d'efforts pour décoller, mais le sentir devenir totalement dingue à ce moment-là, s'enfonçant violemment en moi, encore et encore, grognant à chaque mouvement, faisant de moi sa chose… je m'envolai une seconde fois. Le claquement de la chair, sa façon d'être tout au fond de moi me stimulant exactement comme il le fallait, ses doigts plantés dans mes hanches, m'attirant contre lui… je jouis à nouveau, incapable de réprimer un cri, cette fois-ci.

– Oh ! mon Dieu, oh ! Seigneur, dis-je en gémissant.

Mon corps était mou, comme désincarné. Seuls son corps et ses mains m'empêchaient de tomber par terre, mais j'arrivais tout de même à agiter les fesses contre ses hanches. Il continuait à me pénétrer, perdu dans l'imminence de son propre orgasme.

– Est-ce que tu vas jouir maintenant ?

– Mon Dieu, oui. Tout de suite, grogna-t-il.

Il me pénétra une dernière fois, et je sentis le jet chaud de son soulagement en moi. Je hurlai quand il s'enfonça encore et encore, s'écrasant en moi tandis qu'il jouissait, suffoquait, prononçant mon nom inlassablement.

Quand il arrêta, je me dégageai, trébuchai jusqu'au lit et m'effondrai dessus en l'attirant avec moi. Il tomba à côté de moi, enfouit son visage dans mes seins et soupira. Je le tenais dans mes bras, sentais sa barbe de trois jours chatouiller ma peau douce, notre pouls battre à l'unisson.

– Tu as vraiment aimé ça comme ça, hein ? demandai-je, après quelques minutes d'un silence reposant.

Il acquiesça.

– Mon Dieu, oui. Je suis devenu un peu fou vers la fin, n'est-ce pas ?

Je gloussai légèrement.

– Oui, un peu.

Il se contorsionna pour me regarder, l'air inquiet.

– Je ne t'ai pas fait mal, au moins ?

Je secouai la tête.

– Non, bébé. Tu peux me baiser violemment quand tu veux.

Il rit et roula au-dessus de moi.

– Je peux ? Vraiment ? Je savais que j'y allais un peu fort, mais je ne pouvais plus m'arrêter. Je suis d…

– Ne t'excuse pas. Je t'ai dit que tu ne m'avais pas fait mal. J'ai adoré. Je suis sérieuse.

Je lui grattai le dos et lui caressai les fesses avec les pieds, en l'attirant contre moi.

– La prochaine fois, je te veux à quatre pattes, dit-il.

Je relevai un sourcil à son attention.

– C'est ce que tu veux ? En levrette, hein ?

Il baissa la tête.

– Je déteste ce mot. C'est dégradant.

Je haussai les épaules.

– Je me moque du nom qu'on lui donne, mais d'accord, on fera ça.

Il sourit et se glissa près de moi. Je le sentis se durcir à nouveau et plongeai le bras entre nous deux, l'attrapai avec la main et le caressai jusqu'à ce que son érection soit complète. Il voulut accompagner mon geste, mais je secouai la tête en lui souriant malicieusement. J'appuyai son gland sur mon clito, en tournant, utilisai sa chair épaisse et chaude pour me stimuler, doucement au début, puis avec de plus en plus de ferveur, jusqu'à ce que mon dos se cambre et que je me mette à gémir. Les yeux plissés, je le regardais se contracter, se retenir – la pression de ma main sur sa queue que j'utilisais pour me satisfaire le rendait fou.

Je jouis très fort, en mordant son épaule pour couvrir les hurlements haletants de mon plaisir. Quand la première vague se calma, je la fis glisser dans ma fente et enroulai les jambes autour de sa taille, si serrées qu'il lui était impossible de bouger. Je fis rouler mes hanches pour les frotter aux siennes, contractant les muscles de mon vagin aussi fort que possible. Mon corps luisait contre le sien, ma sueur se mélangeait à la sienne, ma bouche cherchait ses lèvres et murmurait *Je t'aime* au beau milieu d'un râle. Je faisais durer mon orgasme. Quand mes tremblements s'atténuèrent, je relâchai prise et le laissai sortir à moitié, puis l'immobilisai. Je souriais à travers notre baiser. Il était proche, lui aussi, mais je n'étais pas prête à le laisser exploser. J'avais faim d'un autre orgasme encore, j'étais déterminée à prendre plus de lui avant de le laisser jouir. Il savait ce que je voulais désormais et, au lieu de me pénétrer tout de suite profondément, il avança tout doucement, relevant ses hanches pour faire glisser son membre en moi, afin que son érection appuie sur mon clito à chaque mouvement. Je gémis dans sa bouche, sentant une nouvelle jouissance tourbillonner en moi.

– Je croyais que tu avais dit que je pourrais te prendre autrement la fois suivante ? murmura-t-il en souriant malicieusement.

Je haussai les épaules d'un air coquin.

– J'ai menti. Il faudra patienter.

– Ce n'est pas très gentil.

– Je suis gentille tout le reste du temps, lui dis-je. Je n'ai pas à être gentille quand je suis au lit avec toi. C'est même là que je peux devenir vilaine.

Il voulut me pénétrer plus profondément, mais je reculai pour l'en empêcher.

– Qu'est-ce que tu fais ? demanda-t-il.

– Je calme le jeu.

– Pourquoi ?

Je haussai les épaules.

– Je ne sais pas. Je fais ce qui me procure du plaisir. Je te fais patienter.

Il glissa ses bras derrière mes épaules, s'appuya sur ses coudes.

– Alors je vais devoir attendre, je suppose. (Son sourire malicieux devint sérieux.) Je veux tout faire pour te donner du plaisir, tout ce dont tu as envie, bébé.

J'agrippai son cul ferme pour l'enjoindre à bouger.

– Et c'est pour ça que je t'aime. Enfin, une des raisons.

On instaura un rythme – on se retrouvait à mi-chemin de chaque mouvement, on jouait l'un avec l'autre.

– Quelles sont les autres raisons ?

– On va à la pêche aux compliments, c'est ça ?

Il sourit, amusé. Son visage contracté trahissait sa concentration.

– Ouais. Sans complexe.

– Eh bien, je t'aime pour la façon dont tu me fais l'amour. Je t'aime pour ton corps. Je t'aime parce que tu es possessif et que tu prends soin de moi. (Je m'arrêtai une seconde et fermai les yeux tandis qu'il ajustait son poids sur moi. Par inadvertance, il trouva mon point sensible avec la douceur du bout de son érection.) Oh ! mon Dieu, oui, comme ça, juste là. Ne t'arrête pas… Oh, merde, que c'est bon.

Il bougea en moi en une série de va-et-vient rapides et légers qui me firent me cambrer désespérément contre lui, mes doigts plantés dans les muscles de ses omoplates.

– Encore d'autres raisons ?

Je ris, haletante.

– Humm. Je t'aime probablement pour tes talents de photographe. Je t'aime particulièrement pour les talents de ta langue. Je t'aime assurément pour m'aimer malgré mes bégaiements.

– Tu ne bégaies presque plus.

J'acquiesçai, incapable de parler alors que mon corps commençait à s'agiter sous les secousses d'un tremblement de terre. Il n'augmenta ni son rythme, ni la profondeur de ses pénétrations, cependant. Et je l'aimais pour ça aussi, même si je ne trouvais pas les mots pour l'exprimer. Il resta doux et ferme, guida les vagues de mon orgasme vers des hauteurs monumentales d'extase et de béatitude – sans le faire exploser, mais en m'y emmenant un peu plus à chaque pression de son érection contre le point sensible qu'il avait trouvé. Je sentis ma poitrine se serrer, mon cœur se gonfler, cherchai ses yeux, vis l'amour profond du jade vibrant de son regard. C'est ce regard qui me fit passer de l'orgasme purement physique à l'orgasme de l'amour, fort à en pleurer, qui vous accroche et vous bouleverse.

De longues secondes passèrent et cela continua de grandir. Quand je sentis la jouissance approcher, je devins frénétique. Je suffoquai contre son bras et gémis quand il pencha la tête pour sucer mon sein. Il ne m'en fallut pas plus, juste la succion humide et chaude de sa bouche autour de mon téton contracté. Je hurlai, me moquant de qui pouvait bien m'entendre.

– Maintenant, Jason. J'en ai b-b-besoin m-maintenant! bégayai-je dans son oreille, haletante.

Il grogna de soulagement et me pénétra profondément, violemment, laissant son poids s'installer sur mon corps, et s'enfonça tout au fond de moi.

– Oh! mon Dieu, Becca... oh!... je vais jouir si fort...

– T-t-tant mieux... donne-moi tout ce-ce-ce que tu as.

Les seules fois où je bégayais encore, c'était quand Jason me faisait jouir. Et il semblait mettre un point d'honneur à me donner des orgasmes si forts que j'en perdais en général toute capacité de parler.

Il garda sa bouche autour de mon sein, mordit délicatement mon téton, me pénétra profondément mais doucement, avec amour, de longs coups de reins sinueux et parfaits.

Je jouis et m'abandonnai à l'orgasme, une larme coula le long de ma joue... je perdis tout contrôle. Je me cambrai sous Jason, tandis qu'il se déchaînait en moi en murmurant mon nom, encore et encore, comme un cantique, pour se soulager.

On resta dans les bras l'un de l'autre. On laissa de côté les études, les matchs à préparer, et tout le reste, en s'endormant l'un contre l'autre. Mais juste avant de fermer les yeux, le battement de cœur de Jason contre mon oreille, ma dernière pensée fut pour Nell. J'aurais voulu savoir comment l'aider.

11

Le calme avant la tempête

Jason
Avril

Je gribouillai le dernier paragraphe de ma dissertation sur ma copie double, la refermai, vérifiai avoir bien écrit mon nom sur la première page, puis balançai mon sac à dos sur mon épaule. Je déposai ma feuille sur le bureau du professeur et lui rendis son signe de tête en sortant. C'était mon dernier examen du second semestre, et je savais que j'avais assuré. Bien évidemment, Becca n'y était pas pour rien. Elle m'avait aidé pour mes révisions, elle était pour quelque chose dans chaque domaine de ma vie. Elle était encore en train de passer son dernier examen. Je le savais parce que c'était le genre d'élève à finir avant tous les autres, mais à reprendre ensuite toutes ses réponses une par une avant de rendre sa copie. Je n'avais jamais eu ce genre de patience. Je répondais à la dernière question et je rendais cette merde, tandis qu'elle était en général la dernière à sortir de la salle d'examen. Je passai dans ma chambre pour déposer mon sac à dos et prendre le sac de voyage que j'avais déjà préparé, puis rejoignis mon camion. J'étais garé sur le parking le plus proche de la dernière salle d'examen de Becca, mon iPhone était branché sur l'autoradio d'occasion qu'elle m'avait offert à

Noël. *Ten Cent Pistol,* des Black Keys, démarra, et je bougeai en rythme. Suivit l'une des chansons de Becca, *The Blower's Daugther,* de Damien Rice. Je n'aimais pas vraiment sa musique folk acoustique branchée, mais il fallait reconnaître qu'il y avait quelques chansons pas mal. J'aimais notamment la plupart de celles de Damien Rice, celle-là en particulier, surtout quand Becca la chantait. Elle avait tendance à s'y perdre, les yeux fermés, et les mots étaient si doux quand elle les chantait de sa voix adorable. Elle prétendait ne pas être douée en chant et ne chantait jamais intentionnellement devant moi. Mais il m'était déjà arrivé de mettre des chansons qu'elle aimait pour l'écouter malgré elle.

Je la vis arriver, elle portait un de mes vieux sweats à capuche avec un col en V qui laissait apparaître une bande de peau mate et un pantalon de yoga noir moulant. Ses cheveux étaient vaguement attachés derrière sa nuque. Elle m'excitait rien qu'à la regarder marcher, avec ce petit creux entre la courbe de ses cuisses. Elle ne m'avait pas encore vu, concentrée sur l'écran de son téléphone, probablement en train d'organiser des trucs avec Nell. Je sortis en vitesse mon appareil photo de son étui, l'allumai, zoomai sur elle et la pris sur le vif. J'eus le souffle coupé en voyant la photo que j'avais prise : son visage encadré par une boucle noire lâchée, un minuscule sourire, une pensée secrète qui devait la faire rire. Le soleil était derrière elle, à gauche du cadre, les rayons traversaient son corps, la baignaient dans la lueur dorée de fin d'après-midi. Mon sweat était grand pour elle, mais ses seins tendaient quand même le tissu gris, et la courbe de sa hanche ressortait à chacun de ses pas. La lumière de la photo donnait au tout un air délavé et je savais déjà quels filtres j'allais ajouter sur Photoshop pour lui donner un air encore plus passé.

Je rangeai l'appareil en la voyant s'approcher car, pour une raison stupide, elle détestait qu'on la prenne en photo. Le sachant, je respectais généralement son aversion, mais j'en prenais une en secret de temps en temps, tout simplement parce que je ne pouvais m'en empêcher. J'avais à vrai dire un album entier dans mon placard dédié à ces photos volées. Personne à part moi ne les avait jamais vues, et je n'avais pas l'intention que ça change. Surtout celle que j'avais prise d'elle à la sortie de la douche. C'était probablement ma photo préférée. Elle avait une serviette blanche qu'elle tenait contre sa poitrine et qui tombait, recouvrant à peine son corps. La courbe généreuse de son cul ressortait, elle était penchée en arrière, sa poitrine dressée, sa main libre rabattait ses cheveux vers l'arrière. Elle était appuyée sur une jambe, l'autre était légèrement pliée, un peu comme ces poses de statues de la période classique. Sa poitrine était découverte, elle avait le dos cambré et les yeux fermés. Je ne crois pas qu'elle ait jamais été plus belle qu'à cet instant.

Grimpant dans le camion, elle se pencha pour m'embrasser avant même de me dire bonjour.

– Comment s'est passé ton examen, bébé ? demandai-je.

Elle haussa les épaules.

– Bien, je crois. C'était mon cours d'anatomie. Je l'avais déjà suivi, mais les notes n'ont pas été transférées. Contente que ça soit fini. Et toi ?

– J'ai assuré, grâce à toi.

Elle posa son sac sur le sol à ses pieds et attacha sa ceinture.

– Nan, je t'ai juste aidé à réviser. Tu maîtrisais déjà ton sujet à fond.

Je fis marche arrière pour sortir, et naviguai du campus jusqu'à Ann Arbor, m'arrêtant devant sa résidence pour qu'elle puisse récupérer son sac de voyage et l'attacher à l'arrière du camion avec le mien.

– Pourquoi est-ce qu'on prend toujours mon camion, alors que ta voiture est bien plus classe que ce vieux tas de ferraille ? demandai-je sans raison.

Becca se contenta de hausser les épaules.

– L'habitude, je suppose. J'adore ton camion. J'y ai tellement de souvenirs qu'il est probable que je pleure pour de vrai le jour où tu finiras par t'en séparer.

– Là-dessus, je te rejoins. La première fois que j'ai eu la chance d'apercevoir une partie de ton corps, c'était dans ce camion.

Elle rit bruyamment.

– Tu ne penses donc qu'à ça ?

– Tu sais que tu es au moins aussi coupable que moi dans ce domaine, Beck, n'essaie même pas de prétendre le contraire. (J'entrelaçai mes doigts aux siens et serrai sa main.) À quels souvenirs faisais-tu référence, alors ?

Elle ne répondit pas tout de suite.

– Et merde, tu as raison. (Elle me lança un sourire ironique.) Je pensais à la fois où on s'est embrassés près de l'arbre. Mais aussi à toutes les conversations qu'on a eues dans ce camion. C'est ici qu'on a pris toutes les plus grandes décisions de notre vie.

Elle me regarda du coin de l'œil, et je sus qu'elle allait me dire quelque chose de coquin.

– Quoi d'autre ? dis-je, pour la provoquer.

Ses yeux se posèrent sur ma braguette, puis remontèrent vers moi.

– Je pensais au bal d'hiver, quand on était en seconde. La fois où on avait fricoté, et où tu avais fini par jouir dans un débardeur.

Je me rassis contre le dossier et me mis à rire à ce souvenir.

– Tu étais si belle dans cette robe, Becca. J'ai eu littéralement une érection pendant toute la soirée.

– Qu'as-tu fait du T-shirt, après ?

Je souris, un peu honteux.

– Je me suis arrêté dans un Mc Donald's et je l'ai balancé.

Elle gloussa.

– Je m'étais posé la question, vu qu'on a jamais revu ce T-shirt.

On bavarda de tout et de rien jusqu'à ce qu'on prenne l'autoroute qui menait vers la ville de notre enfance.

– Est-ce qu'on a quelque chose de prévu ? demandai-je.

Elle haussa les épaules.

– Nell fait à nouveau des siennes. Je veux la voir, mais elle… on va dire qu'elle n'est pas très coopérative. On déjeune avec Ben et Kate demain.

– Kate ?

– Sa petite amie.

J'acquiesçai.

– Pourquoi tu dis que Nell n'est pas très coopérative ?

Becca répondit sur ton assez calme. Mais elle parlait la tête tournée vers la fenêtre, très lentement, prononçant ses mots avec soin, un signe assez clair que quelque chose la touchait.

– Elle n'a simplement pas l'air de vouloir qu'on se voie. Chaque fois que je lui envoie un texto, elle est « occupée ». La dernière fois que je l'ai vue, elle était ivre, aucun doute.

– Quand ça ?

– Pendant les vacances. Tu étais au gymnase et je lui avais dit de passer chez mes parents. Elle était tellement saoule, Jason, elle puait tellement le whisky que ça me donnait envie de vomir. Et elle avait recommencé à se g-g-gratter les poignets.

– Est-ce qu'elle conduisait ?

Becca secoua la tête.

– Non, sa mère l'avait déposée.

– Sa mère n'avait rien remarqué ?

Becca avait la main posée sur la bouche.

– Je suppose que n-non.

Les bégaiements étaient annonciateurs des larmes, j'en étais à peu près sûr. Je m'arrêtai sur le parking d'une discothèque – l'endroit était fermé, car il était 15 heures.

– Je ne sais pas comment elle n'a pas pu s'en apercevoir, en revanche. Moi je l'ai, genre, senti sur elle dès qu'elle est entrée dans ma chambre. Je ne sais pas ce que font ses parents, Jason. Elle va de pire en pire, chaque fois que je la vois. C'est comme si elle disparaissait peu à peu, ou quelque chose comme ça. Elle se mure de plus en plus à l'intérieur d'elle-même, et, putain, ses parents ne font rien pour l'en empêcher! J'adore les Hawthorne, vraiment, tu le sais. Ils ont toujours été là pour moi quand j'étais en colère contre les miens. Mais Nell a besoin d'eux en ce moment, et ils… ils se cachent la tête dans le sable. Et je suis juste… je ne sais pas quoi faire.

Je défis ma ceinture et glissai sur la banquette pour la prendre dans mes bras.

– Je ne sais pas non plus, Beck. C'est leur fille, donc on s'imagine qu'ils peuvent faire quelque chose. Mais… elle a dix-huit ans, tu sais? Qu'est-ce qu'ils peuvent faire? La punir? Lui prendre sa voiture? D'après ce que tu me dis, elle vit à peine chez eux. Si elle refuse de voir un psy, comment peuvent-ils la forcer?

Becca acquiesça en reniflant.

– Je sais, je sais. Je veux dire, à moins qu'elle ne fasse quelque chose d'extrême, comme tenter de se suicider, ils ne peuvent pas vraiment l'interner de force ou un truc comme ça, et je ne suis pas sûre que ça ne lui fasse pas plus de mal que de bien, de toute façon. (Elle s'efforçait vraiment de garder son calme, et ça me faisait mal de la voir souffrir.) C'est ma plus vieille amie, Jason. Je l'aime et je suis vraiment inquiète pour elle. Les égratignures sur son bras me font vraiment peur.

– Tu crois qu'il s'agit de quoi?

Elle pleurait doucement et je la serrais contre moi. Elle finit par se redresser, et renifla en s'essuyant du doigt sous les yeux.

– Je ne sais pas. On pense tout de suite à la drogue, mais elle n'est pas nerveuse ni d'humeur changeante, ou quelque chose comme ça. J'ai vécu ça avec Ben, donc je sais reconnaître les indices. Elle n'est pas non plus maigre à faire peur, comme Ben a pu l'être à une période. Je n'ai aucune idée de ce que c'est, mais ça me fait peur.

– On pourrait peut-être creuser cette affaire pendant les vacances, suggérai-je.

– Peut-être, je l'espère. (Becca prit une grande inspiration, puis souffla.) OK, je vais mieux. Tu vas loger où cet été, alors ?

J'avais passé les vacances de Noël chez elle, dormant dans le sous-sol sur le canapé convertible le moins confortable de l'univers. Je n'avais pas vraiment envie de renouveler l'expérience.

– Je ne sais pas, dis-je. Je peux peut-être me trouver un petit boulot pour l'été et prendre une location saisonnière.

Becca leva les yeux vers moi.

– Je ne sais pas ce que tu en penses, mais Ben et sa petite amie, Kate, ont un appartement. Je sais qu'ils ont deux chambres mais qu'ils n'en utilisent qu'une. Une des amies de Kate vivait avec eux, mais elle a déménagé. Si tu trouves un boulot, ils accepteraient sûrement que tu habites avec eux si tu peux participer au loyer. Ce qui est sûr, c'est que ce sera toujours mieux que le sous-sol de mes parents.

Ses parents s'étaient pas mal détendus à mon sujet, puisqu'ils avaient été forcés de constater que j'étais un homme responsable et que j'étais vraiment amoureux de leur fille. Le fait que son père soit un grand supporter de l'équipe de l'UM et que je puisse lui avoir des billets à prix réduits pour les matchs à domicile avait également aidé. Je n'avais toujours pas leur entière bénédiction. De façon générale, ils n'approuvaient pas le fait qu'elle ait un petit ami, je crois, mais ils avaient été assez intelligents pour comprendre qu'ils ne pourraient pas nous empêcher d'être ensemble et que cela n'aurait servi qu'à éloigner Becca encore plus. Ils me laissaient loger chez eux chaque fois qu'on venait pour le week-end ou les vacances, mais je devais dormir au sous-sol, deux étages au-dessous d'elle. Je crois qu'ils savaient que ma vie de famille n'était pas vraiment rose. J'avais fini par leur expliquer durant les dernières vacances de Noël que je ne remettrais jamais les pieds chez mes parents, à cause de « différends avec mon père ». Je n'en avais pas dit plus et j'étais à peu près sûr que M. de Rosa avait su lire entre les lignes.

Je réfléchis à l'idée de vivre chez Ben et Kate pendant l'été. Cela avait certains avantages. Becca pourrait me rendre visite et on serait libres, dans une certaine mesure, de faire ce qu'on voulait, alors que les opportunités étaient maigres, pour ne pas dire nulles, chez ses parents. Je ne connaissais pas vraiment Ben, mais il avait l'air d'être un type bien. Je savais qu'il était gravement bipolaire et que c'était un ancien toxicomane, mais il était clean depuis un an et travaillait depuis presque deux années au même endroit, ça allait donc plutôt mieux.

– Si Ben et Kate veulent bien que je vive avec eux, ce serait avec plaisir. Ça éviterait bien des douleurs à mon dos.

Becca sourit avec ironie.

– Tu sais très bien que tu veux juste pouvoir coucher avec moi sans avoir à stresser à propos de mes parents.

J'acquiesçai avec sérieux.

– Absolument. C'est ma plus grande priorité. Je suis complètement accro à toi, Becca. Si je n'ai pas ma dose régulière de ton corps, il est possible que je fasse une crise de manque.

Elle ne flancha pas d'un cil.

– C'est une maladie extrêmement grave. Peut-être devrions-nous vous sevrer de cette addiction.

Je secouai la tête.

– Oh ! non. Je suis un addict heureux. Je n'ai que très peu de vices, vous savez. Je ne bois pas vraiment, je ne fume pas, je ne fais pas particulièrement la fête ni rien de tout ça. Mais vous ? Je suis vraiment accro à vous. Je n'arrêterais pour rien au monde.

Becca acquiesça en se caressant le menton comme si elle réfléchissait.

– Très bien, dans ce cas, il vaut mieux nous assurer que vous ayez votre dose, monsieur Dorsey. Je ne voudrais pas que vous nous fassiez une crise de manque.

Je traçai une ligne le long de sa cuisse, dont la chair souple s'enfonçait sous ma caresse.

– Non, nous ne voudrions pas que ça arrive, en effet. Ce serait très mauvais.

Elle se tourna légèrement sur son siège.

– Quels sont les symptômes du manque ? Juste pour que je sache sur quoi me concentrer ?

J'ouvris la main, paume vers le haut, et suivis la couture de son pantalon de yoga le long de son entrejambe. Il était si moulant que je pouvais sentir les lèvres de son intimité à travers le coton fin. Je trouvai le point que je cherchais et le massai à travers le tissu. Elle fut au bord de la suffocation.

– Eh bien, dis-je. J'ai tendance à devenir irascible pour commencer. Puis je suis vraiment excité et j'ai du mal à me concentrer.

Elle écarta légèrement les cuisses, les yeux baissés et le dos contre la portière.

– Je vois. Et quelle est la meilleure façon de vous administrer votre dose ?

– Je ne suis pas difficile.

– Donc, si vous me touchiez ici, dans ce parking, cela vous aiderait ?

Je balançai la tête d'avant en arrière, ce genre de mouvement qui signifie à la fois « oui et non ».

– Eh bien, cela m'aiderait, mais ponctuellement. Cela fait quoi, trois jours que je ne t'ai pas fait l'amour ? Nous étions si occupés à étudier que nous n'avons simplement pas eu le temps. Mais maintenant que je suis enfin tranquille avec toi, il est possible que j'aie besoin de plus.

– Mais ce serait un début, n'est-ce pas ? (Elle prit ma main, se retourna sur la banquette pour venir blottir son dos contre mon torse. Puis elle fit glisser ma paume le long de son ventre, sous l'élastique de son pantalon de yoga.) Et si je promets de te rendre la pareille de la façon que tu veux tout à l'heure ?

– De la façon que je veux ?

Elle poussa ma main encore plus près de son sexe, et je lui fis justice en glissant un doigt en elle.

– Oui, oui. Tout ce que tu veux. Tu n'as qu'à demander.

Je pris une inspiration, elle mouillait déjà.

– Mon Dieu, Beck. Tu es déjà toute prête pour moi, n'est-ce pas ?

Elle se lécha les lèvres et cambra le dos quand je fis pénétrer deux doigts en elle. Je trouvai son point sensible et utilisai le flanc de mon pouce pour masser son clito, d'une façon un peu étrange mais efficace.

– Oui, je le suis. J'ai pensé à ça toute la matinée. Je ne pouvais pas me concentrer sur mon dernier examen, parce que je n'arrêtais pas de penser à ce truc que tu m'as fait avec ta langue mercredi.

– Tu as aimé ça, n'est-ce pas ?

Étrangement, depuis deux ans que nous étions ensemble, nous ne nous étions que récemment aventurés sur le terrain des préliminaires buccaux. J'étais un peu mal à l'aise la première fois que je lui avais fait un cunni, mais j'avais fini par piger le truc, et j'avais réussi à la faire crier si fort que mon voisin du dessus avait tapé sur le mur pour nous faire taire. Becca était mortifiée, mais moi j'étais fier d'avoir provoqué ce genre de réaction chez elle.

Ouais, mon bébé faisait partie de la catégorie des crieuses. J'adorais ça. Ça ne lui ressemblait tellement pas, c'était tellement loin de ce qu'elle était le reste du temps. En général, elle était calme, réservée et introvertie, mais dès que je la déshabillais et que je lançai la machine, elle perdait toute inhibition. En matière d'orgasmes, elle avait la gâchette sensible et il ne semblait y avoir aucune limite au nombre de fois où elle pouvait jouir, si tant est que j'avais l'énergie, le contrôle et la patience de ne me concentrer que sur elle. On ne s'en serait jamais douté, mais ma petite amie réservée, hyperintelligente, brillante et respectueuse des règles, était une maîtresse affamée et insatiable. Il arrivait même que je n'arrive pas à suivre le rythme.

Il y avait pire comme problème dans la vie.

Nous étions là, dans un parking public, à 5 heures de l'après-midi, et elle se tortillait, avide, tandis que je la doigtais doucement jusqu'à l'orgasme. En quelques minutes, mes doigts furent recouverts de son jus chaud et épais. Elle était hors d'haleine, s'agrippait à mes bras et remuait les hanches au rythme de mes caresses.

Elle se mordit les lèvres pour s'empêcher de crier, mais je savais qu'elle ne tiendrait pas longtemps. Des boucles s'échappaient de sa queue-de-cheval, des gouttes de sueur perlaient sur son front. Je glissai la main le long de sa nuque, de sa clavicule et sous son sweat. Je passai les doigts dans son soutien-gorge pour libérer son sein du bonnet et me mis à titiller son téton jusqu'à ce qu'il soit dur comme un diamant. Elle se mit à hurler et je penchai son visage vers le mien pour avaler les cris de son orgasme.

Mon érection dure s'écrasait contre son dos, je savais qu'elle la sentait, mais elle fit comme si de rien n'était et reprit sa respiration.

– Mon Dieu, Jason, c'était intense.

Elle se redressa en recoiffant ses mèches ébouriffées derrière ses oreilles.

– Ouais, plutôt, dis-je pour confirmer. Il n'y a pas grand-chose au monde que j'aime plus que de te voir jouir. Tu le sais, ça ?

Elle pencha la tête en avant, jeta un œil au parking vide pour vérifier – un peu tard – si quelqu'un pouvait nous voir.

– J'avais compris. On pourrait pourtant penser que tu sois lassé, depuis le temps.

Je secouai la tête.

– Non, jamais. Je ne pourrai jamais me lasser. C'est incroyablement sexy à chaque fois, et ça m'excite vraiment.

Elle se retourna sur le siège, ses yeux avaient quelque chose de coquin.

– Ah oui ? À cette minute, tu es donc excité, n'est-ce pas ?

– Oh oui. (J'ajustai mon sexe dans mon pantalon.) Ça me fait presque mal, tellement j'ai envie de toi.

– Eh bien, que dirais-tu de conduire pendant que je te rends la pareille ?

Je n'étais pas sûr de savoir ce qu'elle avait exactement en tête, mais j'avais bien ma petite idée. Je démarrai le camion et rejoignis la route, puis je quittai l'autoroute pour prendre un chemin poussiéreux qui conduisait à un grand virage. Comme je le soupçonnais, Becca défit ma ceinture, déboutonna mon jean et le baissa sur mes genoux. Elle fit de même avec mon boxer. Je soulevai le bassin pour l'aider. Puis ses mains entourèrent mon sexe, et je dus agripper le volant à deux mains et ralentir à moins de quarante kilomètres à l'heure pour continuer à rouler droit. Elle me caressa doucement, me regarda devenir encore plus dur sous ses doigts, puis passa un pouce sur mon gland, dont quelques gouttes de liquide blanc s'échappaient. Elle fit coulisser sa main serrée autour de mon membre, de haut en bas, changeant de main pour ajuster son rythme, ralentissant pour masser la base, puis serra mon gland dans sa main. Je me retrouvai vite à agiter mes hanches de façon incontrôlée, me demandant si elle allait me laisser jouir partout, ou si elle allait faire ce que je n'avais jamais osé lui demander.

– Mon Dieu… Bon sang, Becca. Je, je suis sur le point de…

Elle me sourit, plongea sa main refermée sur la base de mon sexe, puis recula sur la banquette et se pencha par-dessus.

– Alors, je suppose que je ferais mieux de trouver une solution, n'est-ce pas ?

– Oui, peut-être que tu… peut-être que tu devrais. (Je posai la main sur sa joue pour l'arrêter.) Mais seulement si tu en as envie.

Elle me lança un regard plein d'amour et enfouit son visage dans ma main.

– J'en ai envie. Je te le promets. Je ne le ferais pas, sinon.

Et puis elle posa sa bouche délicieuse autour de mon sexe et je me mis à gémir.

– Mon Dieu, c'est incroyable, murmurai-je.

Elle pompa la base de mon sexe avec une main et fit courir sa langue sur mon gland, puis me prit profondément dans sa bouche, se redressa et descendit à nouveau. J'avais la main emmêlée dans ses cheveux et je m'assurai que ce geste reste doux, sans pression, pour qu'elle sache que c'était elle qui gardait le contrôle de tout. Elle me goba plus profondément dans sa bouche à chaque mouvement, et il me fallut toute la force du monde pour me retenir, pour ne pas accompagner son mouvement avec mes hanches. Elle ralentit son rythme, garda seulement mon gland dans sa bouche et le suça avidement, tout en caressant la base. Je m'enfonçai dans le dossier du siège et agrippai désespérément le volant avec une force incroyable.

– Oh, mon Dieu, murmurai-je. Je… j'y suis… s'il te plaît, ne t'arrête pas. Je vais jouir… Oh, mon Dieu…

Je dus arrêter de conduire à ce moment-là.

Quand je lui dis que j'allais jouir, elle fit glisser ses lèvres le long de mon sexe et me prit plus loin que jamais dans sa bouche, si profondément que je pus sentir les muscles de sa gorge se contracter autour de moi. Je n'étais pas sûr de savoir comment elle ne s'étouffait pas. Puis je sentis mon soulagement arriver dans une explosion de chaleur et d'extase tremblante. Elle avala tout, et les muscles de sa gorge poursuivirent ce mouvement de déglutition, me donnant des spasmes encore plus intenses ; j'étais comme paralysé. Je jouis si fort qu'on aurait dit une explosion atomique, et c'était elle qui l'avait provoquée. Elle me suça et me caressa jusqu'à ce que toutes les trépidations et tous les frissons insoutenables s'évanouissent.

Se redressant, elle s'essuya la bouche du revers de la main en me souriant timidement. Je me penchai pour l'embrasser avec tant de vigueur que lorsqu'on se redressa deux minutes plus tard, nous étions tous les deux tremblants et hors d'haleine.

– Est-ce que ça veut dire que ça t'a plu ?

Je ne savais même pas comment lui répondre.

– Plu ? Mon Dieu, Becca, c'était… époustouflant. Plus qu'époustouflant. Je n'arrive à croire que tu aies fait ça.

– Je ne savais pas trop comment faire, j'espérais donc juste que ça le faisait pour toi.

Je ris à l'idée qu'elle puisse avoir des doutes sur le sujet.

– Bébé, c'était la meilleure chose du monde. Sérieusement. Merci.

– La meilleure chose du monde ? (Elle me regarda en fronçant les sourcils avec une moue adorable.) Mieux que de me faire l'amour ?

– Non, mon Dieu, non. Juste… différent. (Je caressai sa joue avec mon pouce.) Tout ce que tu fais est le meilleur du monde. Tout ce que je fais avec toi. Est-ce que ça t'a gênée de faire ça ? Est-ce que tu t'es… tu sais… genre, étouffée ?

Elle pencha la tête, embarrassée.

– Un peu. Pas suffisamment pour que cela me dérange. J'ai aimé à quel point ça avait l'air de te plaire. (Elle rattacha sa ceinture et je me remis à conduire.) Peut-être que je le referai la prochaine fois que j'aurai mes règles et qu'on ne pourra pas faire l'amour.

– Ça serait génial, mais c'est vraiment comme tu veux.

– Comment ça ?

Je haussai les épaules.

– Je crois que je me sentirais un peu mal à l'aise de te demander un truc pareil.

Elle pencha la tête sur le côté et me sourit.

– Pourquoi ? Si ça ne me gêne pas de le faire et que j'aime te faire plaisir, pourquoi devrais-tu te sentir gêné ? Si je n'en ai pas envie, je dirai simplement non, c'est tout. Je n'ai aucun remords quand je te demande de me faire un cunni, crois-moi. Si tu veux que je te prenne dans ma bouche, demande-le tout simplement. J'aime ça. Promis.

Je la fixai.

– Comment peux-tu être aussi géniale ? Sérieusement. Je suis à peu près sûr qu'aucun mec n'a jamais été aussi chanceux que moi.

– C'est moi qui suis chanceuse, dit-elle d'une toute petite voix.

Je secouai la tête, mais s'il y avait une chose que j'avais apprise avec le temps, c'est qu'il ne fallait pas débattre avec elle.

Pour une raison ou une autre, j'avais cette chanson de Beyoncé dans la tête : *If you liked it, then you should have put a ring on it*[1]. Je savais que nous n'étions pas encore prêts pour ça, mais la graine était plantée. Je savais que j'étais l'homme le plus verni de l'espèce humaine. Il n'y avait pas deux femmes comme Becca de Rosa au monde, et il était hors de question que je la laisse m'échapper. Mais il ne s'agissait pas seulement de son avidité et de son appétit sexuel. Il s'agissait de son amour, de son soutien et de ses encouragements permanents. Elle me prenait dans sa bouche quand j'avais besoin de m'oublier, et elle refusait de me laisser abandonner quoi que ce soit. Mon seul but dans la vie était d'être un type suffisamment bien pour elle, digne de sa génialité.

Becca

Jason s'installa chez mon frère, ce qui fut un peu étrange, mais très pratique. Mes parents avaient très bien compris pourquoi Jason ne voulait pas dormir dans leur sous-sol, mais ils ne pouvaient pas y faire grand-chose. J'avais l'intention d'être prudente à ce sujet cependant, car ils contribuaient toujours à mes dépenses au quotidien et qu'ils payaient les frais de ma voiture. J'aurais pu me passer de ces choses-là si besoin était,

1. Extraites de la chanson *Single Ladies*, de Beyoncé, ces paroles signifient : « Si elle te plaisait, il fallait lui passer la bague au doigt. »

mais c'était quand même super de les avoir. Je ne voulais pas nuire à ma relation encore fragile avec eux. Je savais donc que je devais y aller mollo quand il s'agissait d'étaler sous leur nez mes relations intimes avec Jason. Les choses s'étaient améliorées dernièrement, en partie parce que Ben allait beaucoup mieux. Kate semblait vraiment lui faire beaucoup de bien. Ils appréciaient Jason, dans la mesure où ils pouvaient apprécier quelqu'un. Je ne crois pas qu'ils étaient capables d'être simplement heureux pour moi, mais au moins ils ne condamnaient pas ouvertement notre relation et n'essayaient pas de nous séparer. Ils pensaient toujours que j'aurais mieux fait de me concentrer sur mes études plutôt que de « fricoter avec un garçon », comme mon père l'avait dit un jour, ce qui lui avait valu un lancer de ballon de ma part, et à moi un de ses regards noirs. Je savais que mes parents voulaient ce qu'il y avait de mieux pour moi. Mais ils semblaient ne pas comprendre que ce qu'ils voulaient n'était pas forcément ce que *je* voulais.

Jason fréquentait le club de gym du coin. C'était le premier endroit où il s'était rendu après avoir déposé son sac de voyage à la maison. Il y avait aussitôt trouvé un boulot de coach qui lui permettrait de passer l'été à s'entraîner dans la salle de sports tout en gagnant de l'argent. Comme la salle était située à seulement trois kilomètres de l'appartement de Ben, Jason avait décidé qu'il irait à pied ou à vélo, ce qui voulait dire que je pouvais disposer de son camion. Je savais que ça signifiait beaucoup, pour lui, de me laisser conduire son véhicule. Ce n'était pas grand-chose, un vieux tas de ferraille, mais c'était la seule chose qu'il possédât avec son appareil photo.

Je me garai dans l'allée des Hawthorne et restai assise pendant une minute, espérant que cette fois-ci Nell serait plus contente de me voir que d'habitude. Quand on s'était vues pendant les vacances de Noël, elle était restée silencieuse et effacée. Elle était même devenue agressive quand j'avais essayé de lui parler de la mort de Kyle et de sa façon de la gérer.

Je crois qu'elle n'avait pas compris ce que j'avais voulu lui dire. Le simple ton de ma voix avait déclenché chez elle un réflexe de fuite. Ça avait marché, je ne l'avais pas revue depuis. Je suivais six cours différents au second semestre, et j'avais à peine eu le temps de profiter de Jason, encore moins de conduire jusqu'ici pour voir Nell.

Je me sentais coupable de n'avoir pas fait d'effort, mais je savais également que tout cela n'aurait pas changé grand-chose.

Je frappai à la vitre des épaisses portes en bois.

Mme Hawthorne ouvrit aussitôt. Elle portait un tablier noir et blanc à motifs cachmire, couvert de farine, et la cuisine sentait bon les cookies d'avoine aux raisins secs.

– Bonjour Becca ! Tu es de retour pour l'été ?

Elle m'accueillit en me serrant contre elle, écartant l'autre bras comme s'il était toujours recouvert de pâte.

Je lui rendis son étreinte en humant l'odeur délicieuse des cookies.

– Oui, Jason et moi venons d'arriver. Ça sent délicieusement bon, ici.

Mme Hawthorne me sourit chaleureusement.

– Merci. Je prépare un peu de pâtisserie. J'en ai une fournée qui refroidit sur le comptoir. Tu en veux ?

– Quelle question ! (J'attrapai un des énormes cookies, tendres et parfaits, posés sur le marbre du comptoir, et y mordis à pleines dents.) Oh ! mon Dieu, madame Hawthorne, vous faites les meilleurs cookies du monde.

Elle agita la main vers moi.

– Les cookies d'avoine aux raisins secs sont ma petite faiblesse. (Elle en prit un, elle aussi, puis le brandit vers moi.) Et tu sais, Becca, tu es une adulte désormais, donc tu peux tout à fait m'appeler Rachel.

Je lui souris, la bouche pleine.

– J'essaierai, mais c'est un peu ancré au fond de moi de vous appeler madame Hawthorne.

– Eh bien, tu apprendras, dit-elle. Alors, comment va Jason ?

– Très bien. Il sera le receveur titulaire de l'équipe à la rentrée. (Je décidai de creuser un petit peu.) Jason et moi, on voit tous les deux le thérapeute de l'école : l'université a un département de soutien psychologique. Vous savez, à propos de ce qui est arrivé à Kyle.

Son sourire s'effaça et laissa place à un regard hanté.

– Je suis ravie de l'entendre. On s'inquiète pour vous tous.

– J'ai dû beaucoup insister pour que Jason vienne avec moi, admis-je. Mais il y va une fois par mois, désormais. Il dit que ça l'aide.

– Pour ça, et pour d'autres choses, je suis sûre, dit-elle.

J'acquiesçai.

– Ça l'aide à gérer… les effets de son éducation, dis-je pour rester vague, en sachant que Rachel – c'était bizarre de l'appeler comme ça, de la considérer autrement que comme la mère de mon amie – connaissait un peu l'histoire de Jason, mais pas en détail. En général, il restait très fermé à ce sujet, je n'étais donc pas sûre de ce qu'il lui avait dit.

– Il a eu une enfance très dure, ça, je le sais, dit-elle. Il ne nous en a jamais parlé, et certainement pas à moi. Mais bon, c'est une petite ville et on entend des choses. Et j'ai vu des choses de mes yeux. Je suis contente de savoir qu'il se fait aider.

– Moi aussi.

Si Jason ne le lui avait pas dit explicitement, ce n'était certainement pas à moi de le faire.

– Et Nell ? Est-ce qu'elle… Comment va-t-elle ?

Rachel me tourna le dos, elle grignotait des petits morceaux de cookie en regardant à travers la porte vitrée donnant sur la terrasse.

– Je n'arrive pas à l'atteindre, Becca. J'ai essayé. Son père a essayé. Elle refuse de nous parler. Dans ces cas-là, elle se replie sur elle-même et se contente de s'en aller. Elle est déjà suffisamment bouleversée comme ça, et on ne veut pas empirer les choses en forçant la confrontation. Je crois qu'elle ne va vraiment pas bien, mais on ne sait pas comment l'aider. Elle ne laisse approcher personne. (Elle me jeta un coup d'œil plein d'espoir.) Est-ce qu'elle t'a dit quoi que ce soit?

Je secouai la tête.

– Non. Elle ne me laisse pas l'approcher non plus.

– Elle boit, dit Rachel. (Elle avait presque craché ces mots.) Je sais qu'elle boit, je le sens sur elle. Mais je ne l'ai jamais surprise avec de l'alcool et je n'en ai jamais trouvé dans sa chambre. Je ne suis pas sûre de savoir comment elle se le procure, quand et où elle boit. Mais qu'est-ce que je peux bien faire? Elle nie et se met en colère chaque fois que je lui pose la question. Elle travaille avec son père et elle est toujours à l'heure, elle est même plutôt efficace…

– J'ai senti son haleine chargée d'alcool quand je suis descendue à Noël. (Je disais toujours que je «descendais» à la maison, même si je savais concrètement qu'Ann Harbor n'était pas vraiment au nord.) Je me demandais si vous étiez au courant.

– Je le suis. (Elle me regarda et je remarquai une expression particulière sur son visage, quelque chose de désespéré, de suppliant, presque.) Ne crois pas que nous soyons dans le déni, Becca. Ce n'est pas le cas. Nous savons qu'elle ne va pas bien. Mais je ne sais pas ce que nous pouvons faire. Comment peux-tu obliger une enfant majeure aux yeux de la loi à voir un psychologue? Elle peut s'enfuir à la fac quand elle veut. Elle a été prise dans plusieurs universités, et les offres valent toujours, tu sais. Si on la pousse, elle s'enfuira sans doute, et on ne sera plus là pour l'aider si quelque chose tourne mal. Au moins, de cette façon, on est là, tu comprends? S'il arrive quelque chose, nous sommes juste à côté. Si elle allait en Californie ou à New York, on serait à des milliers de kilomètres en cas de besoin. (Rachel se leva et me prit doucement dans ses bras.) Si elle laisse qui que ce soit la percer à jour, ce sera toi, Becca. Mais il faut d'abord, et avant tout, que tu prennes soin de toi.

J'acquiesçai.

– J'essaierai. J'ai déjà essayé. La mort de Kyle a été difficile pour Jason et moi. Surtout pour Jason. Il a été déprimé pendant des semaines. Les seules choses qui semblaient l'aider, c'était le foot et… hum, moi. (Je rougis, embarrassée de faire référence au sexe devant la mère de Nell.) Quand j'ai obtenu de lui qu'il m'accompagne voir le Dr Malmstein, il a commencé à aller mieux. Il a pu gérer son deuil, et moi aussi. Ce qui a été le plus dur, dans la mort de Kyle, ç'a été de voir Nell s'effondrer petit à petit. Elle n'est plus elle-même. Ce n'est plus ma meilleure amie. Elle s'est juste… envolée.

Rachel renifla et cligna des yeux. Elle se retourna pour ouvrir le four et, avec une manique, en sortit une plaque de cookies.

– Je sais, crois-moi, je sais. Kyle nous manque à tous. Il avait un avenir si prometteur. Il était si jeune – trop pour mourir de façon aussi tragique. Il était tout pour Nell. Et je crois que maintenant elle se sent complètement perdue.

Je me levai du tabouret sur lequel je m'étais assise face au comptoir.

– Elle est là ? J'aimerais la voir.

Rachel acquiesça.

– Oui, elle est dans sa chambre.

Je grimpai les escaliers du fond. La porte était fermée, mais j'entendais la musique s'échapper de sa chambre. Je tournai la poignée, elle n'était pas verrouillée, et ouvris.

Ce que je vis me glaça sur place.

Nell était assise sur son lit en tailleur. Elle portait un T-shirt à manches longues, dont une était retroussée au-dessus du coude. Elle avait une lame de rasoir dans la main et je la surpris en train de l'appuyer sur l'intérieur de son poignet. Je me tins debout, paralysée de terreur, les yeux rivés sur la ligne blanche qu'elle venait de graver dans sa peau et que le sang pourpre commençait à inonder.

12

La ligne rouge

Becca

Une larme coula malgré moi le long de ma joue. J'étais incapable de bouger, de respirer.

– Nell ? Qu'est-ce… Qu-qu'est-ce que tu fais ?

Elle sauta sur ses pieds en appuyant une feuille de Sopalin sur son poignet. Elle me contourna comme une furie, claqua la porte derrière moi, la verrouilla et vint se rasseoir sur le lit. Sans me regarder, elle maintenait le papier absorbant sur la coupure ensanglantée.

Je m'assis à côté d'elle sur le lit. Elle avait une trousse à pharmacie. Une boîte de tampons vide qui contenait des lames de rasoir, des lingettes antiseptiques et des pansements. Elle m'arracha la boîte des mains et déchira un emballage de lingette à l'aide du rasoir. Elle la plia et nettoya son bras, puis plaça le pansement à l'endroit où elle s'était tailladée. Elle ne m'avait ni regardée ni parlé. Elle jeta la lingette, le sachet vide et l'emballage du pansement dans un sac en plastique de supermarché qu'elle gardait sous son lit. Il était plein du même genre de déchets. Elle noua les anses et le fourra dans son sac à main, déterminée, de toute évidence, à le jeter plus tard là où personne ne pourrait le remarquer.

– Nell ?

Elle soupira.

– Quoi, Becca ?

– Qu'est-ce… Qu'est-ce que c'est que ça ? Qu'est-ce que tu fais ?

– Tu es une fille intelligente, Beck. Tu n'as qu'à deviner.

Elle se leva, attrapa l'iPhone qui était sur son bureau et le brancha aux enceintes. On entendit *Longing To Belong,* d'Eddie Vedder. Le mélange étonnamment sublime de la voix d'Eddie Vedder et de l'ukulélé remplit la pièce.

Je ne dis rien pendant quelques secondes, j'écoutais la chanson, luttant contre ma colère et mes larmes.

– On dirait que tu te coupes.

– Bingo.

Nell s'assit à son bureau et feuilleta les pages de ce qui semblait être un énorme manuel de cours de guitare.

– Pourquoi ?

Elle me regarda, incrédule.

– Pourquoi ? T'es sérieuse ? Bon sang, pourquoi, d'après toi ?

– Je ne sais pas, Nell ! (Je dus faire un effort pour ne pas crier.) Je n'ai pas la moindre idée de ce qui peut pousser quelqu'un à se couper jusqu'au sang avec une lame de rasoir.

Elle soupira, exaspérée, et secoua la tête.

– Tu ne peux pas comprendre.

– Essaie de m'expliquer, dans ce cas-là.

– Ça aide, d'accord ? (Elle referma violemment le livre et appuya sur une touche de son iPod pour passer à la chanson suivante, *City,* de Sarah Bareilles.) Je ne m'attends pas que tu comprennes. Je veux seulement ne plus souffrir. J'en ai marre d'avoir mal, et ça… Elle brandit son bras gauche, la manche désormais baissée. Ça m'aide à ressentir autre chose que le fait qu'il me manque.

Je reniflai, je savais que me mettre à pleurer ne ferait que l'énerver encore plus.

– Mais… n'y a-t-il pas… n'y a-t-il pas d'autre moyen ? Ce n'est pas sain, Nell. Tu le s-s-s-sais. Il faut que tu arrêtes. S'il te plaît.

Elle secoua la tête.

– Écoute, Beck, c'est ma vie, je la gère comme je veux. Tu n'as pas vu ce que j'ai vu. Tu n'as pas perdu… Écoute, je sais que c'était ton ami aussi. Mais c'était l'homme que j'aimais, et il s'en est allé. Ça fait tellement mal, chaque jour, et tu ne peux pas… tu ne comprends pas. Personne ne comprend. Je n'essaie pas de me tuer. Je te le promets. Je finirai par arrêter un jour.

– Comment rester assise à côté de toi et te laisser t'infliger ça ?

Elle tira sur le fil d'un trou de son jean.

– Tu n'as pas le choix.

Elle leva les yeux vers moi, pleins de provocation.

– Qu'est-ce que tu vas faire ? Le dire à mes parents ?

– Si j'y suis obligée. Tu ne peux pas continuer à faire ça. C'est, c'est mal.

– Ah, ben je me sens tout de suite beaucoup mieux, Beck. Merci, dit-elle sur un ton sec et en colère. Si tu le dis à mes parents, je te jure que je ne t'adresserai plus jamais la parole. Je suis sérieuse, putain. Ils ne comprendraient pas plus que toi, de toute évidence. Personne ne peut m'aider. Il n'y a aucun risque que je me tue, je ne suis pas suicidaire. Ça n'a rien à voir. Alors, si tu es mon amie… contente-toi de la boucler.

Je ne pus m'empêcher de pleurer.

– Ce n'est pas juste, Nell. Tu sais que je suis ton amie. Tu sais que je t'aime, je suis… J'ai peur, tout ça est très confus.

– Je sais, OK ? Je sais. (Elle vint s'asseoir à côté de moi et passa un bras autour de moi, comme pour me réconforter.) Je suis désolée. Je sais bien que tout ça te fait de la peine. Mais c'est à moi de gérer. J'ai tellement mal, Beck, tu ne peux pas imaginer. J'espère que tu ne connaîtras jamais ça. Et les coupures… ça me permet de penser à autre chose, l'espace d'un instant.

Elle enleva son bras, appuya son pouce à l'endroit où elle s'était coupée. Elle pâlit de douleur, mais d'une certaine façon elle avait l'air plus apaisée émotionnellement.

– Je te promets, Becca, je vais arrêter. Mais… ne dis rien à personne pour l'instant, d'accord ? Je vais gérer ça moi-même.

J'acquiesçai en reniflant pour empêcher mes larmes de couler.

– Promis, pour l'instant. (Tout mon corps frissonna.) Je me déteste de faire ça, je sens bien que c'est mal. Tu as besoin de l'aide d'un professionnel.

Nell me serra dans ses bras.

– Je ne veux pas qu'on m'aide. Personne ne pourra le ramener et personne ne pourra atténuer ma souffrance.

– Jason et moi, on voit tous les deux un psy. Ça réconforte.

– Je n'irai pas. Oublie.

On resta assises en silence jusqu'à ce que cela devienne un peu gênant.

– Je devrais y aller, dis-je.

– Faisons un truc ce week-end, d'accord ? Samedi ? répondit Nell.

J'acquiesçai.

– D'accord. On peut aller se faire faire une manucure, comme avant. (J'essayais de la regarder mais n'arrivais pas à voir autre chose que la lame s'enfonçant dans son poignet.) Je me sens coupable de t'avoir promis que je ne dirais rien à personne.

– Et pourtant, tu ne devrais pas. Ça va aller, OK ?

– Promets-moi juste une chose.

Elle me regarda avec hésitation.

– Ça dépend quoi.

– Quand tu as envie de te couper, appelle-moi ou envoie-moi un texto. Je suis ton amie. Je ne dirai rien si tu me promets qu'il n'y a rien d'autre, que tu n'es pas suicidaire…

– Je te jure que non, Becca. Je te l'ai déjà dit. Je ne veux pas mourir. J'ai juste besoin, de temps à autre, qu'il ne me manque pas autant, ne serait-ce que l'espace d'une seconde.

– D'accord, je te crois. Mais parle-moi de tout ça, OK? À n'importe quel moment, je me moque de l'heure qu'il est et de l'endroit où je suis. Je quitterai n'importe quel cours dans la seconde.

Nell hocha la tête.

– Promis.

J'acquiesçai, incapable de la croire, mais sans savoir quoi dire ou faire de plus. Je haussai les épaules évasivement quand Rachel me demanda comment cela s'était passé, puis quittai la maison. La vérité me brûlait les lèvres: Nell se coupe. Il aurait fallu prévenir quelqu'un. Et si, par accident, elle se coupait trop profondément et que quelque chose lui arrivait? Ne serait-ce pas ma faute, puisque j'avais gardé le secret? Ne serais-je pas une meilleure amie en lui trouvant de l'aide quand je savais qu'elle en avait besoin?

Mais Nell l'avait dit elle-même, elle n'accepterait aucun secours. Le dire reviendrait à la perdre pour toujours, et je la croyais quand elle affirmait ne pas être suicidaire. Je l'avais vue s'apaiser de façon sensible quand elle avait appuyé un pouce sur la plaie de son poignet, comme si la douleur l'avait rééquilibrée, comme si cela avait éloigné sa souffrance émotionnelle. Je ne comprenais pas, mais je l'avais vu fonctionner.

Je détestais les cachotteries. Je détestais être la gardienne de vérités obscures. J'avais protégé le secret de Jason pendant deux ans, alors que je savais qu'il souffrait quotidiennement. Je me réveillais la nuit, rongée par la culpabilité, me demandant si mon silence ne faisait pas qu'accentuer sa douleur. Je supportais désormais un autre fardeau. J'avais la nette impression d'avoir le sang de Nell sur les mains.

Assise dans le camion de Jason, j'écoutais *Dream*, de Priscilla Ahn, en me demandant si c'était ça que Nell ressentait, si elle avait envie de quitter cette vie, si elle se sentait vieille et triste[1]. Je roulai jusqu'à l'appartement de mon frère, m'allongeai sur le lit impeccable de Jason, et pleurai doucement. En m'endormant dans la lueur de l'après-midi, je vis la ligne rouge de son poignet devenir écarlate.

Quand je me réveillai, les mots bouillonnaient dans ma tête. On était en fin de journée et j'avais reçu un texto que Jason m'avait envoyé dix minutes auparavant pour me dire qu'il serait bientôt là. Je pris mon carnet dans mon sac à main et laissai mes pensées se déverser.

UNE LIGNE ROUGE
Tu avais l'air si coupable
Quand je suis entrée,
Tes yeux étaient hantés,
Tes mains tremblaient,
Et j'ai vu une ligne rouge fleurir sur ton poignet,
Une diabolique fleur écarlate.
Les écheveaux filants de la douleur qui coulait le long de ton bras,
Que tu as si facilement essuyée,
Recouverte,
Cachée
Avec des pansements, des mensonges et des manches longues,
Que tu as gommée par des mots de réconfort qui sonnaient faux,
Que ça t'aide
D'une certaine façon,
Comme si l'entaille qui creusait ta peau
Pouvait faire disparaître le mal.
Tu avais l'air si coupable
Quand je suis entrée,
Tu as sursauté tout en marquant ta peau,

---

1. La chanson de Priscilla Ahn dit : *Now I'm old and feeling grey/I don't know what's left to say/About this life I'm willing to leave.* Ce que l'on peut traduire par : « Maintenant que je suis vieille et que je me sens triste, je ne vois pas quoi dire de plus de cette vie que je suis prête à quitter. »

Et je me demande
Si mon silence acheté
Sera ta mort.
Et je me demande
Si le caveau de mon âme
Peut garder d'autres secrets,
D'autres péchés cachés,
Toutes ces choses qu'on voit sur ta peau
Qui saignent et coulent
D'une ligne rouge
Que tu as découpée sur ton poignet.

Je venais de refermer le carnet quand Jason entra. Il me regarda et laissa tomber son sac sur le seuil de la porte, glissa à côté de moi sur le lit et m'attira contre son torse. Il n'eut pas à me demander ce qui n'allait pas ; il savait que j'avais dû voir Nell.

– C'est grave, Jason.

– Ah bon ?

– Elle se coupe.

Jason se redressa, les yeux écarquillés.

– Elle quoi ?

– Je l'ai surprise dans sa chambre. Elle était en train de se couper le bras avec une lame de rasoir. Elle a dit que ça n'avait rien à voir avec l'envie de se tuer, que c'était juste… un truc pour l'aider à gérer sa souffrance. (J'enfouis mon visage dans son T-shirt, il sentait la sueur séchée recouverte d'une couche de déodorant Axe.) Elle m'a fait jurer de n'en parler à personne. Elle m'a promis qu'elle contrôlait la situation.

– Mon Dieu, pauvre Nell. Je n'arrive pas à croire qu'elle fasse un truc pareil.

– Sa mère sait qu'elle boit, mais comme elle ne l'a jamais surprise en train de le faire et qu'elle n'a rien trouvé dans sa chambre, elle dit qu'elle ne peut pas faire grand-chose.

Qu'est-ce que je fais, Jason ? Comment pourrais-je garder ça pour moi ?

– Je ne sais pas quoi te dire.

– Elle m'a juré qu'elle ne m'adresserait plus jamais la parole si je le disais à qui que ce soit. Si je pensais qu'elle était suicidaire, je prendrais ce risque-là pour l'aider.

– Mais tu ne le penses pas ?

– Non. Sincèrement, non. Quand je suis entrée, elle a plus réagi comme si je l'avais surprise en train de fumer de la beuh ou un truc comme ça. P-p-putain, c'est du délire, Jason. Et si j'avais tort ? Si je ne la connaissais pas aussi bien que je le crois et qu'elle se fasse du mal, ou pire ? S'il lui arrivait quelque chose par accident ?

Je tremblais dans ses bras.

Il me serra plus fort encore et me souleva pour m'installer sur ses genoux.

– Je n'essaie pas d'excuser ce qu'elle fait, mais je crois que je la comprends, d'une certaine façon. (Jason laissa échapper un long soupir, recoiffa un épi sur sa tête et continua :) Quand mon père me tabassait, je passais la journée à souffrir, tu sais. Je pissais le sang ou pire, mais je n'avais pas le droit de montrer quoi que ce soit. Puis il fallait que je joue au foot avec des côtes froissées ou autre. Et au bout d'un moment, la douleur devient comme… un truc à part. C'est comme s'il s'agissait d'un monstre, je ne sais pas, séparément de toi. Il ne s'agit plus du fait que ton père t'ait défoncé la gueule, c'est de la douleur pure. Et tu peux compter sur la douleur, elle est là. Elle est là et elle ne va pas s'en aller. Quand tu as l'habitude d'avoir mal depuis assez longtemps, ça devient un truc familier. Au bout d'un moment, tu en as même besoin, parce que tu ne connais rien d'autre. Moi, je peux m'entraîner et jouer au football. Je peux broyer mes muscles jusqu'à trembler, et là je vais bien. Mais ce n'est pas vraiment une question de douleur pour moi. Plus maintenant. Je suppose que désormais je suis accro à l'adrénaline de l'entraînement, aux endorphines ou à un truc comme ça. Ce que je veux dire, c'est que je peux comprendre pourquoi Nell se tourne vers la douleur physique pour échapper à celle des ses émotions. Même si ça n'excuse rien.

– Mais qu'est-ce que j-j-j-je fais ?

– Il n'y a peut-être rien que tu puisses faire, mon cœur. Je ne sais pas. Si elle ne veut pas qu'on l'aide, alors on ne peut pas l'aider. À qui tu en parlerais ? Ses parents savent de toute évidence qu'elle ne va pas bien, mais à moins qu'elle ne fasse un truc radical, ils ne peuvent pas la forcer à quoi que ce soit. Si tu le dis à la police ? Elle n'enfreint aucune loi. Si tu penses vraiment qu'elle est suicidaire, tu dois prendre des mesures drastiques, peu importent les conséquences sur votre amitié, si ça lui sauve la vie. Mais si tu es convaincue qu'elle ne l'est pas… Je ne sais pas. Sois simplement là si elle a besoin de toi.

Le jour suivant était un samedi. Je quittai la maison de mes parents dès que je fus douchée et habillée. J'étais sortie alors que tout le monde dormait encore, et je frappai à la porte de chez Ben à 7 heures du matin. Jason m'ouvrit en boxer, les cheveux en bataille et les yeux collés.

– Bon sang, bébé, c'est le trou du cul de l'aube, on est samedi et c'est le premier jour des vacances. Tu peux pas dormir après 6 heures du matin, merde ?

Il me laissa entrer et referma derrière moi, puis traîna des pieds jusqu'à sa chambre en claquant la porte derrière nous.

Je ris en posant mon sac à main sur le sol, et grimpai dans le lit avec lui. Je me blottis contre son dos et rabattis les couvertures sur nous.

– Non, je ne peux vraiment pas. Je me lève à 6 heures depuis la troisième. Donc, désormais, je me lève à 6 heures quoi qu'il advienne. Et je me suis dit que quitte à être réveillée, autant venir te voir.

– Est-ce que je peux me rendormir? grommela-t-il, déjà à moitié parti.

– Bien sûr que tu peux, mon amour.

Mais j'avais peut-être une autre idée en tête.

Je laissai ma main vagabonder sur son torse et son ventre, de plus en plus bas, de façon suggestive.

Il ne réagit pas pendant un long moment, et je crus qu'il s'était endormi. Mais il finit par se retourner dans mes bras et nos visages n'étaient plus qu'à quelques millimètres l'un de l'autre. Ses yeux verts étaient pleins de sommeil, mais aussi d'étincelles de désir. Il avait l'air amusé.

– Ah, je sais maintenant pourquoi tu t'es pointée ici aussi tôt.

– Tu n'es pas le seul à avoir une addiction, tu sais.

C'était la pure vérité, j'étais totalement accro au corps de Jason, à son amour, à la chaleur de nos deux corps quand ils fusionnaient.

Mais c'était plus que ça, même si je n'étais pas prête à l'admettre à haute voix. J'avais besoin de Jason pour la même raison qu'il avait besoin de soulever des haltères ou que Nell avait besoin de se couper. J'avais besoin de distraction. J'avais besoin de quelque chose pour remplacer le souci que je me faisais pour Nell, le poids des secrets et la désapprobation de mes parents. La veille au soir, j'étais rentrée à la maison bien avant minuit, mais mes parents avaient réagi comme si j'avais dépassé mon couvre-feu, bien que je sois à la fac. Ils voulaient savoir ce que j'avais fait et si ça allait devenir une habitude de sortir aussi tard. Quand je leur avais dit que je n'acceptais plus d'être traitée comme une enfant, une dispute avait éclaté. Le fait que je sois major de ma promo au lycée, que j'aie validé vingt-cinq cours en trois semestres avec 20 de moyenne dans l'une des meilleures universités du pays n'avait aucune importance.

Je savais de façon rationnelle que mes parents, étouffants mais aimants, étaient une poussière de rien du tout à l'échelle des vrais problèmes de la vie. Mais les problèmes personnels sont toujours une chose relative. Je détestais le fait qu'ils ne me fassent pas confiance. Je détestais la désapprobation de leur regard quand je leur avais dit que j'avais passé la soirée chez Jason.

Mais Jason mit un terme à ma rumination en glissant sa main sous mon T-shirt pour caresser mon dos nu. Je tremblai et me penchai pour mordre sa lèvre inférieure.

– Oublie ça, maintenant, dit-il en m'enlevant mon T-shirt d'un seul geste.

– Oublier quoi ?

Je feignais l'ignorance pour préserver la légèreté du moment.

– Ce qui te préoccupe.

Je m'extirpai hors de ma jupe et balançai une jambe par-dessus les siennes. Je gémis de plaisir quand il me caressa ma cuisse de haut en bas.

– C'est juste mes parents. Ils veulent toujours que je sois rentrée pour 1 heure du matin et ils s'attendent que je les appelle régulièrement pour leur dire où je suis.

– Et ils n'approuvent toujours pas le fait que tu passes tout ton temps avec moi.

Il avait défait mon soutien-gorge en moins d'une seconde et fit glisser ma culotte jusqu'à mes genoux, puis l'enleva à l'aide de ses orteils.

Je secouai la tête.

– Non, en effet. Je me demande si cela s'arrangera un jour.

– Probablement pas.

– Devrais-je donc m'embêter à suivre leurs règles ?

Jason s'arrêta, la bouche entre mes seins.

– C'est à toi de décider, chérie. Être un sujet de discorde entre tes parents et toi est la dernière chose dont j'aie envie. Je ne peux pas te dire comment te comporter avec eux. J'aimerais qu'ils acceptent le fait qu'on soit des adultes, des jeunes adultes, évidemment, mais des adultes quand même. Mais savoir si tu dois te plier à leurs règles ou non, c'est ta décision.

– Et je ne m'attends pas qu'ils apprécient l'idée qu'on soit ensemble comme… comme ça, quoi, physiquement. Je ne vais pas l'étaler sous leur nez, mais je ne vais pas non plus les laisser me dicter ma vie. Si j'ai envie de rester ici avec toi jusqu'à 4 heures du matin, je le ferai.

– Pourquoi tu ne restes pas là, tout simplement ?

– Tu veux dire ne pas passer l'été chez mes parents ?

– Ouais. Pourquoi pas ? Il faudra bien qu'ils s'y fassent un jour de toute façon, non ?

– Ils me couperaient les vivres. Père me confisquerait ma voiture et mon argent de poche mensuel.

Jason ne répondit pas tout de suite. Je compris que sa réponse n'allait probablement pas me plaire, quand il arrêta ses caresses et remonta le long de mon corps pour me regarder dans les yeux.

– Ne… ne le prends pas mal, bébé, mais peut-être qu'il est temps que ça arrive.

Je fronçai les sourcils en le regardant.

– Qu'est-ce que ça veut dire ?

Il soupira.

– Je… Peut-être que tu devrais simplement te payer tout ça toute seule.

– Parce que je ne sais pas ce que c'est que de travailler ? Parce qu'on m'a toujours tout donné ?

– Un peu. Écoute, je sais que tu vas te mettre en colère, mais je ne te dirai jamais les choses de façon détournée. (Il attrapa ma nuque et repoussa une boucle de cheveux de mes yeux.) Il faut que tu trouves un travail. Tu n'as jamais travaillé. Si tu les laisses payer pour tout, ils auront toujours un moyen de pression sur toi. Si tu gagnes toi-même ce que tu dépenses, ils seront forcés de constater que tu es capable de prendre toi-même tes décisions.

– Et toi, tu as eu combien de jobs ?

Il me regarda en fronçant les sourcils.

– Je n'essaie pas de… te diminuer, ou de dire que je vaux mieux que toi. Mais j'ai arrêté d'accepter l'argent de mon père…

– Quand ça t'a arrangé. Quand tu avais déjà une voiture, un appareil photo hors de prix et des économies. (Je lui fichai un petit coup dans la poitrine.) Tu n'as pas de travail, toi non plus. Tu as une bourse intégrale qui inclut le logement, les examens, les livres ainsi que la scolarité et de quoi vivre au quotidien.

Il grimaça. La bourse qu'il avait reçue de l'UM était généreuse, c'était le moins qu'on puisse dire.

– Je ne suis pas… Écoute, bébé. Je dis juste qu'il est peut-être temps que tu coupes un petit peu le cordon, d'accord ? Il n'y a rien de mal à la situation actuelle mais… tes parents t'aimeront toujours, non ? Si tu emménages ici avec moi pour l'été, est-ce qu'ils vont te déshériter et ne plus jamais te parler ?

Je secouai la tête, je comprenais ce qu'il voulait dire.

– Non. Ils n'aimeront pas ça du tout, mais ils ne feront pas ça. Ils seront en colère contre moi pendant un bon moment, mais ils finiront par s'y faire. Au bout d'un certain temps. Enfin, j'espère.

– Tu n'as pas besoin de leur argent, ni de leur voiture, pas si cela implique que tu te plies à leurs conditions. Tu peux prendre mon camion quand tu veux, et tu le sais. Tes bourses couvrent ta scolarité, ta chambre universitaire et tes examens. Tout ce dont tu as besoin, c'est de l'argent pour les livres et les autres conneries comme ça, n'est-ce pas ? Donc, on va trouver un boulot. Tous les deux. Tu peux ne suivre que quatre ou cinq cours au semestre prochain et trouver un mi-temps. Je trouverai un emploi, moi aussi, et on mettra nos revenus en commun. Si un jour tu estimes que tu as besoin d'une voiture à toi, on t'en achètera une. (Il m'embrassa sur la joue, puis juste sous l'œil, puis au coin de la bouche.) Ne sois pas en colère, s'il te plaît. Je veux simplement que toutes ces disputes avec tes parents, chaque fois qu'on vient ici, cessent.

Je soupirai en posant la main sur mes yeux pour réfléchir.

– Non, tu as raison. Je ne suis pas en colère. Je déteste juste le conflit. Je déteste la confrontation. On s'est disputés hier soir et ils ont… ils ont eu le culot de me regarder comme si je les avais déçus, comme si je les avais trahis en rentrant à la maison à 23 h 30 sans leur avoir passé un coup de fil. Ils croient que je fais quoi, à la fac ? Ils pensent que je suis dans ma chambre tous les soirs à 21 heures ? Que je suis une espèce de vierge innocente ?

– Je crois qu'ils veulent que tu restes leur petite fille pour toujours. Sois contente qu'ils tiennent autant à toi.

Le ton mélancolique de sa voix relativisa tout ça.

Je le poussai pour l'allonger sur le dos et le chevauchai.

– Tu as raison. Bien sûr, que tu as raison. Je suis juste un peu bête et égoïste.

Il me caressa les hanches et secoua la tête avec amour.

– Non, bébé. Tu es la personne la moins égoïste que je connaisse.

– Mais je m'inquiète pour mes stupides petits problèmes, alors que Nell et toi…

Il posa un doigt sur mes lèvres pour me faire taire.

– Ce n'est pas un concours.

Il massa le creux de mes hanches avec ses pouces, et sans m'en rendre compte, je me déplaçai pour qu'il puisse atteindre l'endroit où j'avais envie qu'il me caresse.

– Je te soutiendrai quelle que soit ta décision. Je t'aiderai comme je le peux. Ce qui est à moi est à toi, d'accord ? Si tu as besoin de quelque chose, je m'assurerai que tu l'aies, peu importe comment je l'obtiendrai.

Ses mots me firent fondre.

– Je ne suis pas sous ta responsabilité. Nous sommes ensemble.

Il rit

– Tu es ma femme. Bien sûr, que tu es sous ma responsabilité. C'est mon plus grand devoir dans la vie que de m'occuper de toi, te protéger.

– À l'ancienne, hein ? Je peux m'occuper de moi-même.

Il soupira avec exagération.

– Je sais bien. Il ne s'agit pas de ça. Je ne suis pas en train de te dire de t'asseoir, de te tourner les pouces et de devenir Miss Femme au Foyer, là. Je dis juste que tu n'es pas toute seule dans cette histoire.

Je gloussai et me penchai sur lui pour le faire taire d'un baiser.

– Je sais, Jason. Tais-toi et change-moi les idées, maintenant. Il me faut ma dose.

Il sourit avec malice, prit mes seins dans ses mains, et je sentis la chaleur de mon ventre se transformer en liquide chaud entre mes cuisses. Je plongeai encore en avant pour intensifier notre baiser, déplaçai mon poids sur mes genoux. Il me tira vers lui et fit glisser mon téton dans sa bouche. Je suffoquai en cambrant mon dos vers lui, sentant la première vague arriver.

Quand je jouis, il continua de tracer des cercles sur mon clito, faisant durer mon orgasme jusqu'à ce que je me torde au-dessus de lui. Je sentais son érection contre mon sexe, mais il portait encore son caleçon. Je me relevai et tirai dessus comme une folle, me débattant jusqu'à ce qu'il m'aide à l'enlever. Je le balançai à travers la pièce – mes cuisses tremblaient tandis que je me réinstallai sur lui, les cheveux tombant comme des rideaux sur son visage. Je remuai les hanches vers le bas, poussai le bout de son membre dans ma fente, le guidai en moi d'un mouvement du bassin. J'hésitai, en équilibre sur les genoux, planant au-dessus de lui, les muscles tremblants, jouissant de l'instant, de cette seconde de pause, avant de redescendre et de l'avoir profondément en moi. Il s'agrippa à mes hanches, les yeux plongés dans les miens, en retenant son souffle. Je posai mes mains sur les siennes, entremêlai mes doigts aux siens, puis me laissai tomber en avant, en immobilisant ses mains au-dessus de sa tête. Il me laissa faire avec un sourire amusé. Je savais qu'il adorait que je prenne le contrôle.

Je fis durer l'instant, relevai un tout petit peu les hanches, il était à deux doigts de glisser hors de moi. Nous retenions tous les deux notre souffle, nous laissions nos yeux exprimer ce qu'il y avait dans nos cœurs. Je laissai retomber les hanches en gémissant, appuyai mon front contre le sien, ouvrant grande la bouche pour laisser échapper un cri haletant. Je refermai mes mains sur les siennes, serrai aussi fort que possible, pour installer d'entrée de jeu un rythme frénétique au-dessus de lui. Il me rendit chaque mouvement de bassin, sans jamais me quitter des yeux, sa respiration calquée sur la mienne, il soupirait avec moi, me donnait exactement ce dont j'avais besoin.

Quand la seconde vague m'envahit, je m'effondrai sur lui, m'accrochai à son cou des deux mains, les lèvres collées à son oreille. Mes hanches s'écrasaient contre les siennes tandis que l'on jouissait en cœur.

– Mon Dieu, Jason… Je t'aime t-t-tellement.

Sous l'intensité de l'amour qui ondulait entre nous, je faillis me mettre à pleurer.

À cet instant, c'était comme si nos âmes s'étaient écrasées l'une contre l'autre pour fusionner, comme si chaque partie de nos esprits, de nos corps et de nos âmes saignaient ensemble. Je savais que je n'aimerais jamais personne de la façon dont j'aimais Jason, et je savais que je n'essaierais jamais.

– Je t'aime aussi, Beck.

Je pris son visage entre mes mains.

– Promets-moi que tu m'aimeras toujours. Peu importe ce qui arrive.

Il vit le désespoir dans mes yeux, dans ma voix, et ne demanda rien. Il n'hésita pas même une seconde avant de répondre.

– Je ne peux rien te promettre pour toujours, Beck. (Face à ce rejet, mes larmes se mirent à couler, mais il embrassa chacune d'elles et fit taire ma peine en rectifiant :) Je ne peux rien te promettre pour toujours, parce que « pour toujours », ce n'est pas assez long.

Je ris dans sa bouche, gloussai et reniflai contre lui, accrochée à son cou, en laissant tomber tout mon poids contre son corps dur et fort.

– Parfait. Plus long que pour toujours, ça me va.

Il rit et me serra contre lui, ses bras autour de moi, les mains sur mes fesses. Il rabattit d'un coup les draps sur nous. Je tournai la tête et me servis de son torse comme oreiller. Je m'endormis comme ça, et je sus à cet instant-là que je n'aurais jamais plus envie de m'endormir autrement.

13

Le rameau brisé

Becca
Février, deux ans plus tard

Le temps passa à toute vitesse. Ce fameux été après notre première année de fac, j'avais fini par emménager avec Jason dans le trois-pièces un peu miteux de mon frère. Comme prévu, mes parents pétèrent complètement les plombs. Mais je rentrais régulièrement à la maison pour laver mon linge et passer du temps avec eux. Je pris soin de venir chaque fois avec Jason pour montrer qu'il faisait partie de ma vie, et ils finirent par s'y faire. En gros, tout le monde faisait l'autruche, et cela fonctionnait. Les cours reprirent à l'automne et on vécut dans des chambres séparées durant le premier semestre de la deuxième année. Jason trouva un mi-temps comme homme de ménage dans un lycée du coin. Quant à moi, j'avais bien évidemment fini comme professeur dans un centre de cours particuliers.

À notre retour pendant les vacances de Noël, on s'installa chez Ben et Kate, qui avaient gardé l'appartement juste pour qu'on ait un endroit où séjourner sans stress. Mon frère allait mieux que je ne l'avais jamais vu. Il était comanager chez Belle Tire, sobre, et gérait ses sautes d'humeur en prenant des médicaments qu'on lui avait prescrits de façon ponctuelle, uniquement dans des moments vraiment difficiles. Kate était une véritable fée quand il s'agissait de Ben, et je l'aimais comme une sœur. C'était une des filles les plus grandes que j'aie jamais vues, elle dépassait largement le mètre quatre-vingts. Elle était svelte, avec de longs cheveux auburn, de beaux yeux gris et une grande bouche qui souriait continuellement. Elle ne disait jamais de mal de personne et semblait totalement dévouée à mon frère. C'était une de ces personnes qui n'achetaient rien qui ne soit cent pour cent bio et qui complétaient leur régime végétarien par une multitude de vitamines et de milkshakes protéinés. Elle suivait religieusement ses cours de yoga et réussit à m'y convertir moi aussi. Elle avait un truc pour apaiser les colères folles de Ben, même les pires, et elle réussissait à le sortir des moments de dépression les plus sévères, rien qu'en lui murmurant quelques mots à l'oreille. Elle ne perdait jamais patience avec lui, ne prenait jamais personnellement les insultes qu'il pouvait lui balancer durant ses sautes d'humeur. La seule fois que je l'avais vue se mettre en colère, c'était quand elle avait trouvé un joint dans le paquet de cigarettes de Ben. Bon sang, elle avait pété un câble, elle avait fait sa valise et était partie sans même se retourner. Elle n'était cependant allée nulle part. Elle était montée en voiture et avait conduit en rond autour du pâté de maisons, puis elle était restée garée sur le parking de l'appartement, en attendant que Ben lui présente ses excuses. Ce qu'il avait fait, platement, la suppliant de rentrer à la maison et de ne plus jamais le quitter.

L'angoissée éternelle que j'étais s'inquiétait du caractère codépendant de leur relation. Je ne pensais pas que Ben soit capable de maintenir une telle hygiène de vie sans Kate à son côté. Mais je suppose que comme elle était toujours là pour lui, cela fonctionnait. J'avais peur qu'elle se lasse un jour du fardeau bipolaire de Ben, et qu'il retourne à sa période de toxico défoncé.

Quant à Nell, elle avait l'air d'aller mieux avec le temps. Elle avait obtenu un diplôme d'histoire de l'art par correspondance, avait été promue cadre dans l'entreprise de son père, au mérite, uniquement. Elle ne m'avait jamais reparlé des coupures et je ne l'avais plus jamais surprise à le faire, même les fois où il m'était arrivé de débarquer chez elle sans prévenir. Je voyais les cicatrices sur ses poignets de temps en temps, et elle avait quelquefois un pansement sur l'avant-bras, mais elle prétendait que c'était seulement une petite rechute, qu'elle avait arrêté de se couper de façon régulière.

Au début de notre dernière année, Jason et moi décidâmes de quitter nos chambres du campus. On trouva un studio à quelques kilomètres de la fac, pas loin du lycée où il travaillait. J'avais un boulot sur le campus et nos emplois du temps correspondaient plus ou moins, donc on s'en sortait avec le camion pour seul véhicule, camion qui avait désormais plus de deux-cent-mille kilomètres au compteur. Ces premiers mois passés ensemble dans notre appartement furent les plus heureux de ma vie. Je m'endormais dans ses bras et me réveillais au même endroit. J'étais une lève-tôt et découvris à cette époque que Jason détestait les matins de tout son cœur. Il était incapable d'avoir la moindre conversation avant d'avoir avalé au moins deux tasses de café. Je m'étais toujours considérée comme quelqu'un d'ordonné, mais Jason se révéla une véritable fée du logis. Il disait que s'il n'avait pas fait le ménage chez lui quand il vivait chez ses parents, personne ne l'aurait fait, car sa mère s'en moquait et son père était constamment ivre.

J'avais toujours 20 de moyenne quand le dernier semestre commença, et j'avais envoyé une dizaine de candidatures aux universités qui détenaient le meilleur troisième cycle de recherches en orthophonie. Jason continuait de battre des records sur le terrain, et les recruteurs d'une demi-douzaine d'équipes de foot de ligue 1 venaient le voir jouer à chaque match.

Si je devais définir notre vie en un seul mot, au moins jusqu'au mois de février de notre troisième année, j'aurais choisi le mot « idyllique ». J'avais rempli trente-six carnets de poésie en trois ans, Jason avait un book de photos à couper le souffle et commençait à se faire à mon idée d'essayer d'en vendre quelques-unes. Le football avait beau être sa passion, la photographie était, selon moi, son vrai talent. Il capturait tant en un seul cliché. Il se concentrait principalement sur des prises de vues macroscopiques, des gros plans de choses simples, surtout des insectes et des fleurs. Il avait fait quelques photos de fleurs qui me rappelaient à en avoir froid dans le dos certains tableaux de Georgia O'Keefe. Il disait que c'était intentionnel. Son cours de photographie comprenait une bonne dose d'art et d'histoire de l'art, et il avait l'air d'absorber toutes ces nouvelles connaissances comme une éponge.

Puis, un dimanche matin de la mi-février, je reçus un coup de fil de Kate.

– Becca ? Je suis inquiète pour Ben.

Sa voix douce et timide semblait paniquée.

– Pourquoi ? Que se passe-t-il ?

Je posai mon livre et me redressai sur le canapé où j'étais en train de réviser.

– Il ne répond pas à mes appels. On... On s'est disputés violemment. Il est parti, et j'ai cru... J'ai cru qu'il allait juste se calmer, mais cela fait trois heures et il n'est toujours pas rentré, il ne répond ni à mes appels ni à mes textos. Il sait que ça m'inquiète, donc il me répond toujours dans la minute, d'habitude.

– Est-ce que votre dispute était assez violente pour qu'il... régresse ? Je veux dire, rechute ? demandai-je.

– Je ne sais pas. J'espère que non, mais je suis inquiète. Est-ce que tu connais un endroit où il pourrait s'être réfugié ?

Je fouillai dans ma mémoire.

– Pas spécialement. Je suis désolée, je ne vois pas. (Je soupirai et me mordis la lèvre d'inquiétude, en essayant de trouver quelque chose que Kate aurait ignoré.) S'il me vient un truc à l'idée, je te tiens au courant. Est-ce que tu penses que c'est sérieux, est-ce que tu veux que je descende et que je t'aide à le chercher ?

Elle évita la question.

– Je ne veux pas t'inquiéter, je sais que tu es en pleines révisions pour tes examens, mais... non. Pas encore. Si je n'ai pas de nouvelles de lui bientôt, je te rappellerai.

– Ben avait l'habitude de disparaître pendant des jours, lui dis-je. Je n'ai jamais su où il allait, sincèrement. Je pensais qu'il avait une planque pour se droguer ou un truc comme ça. Il a arrêté tout ça depuis qu'il est avec toi. Mais s'il était assez bouleversé pour faire une rechute, il est peut-être retourné dans une de ces planques. Je n'ai aucune idée de l'endroit où ça se trouve, ni à qui demander. Je suis restée en dehors de cette partie-là de sa vie.

Kate gémit.

– Depuis bien un an et demi, il n'avait plus vu personne parmi les fêtards, à part la fois où j'ai trouvé ce joint dans son paquet de Pall Mall – notre seule vraie dispute, et c'était au début de notre relation. Il était clean depuis un moment. On avait parlé de son problème de drogue, et je lui avais dit que s'il voulait vraiment ne plus être tenté, il fallait qu'il évite les gens qui en prenaient. Il avait donc arrêté de traîner le soir avec ses amis. Puis, un jour, il a revu un de ses vieux potes. Je savais que ce type se défonçait en permanence et je me suis mise en colère. Il m'a juré qu'il n'avait pas fumé. Le problème était qu'en traînant avec des gens qui fumaient, il risquait de replonger lui aussi.

– Peut-être qu'il faut chercher du côté de ces gens-là? (J'hésitai, puis lâchai la question) : Pourquoi vous-êtes vous disputés ?

– Au sujet de la cigarette. Je lui ai demandé s'il n'avait pas l'intention d'arrêter ça un jour, et il s'est mis en colère. Il a dit qu'il avait arrêté tout le reste pour moi, alors pourquoi ça aussi ? Il est parti en claquant la porte quand je lui ai rappelé que c'était pour lui qu'il avait arrêté, pas pour moi.

– C'est tout ?

Elle renifla.

– C'est la version courte. Il y avait plein de choses. (Kate soupira.) Il va revenir. Je sais qu'il va revenir.

– Tiens-moi au courant, d'accord ?

– D'accord. Salut, Becca.

– Salut.

Je raccrochai, posai le téléphone sur la table basse, mais ne pus me remettre à étudier.

J'étais inquiète. Plus j'y pensais, plus le nœud d'angoisse grandissait dans mon estomac. Je finis par retourner à mes révisions, mais mon esprit n'y était pas.

Plus tard ce jour-là, tandis que je dînais avec Jason, je reçus un texto de Kate :

Il est rentré. Défoncé. Il dit que c'était juste un peu d'herbe pour le calmer. Je suis tellement en colère que je ne sais pas quoi faire.

Je soupirai et montrai le message à Jason. Je lui avais raconté le coup de fil de Kate quand il était rentré de son footing. On s'était mis d'accord que si on n'avait pas de nouvelles ce soir-là, on envisagerait de se rendre là-bas pour chercher Ben.

Je lui renvoyai un texto :

Au moins il est rentré, et ce n'étaient pas des drogues dures.

– Oui, mais pour lui, l'herbe est toujours une drogue de transition vers quelque chose de pire.

– Je sais, répondis-je, *mais je sais aussi qu'il t'aime et qu'il ne veut pas te perdre. Peut-être devrais-tu le lui rappeler, sans que ça passe pour une menace ?*

Kate répondit après quelques minutes :

Bien vu. Je vais essayer ça. Merci.

Quelques semaines passèrent et les choses semblaient s'être calmées un peu, car je n'avais plus aucune nouvelle. Jason et moi décidâmes de descendre pour le week-end pour voir comment ils allaient. Quand on arriva, Kate et Ben étaient tous les deux au travail. On décida donc de défaire nos valises et d'aller se promener en camion. On finit par atterrir au vieux chêne et on fit l'amour sur la plateforme arrière en souvenir du bon vieux temps. À notre retour, Ben était à la maison, assis sur le porche de l'immeuble, en train de fumer une cigarette dont la fumée se mélangeait à la vapeur de son souffle.

Je fis signe à Jason de rentrer et m'assis à côté de Ben. Il était pâle, plus maigre que la dernière fois que je l'avais vu, et ses yeux avaient cette vieille lueur de colère contenue.

– Salut, toi, dis-je en lui donnant un petit coup d'épaule.

– 'lut, Beck.

Il ne me regarda pas, tapota le filtre de sa cigarette avec son pouce pour faire tomber la cendre entre ses pieds.

– Alors, comment ça va ? Je ne savais pas vraiment comment amener le sujet, maintenant que j'étais là. Il avait une sale gueule, mais je ne le lui aurais jamais dit de façon aussi abrupte.

– C'est Kate qui t'envoie ?

Son ton était acerbe, morne.

– Non, je ne l'ai pas vue. Elle est encore au travail, n'est-ce pas ?

– Putain, qu'est-ce que j'en sais ? Elle est partie.

J'étais abasourdie. J'aurais cru que Kate me préviendrait si elle avait eu l'intention de quitter Ben.

– Pourquoi ? Quand ? Pourquoi serait-elle partie ?

– Des conneries. Elle n'a jamais compris que fumer m'aidait. J'ai essayé, Beck. J'ai vraiment essayé. Mais ce n'était jamais suffisant pour elle. Quoi que je fasse, ce n'était jamais assez bien pour Kate Yearling-Miss Parfaite.

– Donc, tu refumes ?

Il me lança un regard.

– D'après toi ? dit-il en brandissant sa cigarette. Je n'ai jamais arrêté, c'est pour ça que Kate est partie.

– Non, je veux dire… je veux dire de l'herbe.

– Oh. Non… enfin si, mais ça, c'était après son départ.

– Je fronçai les sourcils, perdue.

– Elle est partie… Elle t'a quitté à cause d'une histoire de cigarette ? Tu étais clean, à part ça ?

– Putain, c'est compliqué, OK ? J'ai pas besoin de t'avoir sur le dos, toi aussi.

– Je ne suis pas… Désolée. Je ne cherche pas à être sur ton dos. Je suis juste perdue.

– Qu'est-ce qu'il y a de compliqué ? Je suis une putain d'épave bipolaire. Elle en a eu marre de mes conneries, comme je m'y attendais.

Il finit sa cigarette et en alluma une autre à son mégot.

– Mais… ça n'a pas de sens. Elle t'aime.

– Elle m'aimait. J'insiste sur la forme au passé, sœurette. C'est fini. Je ne l'ai pas vue depuis deux semaines. Je vais perdre l'appartement parce que mon boulot de merde chez Belle Tire n'est pas suffisant pour me payer un trois-pièces, et ils n'ont plus aucun studio de libre. Je ne sais pas où je vais aller. Je suppose que je vais vivre dans ma voiture. Ce sera pas la putain de première fois. Donc, bref, désolé, mais Jason et toi allez devoir trouver un autre endroit où squatter.

Je sentais qu'il ne me disait pas tout et que je devais découvrir le reste.

– Ben, s'il te plaît, parle-moi. Il a dû se passer quelque chose de plus que tu ne me racontes pas.

Je lui touchai le bras et il sursauta pour de vrai.

– Ouais, et bien… ça ne sert à rien, d'accord ? Qu'il y ait un autre truc ou non, c'est fini. Elle ne reviendra pas, et je suis perdu sans elle, putain.

Il bondit sur ses pieds et s'en alla, ses longs cheveux noirs visiblement sales tombant sur ses épaules. Il portait sa combinaison de mécanicien de chez Belle Tire, couverte d'huile. Ce qui me parut étrange, vu qu'aux dernières nouvelles, il était passé manager.

J'appelai Kate, qui répondit à la quatrième tonalité.

– Salut, Kate. Je… je suis là pour le week-end, et Ben m'a dit que tu étais partie.

Elle rit, mais son rire était jaune et plein d'amertume.

– Il t'a dit ça ? Qu'est-ce que notre cher Benjamin t'a raconté d'autre ?

À ce stade, j'étais complètement paumée et j'essayais juste de donner un sens à tout ça.

– Que c'était à cause de la cigarette. Il a dit que tu étais partie et qu'il était perdu sans toi. Il a dit qu'il était clean quand tu l'as quitté.

Elle laissa échapper un son qui ressemblait à la fois à un rire et à un sanglot.

– Alors c'est ça, la foutue connerie qu'il essaie de te faire avaler, hein ? Tu sais bien qu'il ne faut pas croire les toxicos, Becca, n'est-ce pas ? Il se *drogue.*

– Il se drogue ? Qu'est-ce qu'il prend ?

– J'ai trouvé de la cocaïne dans sa voiture. Mais bien entendu, ce n'était pas à lui, oh ! non, il la gardait pour un ami. (Elle était manifestement dévastée.) Je l'ai supplié de simplement me dire la vérité et qu'on s'en sortirait. Mais… ça n'est pas suffisant qu'il arrête pour moi. Il doit arrêter pour lui, ou ça ne marchera jamais, peu importe combien je l'aime.

– Il est effondré, Kate.

– Je sais ! gémit-elle. Tu crois que je ne le sais pas ? J'ai vu mon père faire exactement la même chose il y a dix ans, putain. Il a fait une overdose de cocaïne. Il est mort sous mes yeux. Ben le sait. Il sait que je ne peux pas voir quelqu'un d'autre mourir à cause de la drogue, je ne peux pas, et je refuse de le faire. J'ai été accro à la coke. J'ai failli en mourir, d'accord ? Les trois années qui ont suivi la mort de mon père, j'étais accro à cette merde. J'ai fait une overdose comme lui, mais je ne suis pas morte. Je me suis fait aider, et je n'y ai jamais retouché. Je ne le ferai jamais plus. Je croyais que… je croyais que si je faisais comme mon père, je pourrais comprendre pourquoi il m'avait laissée. Que je pourrais comprendre pourquoi il n'avait pas été capable de rester en vie, pourquoi il m'avait abandonnée.

– Mon Dieu, Kate, je ne savais pas tout ça.

– Bien sûr que non. Tu crois que je raconte ces conneries à tout le monde ? Non, c'est trop déprimant. Je suis en vie. Dieu m'a donné une seconde chance et je n'ai pas l'intention de la gâcher. Je ne vais pas regarder Ben se tuer, peu importe combien je l'aime. (Elle sanglota à nouveau, puis se reprit en inspirant profondément plusieurs fois de suite.) Désolée, Becca, mais il faut que j'y aille, mon service à l'hôpital va commencer.

Elle raccrocha, et je restai là, à fixer l'asphalte détérioré et le mégot fumant de la cigarette de Ben.

– Bébé ? Que se passe-t-il ? Où est Kate ? (Jason se laissa tomber sur la marche à côté de moi et vit la larme sur ma joue.) Alors ? Qu'est-ce qui ne va pas ?

– Kate est partie. Elle à quitté Ben… parce qu'il se drogue à nouveau.

– Merde. (Jason se frotta le visage de la main.) Ce n'est pas bon du tout, ça.

– Non. (Je me blottis contre lui pour un peu de soutien.) Ben dit qu'il va perdre l'appartement. Je suis, je suis inquiète pour lui. Je ne l'ai jamais vu aussi déprimé qu'aujourd'hui. Il est en colère. Je ne sais pas. J'ai… j'ai vraiment un mauvais pressentiment, Jason.

Jason ne m'offrit aucun mot creux de réconfort, il se contenta de rester assis à côté de moi jusqu'à ce que je me sente prête à gérer la situation.

On resta à l'appartement ce week-end-là, mais Ben n'y repassa qu'une fois durant nos trois jours de présence. Et les fois où il avait été là, il avait passé tout son temps dans sa chambre, à nous empester avec la puanteur âcre de la marijuana. Je tentai de le faire sortir et de lui parler avant notre départ, mais il s'était contenté d'entrouvrir la porte pour me prendre dans ses bras, et rien d'autre.

Je déjeunai avec Nell avant de rentrer à Ann Arbor, et ça, au moins, ce fut un des moments encourageants du week-end. Elle avait l'air stable à défaut d'être heureuse, et elle me montra ses deux avant-bras de son plein gré. Elle portait une robe à manches courtes, ses poignets étaient découverts et toutes les cicatrices étaient blanches et anciennes.

– Je ne me suis pas coupée depuis longtemps, me raconta-t-elle en sirotant son milkshake. Ce n'est pas un truc qui s'en va complètement d'un coup, et je ne peux pas jurer que je ne le referai jamais, mais je vais mieux.

– Je suis si contente, Nell, dis-je. Tu n'as pas idée à quel point ça me rend heureuse.

Elle me sourit en remuant sa boisson avec sa paille.

– Je déménage à New York dans quelques semaines.

La surprise fut telle que j'avalai mon Coca de travers et me mis à tousser.

– Tu… tu quoi ?

– Je reprends enfin ma vie en main. Je vais à l'université de New York. Je vais essayer d'intégrer leur programme d'art et de musique.

– Je m'essuyai les lèvres avec une serviette, puis épongeai les gouttes de soda éclaboussées sur mon t-shirt.

– Leur programme de musique ? Comment ça ? Je veux dire… tu joues quoi, comme instrument ?

– De la guitare. Je chante, aussi.

Elle haussa les épaules, comme si cet aspect que je découvrais de ma meilleure amie n'avait aucune importance.

– Tu joues de la guitare ? Depuis quand ?

– À dire vrai, c'est toi qui m'as inspirée. Tu as dit qu'il y avait forcément une meilleure façon de gérer tout ça, alors j'en ai trouvé une. Je prends des cours de guitare avec un type ici, depuis presque deux ans, maintenant. Je joue et je chante. Juste pour moi, pour l'instant, mais je vais essayer la rue, quand je serai à New York.

– La rue ? Comment ça, la rue ?

– Tu sais, ces musiciens qui s'assoient sur un banc avec leur étui à guitare ouvert, et qui se mettent à jouer. La rue, quoi…

Je fronçai les sourcils.

– Oh, je vois. Mais… d'accord. (J'étais ébahie, je ne m'attendais pas à ça.) Donc, tu pars pour New York ? Dans quoi, genre deux semaines ?

Elle acquiesça, et on pouvait voir qu'elle était sincèrement excitée, tout en retenue, mais vraiment.

– Ouais. Ce n'est pas sûr que je sois prise à la fac, cependant. Il faut que je passe des auditions et tout ça, et c'est vraiment un programme très sélectif. Si je ne suis pas prise, j'essaierai de faire autre chose. Manager dans la musique, peut-être. Je ne sais pas. Je sais juste que ça fait longtemps que je veux déménager à New York, et que ce jour est désormais arrivé. J'ai l'impression que je vais peut-être enfin être capable de vivre un peu plus qu'au jour le jour.

– Donc, tu vas, genre… bien ?

Elle haussa les épaules.

– Je ne sais pas. Je crois. Aussi bien que je pourrai jamais aller. J'ai encore mal tous les jours que Dieu fait. Je pense à… à lui tous les jours. Il me manque. Tellement. Mais… j'en ai marre d'être ici. Un changement de décor me fera sans doute du bien. Si je suis dans un endroit où personne ne me connaît, ne sait ce que j'ai traversé, j'ai peut-être une chance de repartir de zéro, tu comprends ? Être quelqu'un de différent.

J'avais envie de lui dire que nos problèmes avaient tendance à nous suivre, parce qu'on les portait en nous, mais je la bouclai. Je serais bègue où que je vive, et tout ce que je pouvais faire, c'était l'accepter et aimer qui j'étais malgré ça. Jason m'avait aidée en cela, même si je ne le lui avais jamais dit. Il m'avait acceptée, aimée en dépit de mon bégaiement. Il s'était moqué des fois où je trébuchais sur les mots ou butais sur des phrases parce que j'étais nerveuse ou excitée. Savoir qu'il m'aimait en dépit de mon handicap de langage avait joué un rôle prédominant dans ma capacité à parler avec fluidité aujourd'hui. J'avais confiance en qui j'étais, et je savais que mon handicap ne me définissait pas. Quand je bégayais, je ralentissais. Je m'en sortais et je reprenais. Je ne laissais pas tout ça m'embarrasser. J'avais réalisé que c'était ça, la clé. Quand j'avais honte d'un bégaiement ou d'un blocage, ça devenait un cercle vicieux. Ça m'embarrassait, donc je bégayais, donc ça me mettait en colère, et donc je bégayais encore plus.

– Je n'arrive pas à croire que tu déménages à New York, dis-je. Tu vas tellement me manquer !

Elle me sourit, un sourire à la fois heureux, triste et affectueux.

– Oh, Beck. Toi aussi. Tu as toujours été là pour moi, même quand je n'étais pas vraiment une bonne amie. Ce n'est pas comme si je partais pour toujours non plus. Je reviendrai pour les vacances, comme toi. On se reverra très bientôt. Ça ne sera pas vraiment différent d'aujourd'hui, sauf qu'il ne te suffira plus juste de te pointer le week-end pour me voir.

On avait fini de déjeuner. On paya donc l'addition et on partit. Nous étions debout à côté de nos voitures, garées l'une à côté de l'autre.

Elle donna un coup à la carrosserie du camion de Jason, juste au dessus de la roue.

– Jason conduit toujours ce truc ? Il l'a depuis toujours, n'est-ce pas ? Il doit être proche de la fin.

Je ris et caressai le camion à l'endroit où elle avait tapé.

– Sois gentille avec ce camion, veux-tu ? J'adore ce machin. Il l'a depuis ses seize ans. Je lui ai dit que j'allais pleurer le jour où il changerait de voiture. Mais ouais, il commence à rendre l'âme. Il vient de changer les freins et la courroie trapézienne déconne, ou un truc comme ça. Trapézienne ? Trapézoïdale ? Un truc du genre. Je ne sais plus. Il y a un autre truc à réparer. Un jour viendra où ça ne vaudra plus la peine de dépenser tout cet argent.

– C'est une courroie trapézoïdale. J'ai vu… (Elle devint pâle et cligna fort des yeux, puis se força à prononcer les mots.) J'ai vu une fois Kyle changer sa courroie trapézoïdale. Sur la Camaro.

– Eh bien, quel que soit son foutu nom, il va encore dépenser de l'argent pour la réparer, et je suppose qu'ensuite quelque chose d'autre va foirer. Je crois qu'il va bientôt falloir que nous achetions une nouvelle voiture.

– Nous.

Nell l'avait dit en soupirant, un air amusé au coin des lèvres. Pas exactement un sourire.

– Qu'est-ce que tu veux dire ?

– Vous. Jason et toi. Ça fait combien de temps que vous êtes ensemble, maintenant ?

Je souris avec malice.

– Un peu plus de quatre ans.

– Tu dis « nous », c'est tout. Je suis heureuse pour toi.

Je haussai les épaules.

– Ouais. Je suppose que j'ai pas mal de chance. Enfin, je sais que j'en ai. Je suis vraiment vernie. Il est génial.

– Est-ce que vous vivez ensemble ?

J'agitai mon porte-clés pour trouver celle du camion.

– Ouais. Depuis le mois d'août. C'est… bref, c'est super.

– Je m'en doute. C'est comment ? Tes parents en pensent quoi ?

– Mes parents en détestent l'idée. Ils pensent qu'on va trop vite. Mais ils ont appris à l'accepter, dans la mesure de leurs capacités. (Je haussai à nouveau les épaules, je savais que je lui rappelais tout ce qu'elle loupait dans sa vie.) C'est super. Mais cela demande une bonne dose d'adaptation. En réalité, c'est comme… ça te fait prendre conscience que tu es adulte. Il n'y a aucune contrainte quand tu vis dans une résidence universitaire, tu comprends ? Tu n'as pas à te préoccuper des factures, du loyer et tout ça, et puis il y a toujours du monde, tout le temps. Des gens que tu connais, qui sont en cours avec toi ou que tu croises aux matchs de football. Quand tu vis dans un appartement, c'est toi le responsable. Jason et moi devons payer le loyer et les charges, acheter à manger pour nous nourrir, et tout le reste. En plus, ce n'est pas vraiment sur le campus. Si tu es en retard, tu es vraiment en retard. Tu ne peux pas courir dans ton pyjama et débarquer en classe – il faut que tu prennes ta voiture et que tu trouves une place de parking... Et puis vivre avec un mec, c'est... différent. Cette histoire de lunette des toilettes relevée ? Ce n'est pas un mythe. Je suis tombée dans la cuvette pas plus tard que l'autre jour.

– Beurk ! dit Nell en riant. Mais tu es tout le temps avec lui. Tu peux faire ce que tu veux, quand tu veux avec lui.

Je gloussai.

– Ça, c'est la meilleure partie. Ne serait-ce que s'endormir avec lui et se réveiller à son côté... Je crois que je ne serai plus jamais capable de dormir seule.

Nell baissa la tête.

– Tu crois que vous allez vous marier ?

J'avalai ma salive avec difficulté. J'y avais déjà pensé.

– Probablement. Je ne sais pas. Nous n'en avons pas parlé.

– Est-ce que tu en as envie ? D'épouser Jason, je veux dire ?

– Ben oui. J'ai envie de passer ma vie avec lui, donc je suppose qu'on se mariera un jour ou l'autre, mais pour l'instant, le sujet n'a jamais été évoqué.

Nell me sourit avec satisfaction.

– Mais tu y as pensé, n'est-ce pas ? Bien sûr que oui. Tu es avec lui depuis que tu as seize ans.

J'acquiesçai.

– Ben ouais. Bien sûr que oui. Mais je veux finir mes études d'abord. On est ensemble, rien ne presse, tu comprends ? On vient juste d'avoir vingt et un ans. Peut-être que quand j'en serai à ma thèse on en reparlera.

– Que va faire Jason, après la fac ?

– Passer footballeur professionnel. Il a été repéré par La Nouvelle-Orléans, San Francisco, New York, Kansas City et Dallas. (Je fronçai les sourcils, je savais qu'il m'avait parlé d'une autre équipe encore.) Oh, et les Patriots, c'est la dernière. La Nouvelle-Angleterre.

Nell eut l'air choquée.

– Il intéresse la NFL, pour de vrai ?

Je clignai des yeux en la regardant.

– Nell, il a battu les records nationaux de réception quand il était au lycée et à la fac. C'est l'un des meilleurs joueurs de tout le football universitaire. Il pense qu'il a des chances d'être recruté dès le premier tour.

J'avais beaucoup appris sur le football, au fil des années que j'avais passées avec Jason.

Ce n'était pas vraiment le cas de Nell.

– C'est une bonne chose ? Le truc du premier tour ?

Je ricanai.

– Ouais, c'est une bonne chose. Ça veut dire qu'il serait parmi les premiers joueurs à être choisis par ces équipes. Le recrutement, c'est un truc compliqué, et je ne comprends pas vraiment tout, mais faire partie du premier tour, c'est vraiment énorme.

– Alors, il est vraiment bon.

– Putain, il est incroyable, ouais.

J'étais fière de mon homme.

Nell rit de mon impétuosité.

– >Eh bien ! (Elle soupira et se pencha pour me prendre dans ses bras.) Je dois y aller, Beck.

Je l'attirai contre moi, la serrai fort dans mes bras.

– Tu vas me manquer. Même si tu es tout là-bas à New York en train de jouer, on peut quand même être les meilleures amies, non ? (Je la secouai pour la taquiner.) Je suis un peu en train de t'engueuler, hein. Je n'arrive pas à croire que tu ne m'aies jamais dit que tu jouais de la guitare.

Elle me secoua à son tour.

– Personne ne le sait. Ce n'est pas un secret… c'est juste quelque chose que je fais pour moi, parce que ça m'aide à m'en sortir. Je peux jouer, chanter et ne penser à rien, y mettre toutes mes émotions pour ne pas avoir besoin de les faire sortir… autrement.

Je la serrai dans mes bras. Puis je regardai sa voiture s'éloigner, en sachant que je ne la reverrais pas avant des mois.

Becca
Le 9 avril

Je lançai un «bonjour» sonore en entrant chez mes parents, mais n'eus droit qu'au silence pour toute réponse.

Comme Jason et moi vivions désormais dans un appartement, nous ne rentrions plus pour les vacances d'été. On avait préféré trouver chacun un job pour compléter nos économies, avant que notre dernière année ne commence. Il s'agissait d'un second travail pour Jason et, pour moi, d'une alternative aux cours particuliers que je donnais. En effet, le centre n'allait pas vraiment avoir besoin de moi pendant l'été. Je m'étais donc résignée à répondre au téléphone dans un cabinet d'avocats de la région. Un boulot ennuyeux comme la mort, mais avec un salaire suffisant pour le faire oublier. Jason cherchait encore, il avait une piste pour un poste de paysagiste.

Je passai la tête dans le bureau de mon père et le trouvai vide, tout comme celui de ma mère. Rien de très surprenant, ils travaillaient souvent tard tous les deux. Ben aurait cependant dû être là: sa voiture était dans l'allée. Il s'était réinstallé chez mes parents après avoir perdu l'appartement, et Kate m'avait dit qu'ils essayaient d'arranger les choses entre eux, mais que ça ne se passait pas très bien. Elle n'avait aucune nouvelle de lui depuis plusieurs heures et s'inquiétait donc de nouveau. Il travaillait toujours chez Belle Tire, mais il avait démissionné de son poste de manager pour retourner changer l'huile des moteurs en tant que mécano. Cela comportait moins de responsabilités.

Je trouvais que c'était une sage décision. Seulement, j'avais téléphoné chez Belle Tire avant de passer chez mes parents. Il n'était pas venu travailler à 9 heures ce jour-là, et il était déjà 3 heures de l'après-midi. Kate m'avait envoyé des textos en me disant d'aller voir s'il était chez mes parents.

Le froid de l'air conditionné m'envahit, et j'entendis le petit tic-tac-tic-tac de l'horloge de mon grand-père qui trônait dans le bureau. J'eus la chair de poule sans véritablement savoir pourquoi. Tout était à sa place. La cuisine était impeccable, il ne manquait rien, la porte d'entrée avait été verrouillée, celles de la terrasse et du garage également. Je me passai la langue sur les lèvres et essayai de calmer ma respiration tout en cherchant au rez-de-chaussée. Rien n'avait été déplacé. Je montai à l'étage, par habitude, j'évitai la marche qui grinçait. La porte de mon ancienne chambre était fermée et j'entrai. Mon vieux lit était là, fait, recouvert d'un vieux plaid – j'avais emporté à la fac mes draps et ma couverture préférés. Il n'y avait plus aucun bibelot sur ma commode et mon bureau, si ce n'est une tasse Starbucks remplie de stylos et de crayons. L'armoire était fermée, vide, a priori. Plus d'affiches, de photos, rien. Pas de Ben non plus.

J'allai vérifier dans la chambre de mes parents, ce qui me mit un peu mal à l'aise. On pouvait compter sur les doigts de la main les fois où j'y avais mis les pieds. Leur chambre était un sanctuaire, c'était une règle tacite. On n'y entrait pas, un point, c'est tout. Les pantoufles de mon père étaient, de façon assez ridicule, savamment alignées à côté du lit, comme on le voit dans les séries télé classiques. La robe de chambre en éponge de ma mère était posée sur le dossier de son vieux fauteuil à bascule. Ce fauteuil était un objet de famille qu'on lui avait envoyé du Liban pour ses quarante ans, quelques années auparavant.

Il ne restait plus qu'à aller voir dans la chambre de Ben, bien évidemment. Mon angoisse augmenta de façon palpable. La peur me nouait l'estomac, je sentais mon cœur marteler, mes mains tremblaient et j'avais du mal à respirer. Je posai la main sur l'acier froid de la poignée, la tournai et poussai…

La pièce était vide. Elle était également impeccable, le lit était parfaitement fait, rien n'était dérangé, ce qui ne ressemblait pas à Ben, qui était plutôt du genre bordélique. Je ne crois pas que sa chambre ait un jour été aussi propre. Des posters de rappeurs, de mannequins en Bikini et de playmates du mois recouvraient les murs. Une étagère de CD meublait presque un mur entier, chaque disque rangé de la même façon, l'écriture penchée vers la gauche. Ça sentait même le propre, et pourtant la chambre de Ben avait toujours empesté l'encens au patchouli dont il se servait pour couvrir l'odeur de ses joints, même à travers la porte fermée. Le seul signe de vie était la fenêtre ouverte par laquelle je m'étais échappée une fois pour aller rejoindre Jason. Une brise tiède faisait danser les rideaux. Il y avait une feuille de cahier parfaitement alignée sur le dessus de sa commode. Je secouai la tête en regardant le papier, comme par déni, avant même de l'avoir lue.

Becca,

Je suppose que c'est toi qui trouveras ça. Je suis désolé. Tu es sincèrement la seule raison pour laquelle je n'ai pas fait ça il y a longtemps. Je ne voulais pas te décevoir. Tu as toujours cru en moi quand personne d'autre ne le faisait. Ça ne suffit simplement plus. Je n'ai pas grand-chose à dire à papa et maman, si ce n'est que j'aurais aimé qu'ils insistent un peu plus avec moi. Qu'ils m'aiment tel que je suis, plutôt que de me juger et d'essayer de me changer, puis de se contenter d'abandonner. Je demande pardon à tout le monde. Je demande surtout pardon à Kate. Je ne la mérite pas, je ne l'ai jamais méritée et je ne la mériterai jamais. Je l'ai déçue, jour après jour, et je ne peux plus continuer à la décevoir. Elle a besoin de quelqu'un de mieux que moi. Maintenant, elle pourra le trouver. Je l'aime, mais ça ne suffit pas.

Au revoir.

Benjamin

PS : Becca, tu te souviens de l'arbre ? C'est là que je serai.

Je touchai le papier et l'encre coula sous mes doigts. J'eus une lueur d'espoir en voyant l'encre baver. Si elle n'était pas encore sèche, il était peut-être encore temps. L'arbre. Mon Dieu, l'arbre. Notre maison se trouvait tout au fond du lotissement, au bord d'un domaine de plusieurs hectares divisé en forêts, en broussailles et en prairies infinies. À environ un kilomètre et demi de notre porte derrière la maison se trouvait un pin géant dont les branches retombaient vers le sol, et la plus basse était presque à portée de main. Enfants, on avait joué sous cet arbre pendant des heures. Puis, Ben avait grandi et quand ses sautes d'humeur bipolaires prenaient le dessus, il s'y rendait pour se vider la tête. Il affirmait qu'il avait le droit de ressentir tout ce qu'il voulait sous cet arbre, plutôt que d'avoir l'impression de devoir ajuster ses humeurs. C'était aussi là qu'il allait quand il voulait se défoncer loin des regards. Enfin, jusqu'à ce qu'il réalise que nos parents fermaient de toute façon les yeux et faisaient semblant de ne rien voir.

Je n'eus pas à réfléchir une seconde. Je bondis par la fenêtre et descendis la gouttière en un temps record. Je trébuchai au milieu des buissons, puis des broussailles de la colline, tout en cherchant maladroitement mon téléphone dans mon sac à main. J'appelai Jason – la panique avait eu raison de moi et j'étais incapable de penser à qui que ce soit d'autre.

– Quoi de neuf, bébé ?

Il avait l'air essoufflé et j'entendis le clic de l'acier des machines de la salle de sports derrière lui.

– C'est B-Ben. Je c-crois qu'il… il a laissé un mot, une lettre de s-s-sui-c-c-cide.

Je ne pouvais plus respirer ni parler.

– Quoi ? T'es sérieuse ? Est-ce que tu l'as trouvé ?

– Non, p-p-pas enc-c-core. Derrière chez n-n-nous il y a un arbre. Je crois qu'il est l-l-là bas.

– Cet énorme pin centenaire ? Je le connais. Bébé, écoute-moi, ne va pas là-bas toute seule. Je suis à moins de cinq minutes, OK ? J'arrive, attends-moi, d'accord ?

C'était trop tard. J'y étais déjà. J'étais presque tout en haut de la colline, et l'arbre était derrière, au pied du versant. Je pouvais voir la cime du pin onduler au gré du vent. Les oiseaux chantaient gaiement, un contraste brutal avec la terreur qui envahissait mes tripes. Je courais aussi vite que possible, en oubliant que je serrais toujours le téléphone dans ma main. Je pouvais entendre le son distant et minuscule de la voix de Jason qui criait mon prénom. Une fois tout en haut, je trébuchai et tombai en dévalant la pente, mon dos heurta la rocaille. Je sentis les pierres heurter et déchirer mes cuisses nues que mon short bien trop court ne protégeait pas.

Je me redressai et vacillai jusqu'à rejoindre l'autre côté de l'arbre, là où se trouvait la branche la plus basse. J'avais les yeux fermés, pour m'empêcher de voir ce que je craignais de voir si je les ouvrais. Les larmes coulaient déjà à flots sur mon visage, et j'entendais la voix de Jason dans le téléphone, ou peut-être au loin. Je me forçai à ouvrir les yeux.

Je hurlai.

Ben pendait à la branche la plus basse ; son corps se balançait et ses jambes s'agitaient encore. Juste au-dessous de lui, un seau orange renversé roulait toujours en cercles. On ne voyait que le blanc de ses yeux, sa bouche était grande ouverte et son visage devenait violet.

Ça sentait la merde.

Je me ruai vers lui en hurlant son nom, encore et encore. J'attrapai ses jambes en pleurant et soulevai de toutes mes forces. Je réussis à monter assez haut pour que la tension diminue et j'entendis un léger bruit d'étouffement éraillé, mais mes jambes plièrent sous moi et ses chevilles me glissèrent des bras. Je tombai par terre juste en dessous de lui. Ses orteils pendaient vers le sol, flasques. Ils balançaient légèrement, ils ne s'agitaient plus désormais.

– BEN ! (Je m'entendis hurler d'une voix stridente :) Non, Ben, non, non, non.

Je me retournai sur le ventre, luttai pour me relever et essayai à nouveau de le soulever, lui, en sachant qu'il était déjà parti, en sachant que c'était trop tard. J'attrapai l'arrière de ses cuisses ; je sentis quelque chose de chaud, collant et nauséabond sur mes mains et je savais ce que c'était. Je savais ce qui arrivait à l'intestin quand on se pendait.

Je regardai son corps tourner dans mes bras. Sa tête était penchée de façon inhabituelle, on ne voyait plus que le blanc de ses yeux et il tirait la langue.

– Oh... putain.

J'entendis une voix derrière moi. Jason.

Je sentis ses bras autour de moi, il me força à reculer. Je me débattis. Il fallait que j'aide Ben. Il était blessé. Il avait besoin de moi. Il avait toujours eu besoin de moi, et je n'avais pas été là. C'était trop tard. Je devais l'aider. Je luttai contre les bras qui m'enserraient, j'entendis mes hurlements devenir rauques quand mes cordes vocales explosèrent, j'entendis les murmures brisés de Jason à mon oreille qui me suppliait de me retourner.

– Ne regarde plus, bébé. Il est parti, il est parti.

– NON ! IL N'EST PAS PARTI ! Mon frère, mon frère à moi, mon Ben.

Je me débattais encore quand la force m'abandonna et que Jason me serra contre lui. Je ne parlais plus, on ne comprenait pas ce que je disais, je pleurais à gros sanglots, je suffoquais et bredouillais, le bras tendu vers Benny. Son corps balançait sous la brise, la corde grinçait.

Un corbeau croassa quelque part, annonçant l'arrivée de la mort. La créature noire de jais se posa sur la branche d'un arbre voisin, la tête penchée et l'œil étincelant. Elle agita les ailes, pencha la tête de l'autre côté et croassa à nouveau, me regardant droit dans les yeux.

– NON ! Tu ne l'auras pas !

Ces mots furent les derniers que je prononçai sans bégayer avant très longtemps.

Je m'arrachai des bras de Jason et ramassai une pierre sur le sol à côté de moi. Je la balançai au corbeau qui ne fit que se pencher et croasser à nouveau, deux fois, sévère et moqueur. Puis, dans un froissement de plumes et un battement d'ailes, l'oiseau s'en alla et je tombai à terre, amorphe.

Je sentis des bras forts me soulever et je m'agrippai désespérément au torse d'acier; l'odeur de sueur de Jason envahit mes narines. Voilà ce qui m'empêcha de mourir à ce moment-là. Je m'agrippai à lui, égratignant sa poitrine avec les ongles. Je m'étais fait faire une manucure la veille, et ils étaient parfaitement limés et vernis d'un violet éclatant. Enfermée dans ma torpeur, je fixais mes ongles qui se plantaient dans le T-shirt de Jason, le déchiraient, puis se plantaient encore dans sa peau nue, faisant apparaître des lignes roses sur sa chair. J'étais incapable de respirer, des étincelles m'aveuglaient et les bronches me brûlaient. J'étais incapable de respirer, parce que j'étais perdue dans un cri qui n'en finissait plus, un cri silencieux et tremblant.

On m'emmenait loin. Je sentais la colline s'éloigner. Je luttai, suffoquai et luttai encore.

– B-ben! N-non! R-ramène-m-moi! I-I-Il a besoin de m-m-moi... S'il t-t-e plaît!

Jason ne répondit pas. C'était inutile. J'entendais les voix qui m'entouraient, les radios qui grésillaient, les sirènes hurler au loin. J'étais aveuglée par des lumières rouges et bleues. Une porte s'ouvrit, se referma. Des escaliers grincèrent. Une autre porte s'ouvrit encore. Je sentis la porcelaine froide sous mes cuisses. J'entendis l'eau qui éclaboussait et tombait en trombes. Et puis je fus noyée dans un bain de vapeur. Je sentais l'odeur de la merde. J'avais mal à la main. Je fixai, apathique, le majeur de ma main gauche en sang, il lui manquait un ongle.

Les mains de Jason m'enlevèrent mon T-shirt, dégrafèrent mon soutien-gorge, me redressèrent pour faire glisser mon short et ma culotte. Je sentis sa peau contre la mienne et je voulus m'enfouir dans sa chaleur pour tout oublier. Mais il m'en empêcha. J'avais tellement froid. Il m'aida à enjamber la baignoire pour y entrer. Les anneaux du rideau de douche grincèrent contre la tringle en métal, et puis l'eau bouillante m'inonda. Jason régla la température pour qu'elle devienne plus tolérable. Je m'en moquais. La brûlure me convenait.

Une de ces énormes éponges végétales, rose et orange, glissa sur mon épaule, puis le long de mon dos et de mon bras. Il frottait doucement, de façon appliquée. Il me laissa m'adosser contre son torse. Il shampouina mes cheveux, les rinça, appliqua du démêlant. Les massa à nouveau et les rinça à nouveau. Je sentis une brosse tirer doucement sur mes boucles mouillées et emmêlées, encore et encore, butant sur des nœuds jusqu'à ce que mes cheveux soient parfaitement lisses.

L'eau devint tiède, et il ferma le robinet. Il m'enveloppa dans une serviette, me sécha, puis essora mes cheveux et les brossa encore. Je tremblais contre lui. Il me prit dans ses bras et me porta jusqu'à ma chambre, me coucha sur mon lit, tira les draps et le plaid en dessous pour me recouvrir. Je sentis son absence l'espace d'un instant, et la panique m'envahit.

– Non ! R-reviens !

L'air me manqua, et je m'agitai sur le lit.

Il fut là en une seconde, encore nu, encore trempé. Il glissa sous les draps et enroula son corps autour du mien.

– Je suis là, mon amour. Je suis là. Je ne vais nulle part. Je suis là.

– B-Ben… (Je me retournai dans ses bras et enfouis mon visage contre son torse.) P-Pourquoi ? Mon Dieu, B-Benny…

– Je ne sais pas, chérie. J'aimerais le savoir.

Il dégagea doucement mes cheveux, et je sentis son souffle au creux de mon oreille.

– Ben-Benny…, dis-je en sanglotant, et je ne pus simplement plus m'arrêter.

J'entendis une porte grincer, le corps de Jason se souleva puis revint s'écraser contre moi. Une pensée me traversa

– K-Kate ? Je dois prévenir Kate.

– Elle est au courant. On le lui a dit. (Il me tenait contre lui.) Je suis tellement désolé, Becca. Tellement désolé.

Je pleurai jusqu'à m'endormir, puis me réveillai, pleurai encore jusqu'à m'effondrer de nouveau. On m'avait habillée à un moment ou à un autre, et Jason n'était plus là quand je me réveillai la seconde fois. Je regardai par la fenêtre, il faisait nuit noire, une obscurité épaisse transpercée par la lueur de la lune. Je trouvai Jason dans la cuisine, à discuter avec mes parents, une tasse de café à la main. Il portait un pantalon de jogging et un sweat à capuche avec son nom cousu dans le dos.

Père me vit le premier. Il traversa la pièce en deux enjambées et me serra contre lui.

– Rebecca, je suis tellement désolé que tu aies vu ça. Mon Dieu, *figlia*. Je suis tellement désolé. (Il se mit à pleurer.) Je n'ai pas su l'aider. Je n'ai pas su…

Je ne pouvais pas supporter l'odeur sirupeuse de son eau de toilette, la sensation inhabituelle de son étreinte. Je le repoussai et me collai à Jason. Il m'attira contre lui et je m'effondrai de nouveau. Il s'assit sur le grand tabouret du bar et me souleva pour me poser sur ses genoux, dégagea mes cheveux, me serra dans ses bras.

Mère ne disait rien, mais je pouvais sentir sa peine. Je lui jetai un coup d'œil et vis son visage strié de larmes, ses yeux rouges.

Je sentis mon père derrière moi.

– Rebecca, je…

Je ne lui en voulais pas, je n'étais pas en colère contre lui, mais je ne supportais pas sa présence. Je m'écartai de lui et me retournai pour regarder Jason.

– J-j-je ne p-p-peux pas rester l-l-là. Emmène-m-m-moi loin. Emmène-moi ai-ai-ailleurs. N-n-n'import-t-t-te où.

Il se leva en me gardant dans ses bras, à la façon des pompiers, puis m'emmena. J'entendis une porte s'ouvrir, et je sentis le parfum de ma mère. Des petits doigts froids me touchèrent le front. J'ouvris les yeux et vis le marron des siens scintiller au-dessus de moi. Elle ne parla pas, elle caressa me juste le front, les lèvres pincées, presque sévères.

– I-i-il est parti, m-m-maman. (Je m'agrippai au sweat de Jason en la regardant dans les yeux.) Il s'est s-s-suicidé. Il s'est p-p-endu à un p-p-putain d-d-d'arbre !

– Je sais, je sais.

Ce fut tout ce qu'elle dit.

– P-P-Pourquoi ?

Elle haussa les épaules en secouant la tête.

– Je n'ai… aucune réponse.

Jason me porta dans la chaleur de cette douce nuit d'été, une brise agréable balaya mes cheveux, ça sentait les fleurs, l'herbe coupée et la nuit. Une grenouille coassa au loin et le chant d'un grillon retentit. Il me posa sur mes deux pieds et j'entendis le grincement de la portière de son camion, la lumière jaune pâle, si familière, de l'habitacle, le ding-ding-ding qui rappelait que la portière était encore ouverte. Je grimpai dans le camion, contente d'être dans un endroit familier. Il enclencha le moteur, qui émit un grognement, et la radio s'alluma, *To Travels and Trunks*, des Hey Marseilles. Plus mon genre de musique que celui de Jason.

Je sentis Jason me regarder, mais il me connaissait assez pour savoir qu'il fallait laisser la musique. *Rhythm Of Love,* de Plain White T's, commença ensuite, et je fermai les yeux. Blottie dans la chaleur réconfortante du camion de Jason, j'aurais presque pu oublier.

– Où veux-tu aller, bébé ?

Je sentis le virage à droite à la sortie du lotissement, puis à gauche pour rejoindre la route principale.

– N'importe où. Roule… c'est tout.

On écouta ensuite *Kingdom Come,* des Civil Wars, et je posai la tête sur les genoux de Jason, tandis qu'il conduisait. Sa main était posée sur mes côtes. Je sentais la poussière et le gravier cogner et grincer au-dessous de nous. On roula et on roula encore. Je dormis et me réveillai dans les bras de Jason, la tête contre son torse, le froid de l'aube qui me glaçait, les rayons rouge et or du soleil qui miroitaient au travers du pare-brise. Je vis les branches de notre chêne, je connaissais chacune d'entre elles. Je savais combien l'arbre avait de branches, je connaissais les marques de hache ou de scie sur le tronc, les excroissances qui entouraient la naissance d'une branche affaissée, l'endroit où les oiseaux venaient faire leurs nids tout en haut.

C'était un moment paisible, juste le froid, les bras de Jason, le camion, l'arbre et le soleil. Et puis je me souvins, comme un cauchemar éveillé qui ressurgissait par flashes. Je tremblai, m'étouffai sur mes larmes. Les bras de Jason me serrèrent, et je sus qu'il était réveillé.

– Je t'aime, murmura-t-il. Je t'aime tellement, et je serai avec toi à chaque instant.

Je hochai la tête contre sa poitrine.

– Je t-t-t'aime aussi. (Le bégaiement me fit grincer la mâchoire.) Je s-s-suis désolée.

– Désolée ? Mais de quoi ?

– J'arrête p-p-pas… d-d-de… bég-g-g-gayer.

Les bégaiements au milieu des mots étaient les pires de tous. Ça ne m'était pas arrivé depuis le collège.

Il laissa échapper un bruit, presque un sanglot.

– Ne t'excuse jamais. Tu le sais. Je t'aime. Toujours, pour l'éternité, quoi qu'il arrive.

– Tu p-p-p-prom-promets ?

Je m'agrippais désespérément à lui.

– Je te jure sur ma vie, sur mon âme.

J'avais besoin de lui. Je n'avais jamais eu peur de l'admettre. Surtout à ce moment-là. Je savais qu'il était le seul à pouvoir m'aider à sortir de cette peine qui me dévastait, de cette image qui me hantait du corps de Ben se balançant et se tordant au-dessus de moi.

Jason me serrait dans ses bras, et il n'allait pas me lâcher.

14

Élégie

Jason
Deux jours plus tard

Je dus littéralement porter Becca en entrant dans le reposoir de la chambre funéraire.

Pourquoi appeler ça une «chambre»? Une chambre, c'est un endroit chaud et réconfortant. C'est l'endroit où on dort et où on fait l'amour, pas un lieu où on pleure la mort d'un des siens.

J'avais essayé d'appeler plusieurs fois Nell pour lui dire ce qu'il s'était passé, mais elle ne m'avait jamais répondu. Elle ne m'avait jamais rappelé non plus. Je n'avais pas laissé de message, parce que ce n'est pas le genre de nouvelle qu'on laisse sur un répondeur, non?

Becca était tout simplement… brisée. Ça me faisait mal de la voir comme ça. Elle qui était toujours si lumineuse, si vivante et enjouée. Timide en public, mais pleine de vie. Désormais? C'était comme si on avait terni la lumière de son sourire, comme si on avait éteint l'étincelle de son regard. Je la tenais contre moi, la soutenais du bras. Elle s'agrippait si fort à mon côté que j'avais du mal à respirer. Je la portai à moitié au travers de la pièce, la traînai sur la même moquette aux motifs de fleurs de lys, face aux même tableaux de vieilles scènes de chasse anglaises qu'à l'enterrement de Kyle. Dieu merci, ce n'était pas la même chambre funéraire. Je ne crois pas que j'aurais pu le supporter. Celle-ci était plus sombre, avec des murs en lambris, une tapisserie anthracite et des lampes en cuivre. Il y avait toujours ces tableaux omniprésents de scènes de chasse, et trois rangées de chaises pliantes.

Et le cercueil. De l'acajou, ou un autre bois aux teintes noisette, des poignées en laiton vissées tout autour. Le haut du cercueil était ouvert, j'avançai vers lui en traînant Becca. Je vis d'abord les cheveux de Ben, noirs et brillants. En approchant, Becca se mit à avoir le hoquet et m'agrippa encore plus fort. Je pris mon courage à deux mains, et on fit le dernier pas. Voilà, nous y étions. Face au cercueil. Becca enfouit son visage dans la veste de mon costume.

– Je n-n-ne veux pas r-r-regarder, grommela-t-elle.

– Alors, ne le fais pas, dis-je. Tu connaissais son visage.

Tremblante dans mes bras, elle tourna doucement la tête de l'autre côté, se redressa. Elle se mit debout toute seule. Elle lissa les plis que la robe noire à mi-mollets lui faisait sur les hanches. Je la vis se préparer à affronter ce qui l'attendait, le dos droit comme un I, la tête légèrement penchée en arrière, les poings serrés. Elle laissa échapper quelques expirations profondes et longues, de plus en plus vite. J'étais derrière elle et l'obligeai à prendre ma main, elle s'y accrocha comme à une bouée de sauvetage, suffisamment fort pour que cela me fasse mal.

Je la regardai. Elle ouvrit les yeux, regarda dans le vide, au-delà du cercueil. Puis, au bord de l'hyperventilation, elle se força à regarder le corps de son frère. Il portait un costume noir classique, une chemise blanche et une cravate noire. Ses cheveux étaient peignés en arrière. Son maquillage était si réussi qu'on pouvait à peine voir l'hématome d'un noir profond qui lui encerclait le cou.

– Mon Dieu, il au-r-r-rait d-d-d-étesté ce c-c-costume, murmura-t-elle en se couvrant la bouche de sa main. Pourquoi f-f-faisons-n-nous ça ? Pourquoi se t-t-torturer c-c-comme ça ? C-c-ce n'est p-p-pas Ben.

Je n'avais aucune réponse à lui donner. Je me contentai de la soutenir, le bras posé haut sur sa taille. M. de Rosa s'approcha derrière Becca et posa la main sur son épaule. Hier dans la nuit, elle m'avait dit qu'elle ne lui en voulait pas. Mais elle secoua quand même le dos pour qu'il retire sa main, en laissant échapper un gémissement du fond de sa gorge.

– Arrêt-t-te, Père.

Elle se dégagea de mon bras, trébucha et manqua de renverser le pupitre qui trônait à côté du cercueil et sur lequel était posé un cadre avec des photos de Ben.

Il la regarda s'éloigner, les yeux pleins de tristesse. Son regard se posa sur moi et j'y vis une lueur d'accusation, comme si j'avais fait quelque chose pour les séparer. Becca disait qu'elle n'en voulait pas à Enzio de Rosa pour la mort de son frère, mais son comportement suggérait le contraire. Mais tout ça ne me regardait pas, je fis donc la seule chose que je pouvais faire, je la rejoignis, la pris par la taille et la fis s'asseoir sur une chaise au fond de la salle, près de la sortie. Je savais qu'elle allait vouloir s'enfuir de nouveau.

Le prêtre arriva et s'installa face à nous.

– Mes bien chers frères, commença-t-il d'une voix gutturale et apathique, nous sommes réunis ici pour pleurer la mort de Benjamin Aziz de Rosa. Nous savons tous qu'il est parti bien trop tôt. Nous ne saurons probablement jamais pourquoi Benjamin a choisi de quitter ce monde, mais nous pleurons néanmoins sa mort, et souhaitons nous souvenir de sa vie…

Becca s'étouffa sur un sanglot, toussa et trébucha en se relevant. Elle se redressa et marcha jusqu'au prêtre, qui s'interrompit en la fixant, à la fois choqué et perdu. Je la suivis. Elle croisa mon regard, secoua la tête, et je compris qu'elle savait exactement ce qu'elle était en train de faire. Je m'adossai donc au mur, croisai les bras sur ma poitrine en mettant quiconque au défi d'essayer de l'arrêter.

– C-ce n'est pas ce qu'aurait voulu mon frère. (Elle parlait doucement, ses mots étaient ordonnés, presque un peu trop pour que cela soit naturel.) Il au-au-rait détesté ce c-c-costume absurde. Il aurait détesté ces photos absurdes de lui et ces fleurs absurdes. Il aurait détesté ces mots qui sonnent faux que le prêtre a prononcés – ne le prenez-pas mal, mon père. I-I-Il il aurait voulu qu'on se dé-défonce en pensant à lui. On ne v-v-va pas le faire, ha, ha, de toute évidence. On sait exactement p-p-pourquoi il s'est pen-d-d-du. Il allait mal. Il était dépressif. Il était en colère. Il p-p-pensait n'avoir r-r-rien à offrir.

Elle s'arrêta, ferma les yeux pour reprendre ses esprits.

Je remarquai enfin la présence de Kate, elle n'était pas habillée en noir mais portait une robe d'un vert profond qui lui arrivait aux genoux et moulait sa silhouette élancée. Ses cheveux étaient coiffés en une tresse sophistiquée, elle était très maquillée. Je réalisai qu'elle s'était faite belle pour Ben, et pour personne d'autre. Ses yeux striés de rouge, gonflés par les larmes, scintillaient de colère.

Becca la vit également, et s'adressa à elle.

– À part Kate, je suis celle qui le connaissais le mieux. Je l'aimais et je détestais le voir… lutter avec lui-même.

Becca faisait de nombreuses pauses, pour forcer les mots à sortir, forcer la fluidité de son discours.

Tout le monde retenait son souffle.

– Sa lettre d-d-dit qu'il est désolé. Qu'il n'a pas été à la hauteur… en ce qui concerne Kate et le reste d'entre nous. Il n'a pas échoué. Ce n'est p-p-pas vrai. Pas une fois. C'est n-nous qui n'avons pas été à la hauteur. Nous tous.

À ce moment-là, son regard se posa sur son père et il sursauta réellement. Il ferma fort les yeux. Une larme coula sur sa joue.

– Nous l'avons tous… j-jugé. Nous avons essayé de le ch-changer. Il n'y avait que Kate qui l'aimait comme il était. Qui le laissait ressentir ce qu'il ressentait, et l'a-a-acceptait comme ça-ça-ça.

Ses yeux clignèrent quand elle bégaya ces trois dernières syllabes.

C'est à ce moment que Kate craqua, elle se leva brusquement dans un tintamarre de chaises pliantes en métal et s'enfuit. Becca la regarda faire, puis fixa de nouveau le bois du pupitre. Elle me jeta un coup d'œil et fit un geste en direction de son sac à main qui était resté sur sa chaise. Je l'attrapai et le lui tendis. Elle en sortit une feuille de cahier pliée en huit, la déplia et la défroissa contre la surface en bois.

Elle inspira profondément, remua la bouche en lisant les mots, pour se préparer à les prononcer à haute voix.

– J'ai écrit ça. Pour Ben.

Je savais combien il était difficile pour Becca de partager sa poésie. C'était le seul cadeau, le plus beau de tous, qu'elle pouvait lui faire.

Je ne te pleure pas,
Mon frère.
Je ne porte pas ton deuil.
Si la pensée,
Le chagrin
Et l'amour
Existent après cette vie,
Alors je sais que tu nous regardes
Et que tu es en colère contre nous.
Tu es en colère,
Mais tu es en paix.
Je ne te pleure pas,
Mon frère.
Mais tu me manques,
J'aimerais que tu sois encore là,

Que tu ne sois pas parti
De façon si violente,
Loin de nous tous,
Loin de moi.
Tu me manques,
Je t'aime,
Mon frère.
Et je suis désolée,
Je suis désolée de ne pas t'avoir aimé
Plus.
Je ne sais pas si tu es mieux là où tu es.
C'est sans doute un mensonge qu'on se raconte
Pour se réconforter.
Il y a trop à dire
Et pas suffisamment de mots
Pour que je puisse le faire.
Si tu es là,
Si tu m'écoutes,
Alors j'espère que tu trouveras,
Où que tu sois,
Ce que tu cherchais.

Elle froissa le papier dans sa main serrée, s'effondra un peu sur le pupitre, comme si l'effort qu'elle avait dû fournir pour réciter son texte sans bégayer l'avait épuisée. Je marchai jusqu'à elle, la pris contre moi et reculai. Elle s'agrippait à moi et je la pris dans mes bras, en faisant attention à ce que sa robe ne remonte pas trop le long de ses jambes. Je sortis du reposoir, sortis de la chambre funéraire et marchai jusqu'à l'arbre, celui où Nell s'était elle aussi réfugiée à l'enterrement de Kyle. Je crois que c'était là qu'elle avait vu Colton pour la première fois. Ou du moins revu, étant donné qu'on le connaissait tous plus ou moins avant qu'il ne quitte la ville.

Kate était là, sous l'arbre, les branches nous faisaient de l'ombre sous le soleil brillant et chaud du mois de juin. Je posai

Becca à terre. Elle alla s'asseoir à côté de Kate. Je m'assis en face d'elles.

– Je ne suis pas… Je ne l'aimais pas comme tu l'as décrit, éructa Kate. C'est vrai. J'étais constamment en train d'essayer de le changer. De l'améliorer.

– Mais tu l'acceptais ma-malgré tout. Tu l-l-l'aimais, tout déglingué qu'il était.

– Il n'était pas déglingué. Il était juste… Ben.

– Tu vois ? (Becca sourit, un sourire minuscule et triste.) C'est de ç-ç-ça dont je parle.

S'ensuivit un long silence. Kate était assise en tailleur, la tête plongée entre ses jambes, les yeux rivés sur l'herbe qu'elle arrachait par poignées avant d'y découper des brins encore plus petits. J'allai m'asseoir à côté de Becca, car de la façon dont Kate était assise, on pouvait voir qu'elle ne portait rien sous sa robe, ce qui n'était pas vraiment un truc que j'avais besoin de voir.

– Je suis enceinte.

Kate avait murmuré ces mots.

Becca se redressa dans un sursaut.

– Quoi ?

– C'est pour ça que Ben s'est suicidé. Il n'a pas supporté. Il pensait qu'il avait gâché ma vie, nos vies. Il a dit que cet enfant serait comme lui. Il a dit… qu'il était incapable d'être père. Il… Je l'ai appris la veille du jour où il a… La veille. Je le lui ai dit, et il a juste… pété un plomb. Il s'est mis dans une telle colère, pire que ce que j'avais jamais vu. Une colère contre lui-même. Pas contre moi. Il a détruit l'appartement, et il a failli me frapper, moi. C'était tellement flippant. Il n'était plus lui-même, il était tout bonnement devenu… fou. (Elle murmurait toujours, si doucement que je pouvais à peine l'entendre.) Quand il a réalisé qu'il était à deux doigts de me faire du mal, il s'est arrêté. Le jour pointait déjà. Il est parti, et je n'ai pas la moindre idée d'où il est allé. J'en étais malade, je me suis mise à vomir, tellement j'avais du mal à respirer. Je suis restée allongée sur le sol de la salle de bains pendant des heures. Alors, je t'ai envoyé ce texto pour te dire d'aller le chercher. Mon Dieu, Becca, je ne me serais jamais imaginé... Je ne pensais pas qu'il... qu'il ferait ça...

Elle explosa en sanglots et s'effondra sur le sol, s'enfouit le visage dans les mains et laissa retomber sa tête sur les genoux de Becca.

Becca lui caressa les cheveux pour dégager son front. Elle pleura avec elle, laissant couler ses larmes en reniflant doucement. Je sentis ma poitrine se serrer et mon estomac se retourner. Regarder Becca pleurer avec tant de désespoir était la chose la plus difficile de ma vie. Être conscient de ne pouvoir ni l'aider ni la réconforter était encore pire.

Kate s'arrêta au bout d'un moment. Elle s'essuya les yeux avec les mains et le nez avec l'avant-bras, laissant un filet visible sur sa peau pâle.

– Qu'est-ce que je vais faire ? Comment je... Comment je peux gérer ça ? demanda Kate.

Becca me fixa pour me supplier en silence de lui donner une réponse, quelle qu'elle soit.

– Je... Il faut se contenter de... vivre. Un jour après l'autre. C'est tout ce qu'on peut faire en tant qu'être humain, non ? (Je détestais le côté cliché de ma phrase.) Tu fais désormais partie de la famille, Kate. Tu ne seras pas seule. On... on fera tout notre possible pour t'aider, à tous les niveaux.

– J'ai... j'ai pensé à me faire avorter. Je ne pense qu'à ça. Est-ce que je garde cet enfant ? Est-ce que je ne le garde pas ? (Sa voix trembla, elle se racla la gorge et continua. Elle parlait par murmures brisés.) Mais... Je dois avoir cet enfant. Il... ou elle... c'est tout ce qu'il me restera de Ben. Mon Dieu... Il est mort, et je dois faire ça toute seule. (Elle planta ses poings dans l'herbe, arracha des mottes entières, parlant les dents serrées.) Je suis tellement en colère contre lui. Tellement. Il m'a quittée. Il n'est pas mort dans un accident, on ne me l'a pas enlevé...

Il m'a quittée… de son plein gré. Et je… putain, je le déteste d'avoir fait ça. Est-ce que ça fait de moi une personne horrible? Je lui en veux tellement de m'avoir abandonnée que je pourrais… Je n'y arrive pas.

– M-moi aussi, je lui en veux, murmura Becca. Je s-s-sais ce que j'ai d-d-dit tout à l'heure, mais… je suis en c-c-colère aussi, Kate. Il est parti comme un lâche. Je me d-d-déteste de penser ç-ça, mais c'est v-v-vrai.

– Vous avez le droit de ressentir ce que vous voulez, leur dis-je à toutes les deux, en ayant encore l'impression de balancer un cliché.

Il y eut un autre long silence, puis Kate se leva en tremblant, s'épousseta les mains et défroissa sa robe. Elle renfila ses talons noirs et refit sa queue-de-cheval. En moins d'une seconde, elle avait repris ses esprits. Ses yeux étaient secs, mais pleins de tristesse.

– Je dois y aller. Merci à vous deux.

Je me levai et la pris dans mes bras, une étreinte rapide et chaste.

– Appelle-nous, d'accord? N'importe quand, et pour quoi que ce soit.

Elle fit oui de la tête.

– Je le ferai.

Et puis elle se mit en route, ses longues jambes fendant l'herbe.

Becca me tendit les mains, et je l'aidai à se relever. Elle s'accrocha à moi, prit une grande inspiration, le visage enfoui contre mon torse.

– Ramène-moi à la maison.

Une heure plus tard, nous étions de retour à notre appartement. Je balançai mes chaussures dans un coin, les chaussettes que je portais avec mon costume sur le lino blanc abîmé de la cuisine. J'enlevai ma veste, tirai sur ma cravate pour la desserrer et sentis une main se poser sur mon bras pour me forcer à me retourner.

Je fis demi-tour et Becca attrapa ma cravate, me l'enleva, les yeux féroces et déterminés, la bouche légèrement entrouverte. Elle batailla avec un bouton de ma chemise, un autre, puis elle grogna et me l'arracha d'un coup. La moitié des boutons s'ouvrirent, les autres explosèrent et vinrent rebondir sur le sol.

– Beck ? Qu'est-ce que tu… ?

Je n'eus pas le temps de parler.

Elle me sauta dessus, m'embrassa avec un désespoir que je ne lui avais jamais connu. Ma chemise foutue tomba sur le sol, mon débardeur blanc vola à travers la cuisine, ma ceinture s'ouvrit et mon pantalon tomba sur mes chevilles.

– Fais-moi r-r-ressentir quelque chose, murmura-t-elle au creux de mon oreille. (Sa voix était rauque et éraillée.) Ce q-que tu veux. *S'il te plaît.*

Je n'eus pas le temps de répondre. Elle avait enlevé sa robe et ses sous-vêtements avant même que je ne comprenne tout à fait ce qu'il se passait, et d'un coup nous étions nus tous les deux, et je trébuchai à travers la cuisine avec son poids sur moi. Elle s'agrippait à mon cou, ses jambes autour de ma taille, ses lèvres contre les miennes. Je gémissais tandis qu'elle me dévorait, qu'elle piquait ma langue, qu'elle mordait mes lèvres. Elle plantait ses doigts tellement violemment dans ma peau que je savais que j'allais garder des marques. Puis elle plongea la main entre nous et me guida en elle, en appui sur ses cuisses pour que son bassin se soulève vers le mien. Elle se laissa retomber si fort autour de mon sexe que le bruit du contact de nos chairs retentit dans notre minuscule appartement. Je trébuchai encore et me retournai pour la poser sur le comptoir, son dos contre la peinture blanche écaillée d'un placard.

– Non, non. Plus. Besoin de… plus. Elle s'enfonçait sur moi, je la repris dans mes bras, chancelai à travers la pièce, et on s'écrasa ensemble contre le mur du couloir.

– Oui. Comme ça.

Je la pénétrai doucement, en la maintenant contre le mur et en l'embrassant tendrement. J'essayai de ralentir un peu son rythme. Elle grogna de frustration, s'accrocha à mon cou, souleva le bassin puis se laissa retomber dans un gémissement de satisfaction. Ses lèvres quittèrent ma bouche pour venir bégayer contre ma joue.

– Lit. S-s'il te plaît.

Elle bougeait les hanches de bas en haut de façon frénétique, instaurant un rythme que j'étais tout bonnement incapable de suivre debout.

Je la portai jusqu'à la chambre et nous laissai retomber sur le lit. Je n'eus même pas le temps de me redresser. Elle entremêla ses doigts aux miens, elle releva mes bras au-dessus de ma tête et glissa ses hanches contre les miennes. Posant son front contre le mien comme pour soulager son avidité, elle reprenait son rythme frénétique de va-et-vient au-dessus de moi. Ses seins rebondissaient sur ma peau et ses cuisses, douces comme de la soie, caressaient les miennes. Elle suffoquait dans ma bouche, me chevauchait avec un abandon déchaîné et sauvage.

C'était à la fois sexy et flippant, parce que son regard n'était pas tout à fait celui qu'elle avait d'habitude. Elle était comme possédée. Elle avait des yeux fous, féroces. Elle se redressait pour avoir le dos droit, poussait sur ses cuisses et retombait sur moi incessamment, les mains plongées dans ses cheveux, ses seins qui se balançaient et rebondissaient chaque fois qu'elle soulevait et laissait retomber son corps. Mon Dieu, elle était si incroyablement belle, et cette humeur de déesse en colère, c'était quelque chose de nouveau, quelque chose que je n'avais jamais vu en elle auparavant.

Elle ne me donnait rien. Elle prenait tout. Je m'accrochai à ses hanches et la laissai me chevaucher, je lui donnai tout ce que j'avais, je n'osai ni parler, ni murmurer, ni même respirer. Elle fit de moi sa chose, se fit décoller toute seule dans une frénésie d'orgasmes, hurla à travers sa mâchoire serrée et laissa échapper un gémissement vibrant, la tête penchée en arrière, le dos cambré, et ses putains de seins sublimes qui rebondissaient.

Enfin, je me perdis en elle, je la pris encore et encore, de plus en plus fort, jusqu'à ce qu'elle jouisse une deuxième fois, puis une troisième, parce que mon bébé était comme ça, elle pouvait jouir encore et encore jusqu'à ce qu'elle soit trop épuisée pour faire le moindre mouvement. Et je crois que c'était ça dont elle avait besoin. Je contractai mes muscles et fermai les yeux pour me défaire de l'image si érotique de son corps au-dessus de moi et me concentrer afin de me retenir, la pénétrant aussi fort que j'en étais capable.

Elle tomba en avant, planta ses paumes sur mon torse et me chevaucha à un autre rythme. Elle resta enfoncée sur moi en frottant son clito contre mon pubis, pour se faire basculer encore une fois. La bouche ouverte, elle suffoquait, gémissait, les yeux fermés, les sourcils relevés. Bon, d'accord, je la regardais à nouveau. Je ne pouvais pas m'en empêcher, parce que Becca, qui avait tellement l'habitude de donner, prenait enfin tout ça pour elle. Elle en avait besoin pour une raison que je ne saisissais pas totalement, et j'avais bien l'intention de le lui donner, encore et encore, jusqu'à ce qu'elle soit rassasiée.

Elle finit par rouler sur le dos, chercha à tâtons mes bras pour m'attirer, agrippa mon cul pour approcher mon bassin, puis m'enfonça en elle en enroulant ses jambes musclées autour de mon dos. Elle s'accrocha, m'attira contre elle encore et encore, utilisant chaque muscle de son corps pour s'écraser contre moi. Les bras autour de mon cou, elle refusait de me lâcher. J'appuyai donc mes lèvres sur son épaule et plaçai mes mains de chaque côté de son visage. J'installai un rythme de pénétration violent, presque comme pour la punir, un rythme animal et fou. Elle en redemanda.

Elle me laissa faire et planta ses ongles dans mes épaules en jouissant à nouveau, hurla son orgasme à m'en rendre sourd. Je m'étais retenu si longtemps à ce stade que c'en était douloureux, j'avais besoin de me soulager, mais elle n'en avait pas fini avec moi.

Elle me repoussa et se tourna à quatre pattes, me présentant ainsi son cul. Oh… putain. Je ne sais pas exactement pourquoi, mais la voir comme ça, c'était toujours ma perte. Quelque chose dans de ce cul sublime et ferme qu'elle me présentait, la fente de son sexe trempée d'avoir fait l'amour, d'avoir baisé… ça me rendait fou. Je plongeai en elle, elle fourra un oreiller sous son ventre et s'agrippa à un autre, elle suivait chacun de mes va-et-vient, le claquement des chairs faisant écho dans notre appartement.

Et puis elle jouit de nouveau, mais, cette fois-là, elle contracta encore plus fort ses muscles vaginaux, et j'étais si profondément en elle, et quelque chose dans sa façon de gémir, de frotter son cul contre moi, de murmurer mon nom… ce fut ça ma perte pour de vrai. Je fus alors incapable de me retenir plus longtemps. Je devins fou, je grognai, reculai et la baisai si fort qu'elle gémit, mais le «oui!» qui sortit de sa bouche était hors d'haleine. Elle se pencha en avant pour reculer sur ma pénétration suivante, elle recommença, et j'explosai enfin en elle, jet après jet. Son sexe se cramponnait au mien, elle avait des spasmes et hurlait d'une voix rauque, appuyait sa chair mate et douce contre moi. Elle semblait se moquer de la façon ultraviolente dont mes mains s'accrochaient à ses hanches pour l'enfoncer sur moi en rythme avec chacun de mes spasmes de soulagement.

Elle se laissa tomber en avant loin de moi, dans un soupir. Elle roula sur le dos et m'agrippa pour me faire tomber sur le lit à côté d'elle. Elle retrouva sa place habituelle, enfouie dans le creux de mon bras gauche, sa jambe droite par-dessus les miennes, sa main posée sur le bas de mon ventre, son souffle brûlant sur ma clavicule.

– Merci, bébé, murmura-t-elle. J'avais b-b-besoin de ça, exactement comme ça. Je sais que c'était… brusque. Mais j'en avais be-besoin.

Je gloussai.

– Chérie, je suis à peu près sûr que c'est le rapport sexuel le plus dingue qu'on ait jamais eu.

Elle acquiesça.

– Je c-c-crois au-aussi. Je pense que je v-v-vais réussir à dor-dormir maintenant. J'espère.

Elle était épuisée, lessivée.

Je la serrai dans mes bras et lui murmurai encore et encore à quel point je l'aimais. Son souffle finit par ralentir, et elle s'endormit.

Mais je crois qu'elle fit un cauchemar. Et je la pris fort dans mes bras, à ce moment-là aussi.

15

Le contrecoup

Jason
Un mois plus tard

Becca n'allait pas bien. J'avais cru que ça allait mieux. J'avais cru qu'elle s'en sortait. Mais deux semaines après la mort de Ben, je dus me rendre à l'évidence : elle semblait surtout régresser. Elle n'avait pas vraiment retrouvé sa faculté de parler sans bégayer, même si ç'avait l'air de s'améliorer peu à peu. Elle avait moins de blocages mais donnait toujours l'impression de réciter un exposé.

Toute sa famille était plus ou moins effondrée. Son père et sa mère avaient tous les deux pris des congés, ce qui, d'après ce que j'avais appris au fil des années, signifiait qu'on était proche de l'apocalypse.

La mort de Ben avait vraiment bouleversé tout le monde. Toute la ville était sous le choc. Ben faisait partie du décor, il était toujours dans les parages, toujours à préparer un coup, mais toujours poli et gentil avec tout le monde. Selon toute apparence, il avait réussi à cacher ses démons, et son suicide avait donc été un vrai choc pour les gens. Des gens qui ne le connaissaient pas vraiment, voire ne l'appréciaient pas particulièrement, allaient voir un thérapeute pour en parler. Des parents avaient commencé à s'intéresser de plus près à la santé mentale et émotionnelle de leurs enfants. Mais au fil des semaines, les choses revinrent progressivement à la normale. Les parents de Becca retournèrent au travail et Kate reprit son job à l'hôpital en voyant régulièrement son gynécologue.

Sauf pour Becca. Elle parlait de moins en moins. Elle commença par raccourcir ses réponses, en passant de phrases bégayées à des réponses de trois ou quatre mots, puis à un seul mot. Elle était… apathique. Je la trouvais au lit à 8 heures du matin, un Kleenex froissé dans la main, les yeux ouverts, dans le vide. Becca ne s'était pas levée une seule fois après 6 heures du matin depuis qu'on habitait ensemble, qu'on soit mercredi ou samedi, en février ou en juillet. Elle était en train de choisir des universités pour sa thèse quand Ben s'était suicidé. Et maintenant? Elle avait tout bonnement arrêté de chercher. Une pile de lettres d'acceptation, qu'elle n'avait même pas ouvertes, trônait sur son étagère. Elle allait au travail, c'était tout. Elle avait demandé et obtenu un changement de poste au cabinet. Elle remplissait et triait de la paperasse, en même temps que d'autres tâches similaires qui ne demandaient quasiment aucun contact avec le moindre être humain. Je la surpris un matin, alors qu'elle s'apprêtait à sortir, avec une chemise si mal attachée que deux boutons dépassaient dans le bas.

Le jour suivant, je rentrai d'une séance de gym matinale et la trouvai au lit, amorphe, alors qu'elle aurait dû être au travail depuis une demi-heure. Elle n'avait jamais, dans les presque cinq années qu'on avait passées ensemble, été en retard pour quoi que ce soit.

Elle ne disait plus un mot à ce stade.

Je lui parlais, moi: des conversations normales, comme lui demander si elle avait vu ma montre. Dans ces cas-là, elle sortait en silence de la pièce et revenait avec ma montre, plutôt que de me dire où elle était. Elle répondait aux questions qui n'impliquaient qu'un «oui» ou un «non» par un petit signe de tête dans un sens ou dans l'autre. Parfois, elle ne répondait même pas. Elle se contentait de me fixer, les yeux presque vides, comme si elle ne m'avait pas entendu.

Je ne la vis pas une fois écrire dans son carnet. Je finis par ne plus supporter cette situation. Un jour, je la trouvai assise sur notre lit, les genoux repliés sous le menton, un mouchoir dans la main, son téléphone dans l'autre. Elle parcourait frénétiquement le flux de ses photos, son pouce balayait l'écran, encore et encore, et ses traits paniquaient un peu plus à chaque photographie qu'elle passait.

Je me laissai tomber sur le lit à côté d'elle, m'assis en tailleur et posai les mains sur ses genoux.

– Becca ? Est-ce que tu cherches une photo en particulier ?

Elle acquiesça sans me regarder.

– Laquelle ?

Elle fit ensuite quelque chose que je ne l'avais jamais vue faire auparavant : elle parla en langage des signes. Elle m'avait dit une fois que, quand elle était toute petite, elle utilisait le langage des signes lorsqu'elle n'arrivait pas à s'exprimer verbalement, mais qu'elle ne l'avait plus fait depuis le CM 1.

Je ne connaissais pas le langage des signes, pas même l'alphabet. Elle avait fait un L avec sa main droite en partant de son front, puis en tombant sur sa main gauche, qu'elle tenait comme si elle me pointait du doigt ou comme si elle formait le chiffre 1 avec l'index.

– Je ne… Je ne connais pas le langage des signes, bébé.

Elle secoua simplement la tête et continua de chercher. J'essayai de lui prendre le téléphone des mains, mais elle m'en empêcha en se retournant violemment pour que je ne voie plus que son dos. Je regardai par-dessus son épaule tandis qu'elle continuait à faire défiler les photos, les unes après les autres, tellement vite qu'elles étaient floues, des selfies, des photos d'elle et moi, d'elle et Nell, des tas de trucs pris au hasard. Puis elle arriva à la fin de l'album de photos de son portable, la photo rebondit mais sans disparaître, puisque c'était la dernière. Elle gémit, un gémissement aigu au fond de la gorge, et écrasa le téléphone sur le lit. Mais elle le reprit aussitôt, appuya sur l'icône bleue et blanc de Facebook, sélectionna l'album photo de son profil, et recommença le même exercice de vérification frénétique.

– Becca chérie, parle-moi. Qu'est-ce que tu cherches ?

Elle fit le même signe, encore et encore, un L avec sa main droite qui part de son front et descend sur sa main gauche qui pointe vers le haut.

– Je ne sais pas ce que ça veut dire, Beck. S'il te plaît, parle-moi. *S'il te plaît.*

Elle secoua la tête et continua de faire défiler ses photos Facebook. Quand elle arriva à la fin de l'album, elle gémit à travers sa mâchoire serrée et appuya fort l'écran de son téléphone sur son front, les épaules tremblantes. Puis, dans un élan inspiré, elle rouvrit l'application Facebook, trouva la page de Kate et fouilla dans ses photos.

Ce fut à cet instant que je compris enfin.

– Ben ? Tu cherches des photos de Ben ?

Elle acquiesça, se balançant d'avant en arrière en rythme avec le mouvement de son pouce sur l'écran.

Kate avait effacé jusqu'à la dernière photo de Ben de son profil. Il n'y avait aucune photographie de Ben. Becca hurla et jeta son téléphone à travers la pièce, lequel vint s'écraser contre le mur en faisant un trou dans le placo et en fendant l'écran.

Je la pris dans mes bras et la serrai contre ma poitrine. Elle essaya de se défaire de mon étreinte, elle hurla, tapa contre mon torse, suffisamment fort pour que cela me fasse mal.

– J-j-j-j-je n-n-n-n-ne m-m-me sou-sou-sou-souviens p-p-p-plus !

Elle s'agitait dans mes bras, tremblant violemment.

C'était la phrase la plus longue qu'elle ait prononcé depuis une semaine.

– On va te trouver une photo de lui, d'accord ? Je suis sûr que tes parents en ont une. On va en trouver une. Je peux y aller tout de suite, si tu veux.

– Tout le monde l'a oub-b-b-blié, murmura-t-elle. M-m-m-même Kate… et m-m-moi. Tout le monde. Il a d-d-d-disparu, comme s'il n'avait j-j-j-j-jamais existé.

– Tu te souviens de lui, chérie. Vraiment. Tu te souviens de ce qu'il était, de qui il était.

Je la tenais serrée contre moi, elle s'était calmée, elle respirait à peine. Quand mon grand-père est mort, j'ai ressenti la même chose. Je l'aimais tant. C'était le père de ma mère, et la personne que je préférais au monde. Il habitait dans le Nord, entre Grayling et le pont Mackinaw. Il avait, genre, un terrain de huit hectares avec des chevaux et des motocross, et tous ces trucs géniaux. J'y restais des semaines d'affilée durant l'été, et il me laissait faire tout ce que je voulais. On allait chasser, pêcher, faire du 4 × 4, et je ne me couchais jamais avant minuit. Puis, un jour, il est mort. D'un seul coup, il avait disparu. Il a eu une attaque cardiaque et il est mort comme ça. J'ai pleuré des jours entiers. Mon père m'a tabassé parce que je pleurais, mais je m'en moquais. J'aimais mon grand-père, et il était mort. Puis, un mois après sa mort, j'ai fait une crise de panique. Je n'arrivais pas à me souvenir de son visage. Je pensais que ça voulait dire que je ne l'aimais pas ou que je l'avais complètement oublié. C'est la seule fois de ma vie où mon père m'a dit quelque chose qui m'a aidé, à vrai dire. Il m'a dit qu'il fallait oublier leurs visages. Qu'autrement, on n'apprendrait jamais à vivre sans eux. L'oubli, c'est la façon dont ton cerveau te dit qu'il est temps d'essayer de passer à autre chose. Pas d'oublier qui ils étaient, mais simplement de… continuer à vivre.

Becca sembla se dérober encore plus.

– Pourquoi m'a-t-il q-q-q-quittée ? Pourquoi, Jason ?

Comment pouvait-on répondre à cette question ? Lui dire que je pensais qu'il avait agi comme un lâche n'était probablement pas une bonne idée. Son suicide était perturbant et tragique, et ça avait foutu tellement de choses en l'air pour tellement de personnes. Comme Becca et Kate, j'étais en colère contre Ben. Je culpabilisais d'éprouver ce sentiment, comme si je n'avais pas assez de compassion, mais c'était la vérité, c'était ce que je ressentais. Dans des moments comme celui-ci, quand Becca s'effondrait, j'en voulais à mort à Ben de s'être suicidé.

– Je ne sais pas, Beck. J'aimerais pouvoir te répondre.

Elle se mura alors à nouveau dans son silence et finit par s'endormir dans mes bras. Je l'allongeai sur le lit et remontai les couvertures sur elle. Elle dormit toute la journée. Le jour suivant était un lundi. Quand, à 8 heures, elle n'avait toujours pas montré la moindre volonté de sortir du lit, j'appelai le cabinet pour leur dire qu'elle était malade. Je crois qu'ils comprirent ce que je voulais dire par « malade », puisqu'il n'y eut aucun débat et qu'ils ne me posèrent aucune question.

Je la laissai au lit pour aller m'entraîner. J'espérais qu'à mon retour elle serait debout et active. Ce ne fut pas le cas. Elle était toujours au lit, mais réveillée, les yeux rivés au plafond. Je me tins sur le seuil de la porte et l'observai pendant un long moment sans qu'elle me remarque. Ça me brisait le cœur de la voir comme ça, pour elle, pour nous. Elle avait complètement cessé de vivre.

– Je crois qu'il faut que tu retournes voir le Dr Malmstein, dis-je.

Becca me jeta un coup d'œil, fronça le sourcil et secoua la tête avec dédain.

– Tu m'as forcé à y aller quand Kyle est mort. Tu t'en souviens ? Tu te souviens de ce que tu as dit ? Tu te souviens de ce que Nell a traversé parce qu'elle refusait de se faire aider ?

– Laisse-moi tranquille, Jason.

Elle l'avait dit distinctement : son amertume semblait l'aider à maîtriser ses mots.

– Non, Beck. Je ne peux pas faire ça. Tu sais que je ne peux pas, et tu sais que je ne le ferai pas.

– Tu vas m'y emmener de force ? demanda-t-elle.

– Si tu m'y obliges. (Je m'assis sur le lit en face d'elle et ne fis rien quand elle roula loin de moi.) Je t'aime trop pour te laisser faire ça, Rebecca.

Elle me lança alors un regard noir – elle détestait qu'on l'appelle Rebecca.

– A-a-arrête.

– Non. Je suis désolé. J'ouvris en grand les couvertures, la pris dans mes bras pour la soulever et la conduisis jusqu'à la salle de bains.

Elle ne se débattit pas quand je la posai sur la lunette des toilettes, mais elle me regarda avec circonspection. Je tournai le robinet de la douche, laissai l'eau chauffer, puis réglai la température.

– Q-q-qu'est-ce que tu fais ?...

Elle s'interrompit en me voyant refermer le rideau de douche. J'agrippai le T-shirt dans lequel elle avait dormi pour le lui enlever, et elle chercha aussitôt à s'éloigner.

– Non ! J-jason, a-a-arrête !

Elle se débattit en reculant, croisa les bras sur sa poitrine, et je haussai les sourcils.

– Becca, ou tu rentres dans cette douche, ou on va devoir passer à la manière forte.

Elle releva le menton et me dit d'un air pincé :

– Laisse-moi tranquille.

Je soupirai.

– Je t'aime, Rebecca Noura de Rosa. Je ne vais pas te laisser renoncer à la vie.

Elle vacilla un peu, son menton se mit à trembler, ses yeux devinrent humides, mais elle croisa les bras devant sa poitrine et se replia dans un coin de la salle de bains. Je l'attrapai par les hanches et l'attirai contre moi, enroulai mes bras autour de sa taille et posai les lèvres sur sa joue en murmurant :

– Dernière chance, bébé. Tu vas prendre cette douche, que ça te plaise ou non.

Elle posa son front contre mon épaule.

– S-s-s'il te plaît, Jason. Donne-moi juste un peu de temps.

– Si je t'avais vue faire un effort, je t'en aurais laissé. Mais tu t'es juste complètement refermée sur toi-même. Je ne sais pas quoi faire d'autre.

– Alors tu te d-d-d-dis que tu vas me f-f-forcer à prendre une d-d-douche ?

– Je t'emmène voir le Dr Malmstein. Elle est disponible dans une heure, j'ai vérifié.

– Et si j-j-je refuse d'y aller ?

– Je t'y emmènerai de force. Je resterai assis avec toi dans ce bureau à chaque rendez-vous, aussi longtemps que ça sera nécessaire. Tu sais que le Dr Malmstein nous a aidés tous les deux. C'est même toi qui avais dit qu'on avait besoin d'en parler. Aujourd'hui, tu en as besoin, toi. Tu as besoin de parler à quelqu'un qui saura quoi dire. Tu dois affronter cette histoire. S'il te plaît, bébé Si tu ne le fais pas pour toi, fais-le pour moi.

– Est-ce que tu vas rompre avec moi, si je n'y vais pas ?

Elle murmura ces mots contre mon débardeur.

– Il n'y a rien que tu puisses faire au monde qui me ferait rompre avec toi. À part, peut-être, si tu me trompais, mais tu ne ferais pas ça.

– Jamais. Jamais. (Elle se tourna enfin vers moi.) Je t-t-t'aime. Plus que t-t-tout.

– Alors, fais-toi aider. S'il te plaît, Becca.

– J'ai peur.

Je fronçai les sourcils, confus.

– De quoi ?

– Qu'on me dise que c'est mal de le détester. D'être aussi en colère contre lui, putain. (Elle parlait la mâchoire serrée, préparait chaque mot avec soin.) J'ai peur de… de finir comme Nell. D'en arriver à me blesser juste pour ressentir quelque chose d'autre. J'en ai envie, parfois. Je comprends pourquoi elle a fait ça, maintenant, Jason. Vraiment.

Mon cœur se serra et mon estomac se noua.

– Tu l'as fait ? Tu t'es coupée ?

Elle secoua la tête, plongea ses yeux dans les miens pour que je sache qu'elle disait la vérité.

– Non, je le j-j-j-jure. Mais j-j'y ai pensé.

– Raison de plus pour aller voir le Dr Malmstein.

La salle de bains n'était plus qu'un bain de vapeur géant à ce stade, l'eau sifflait entre nous, embuait le miroir, humidifiait nos vêtements. Becca hésita, recula, enleva son T-shirt, puis sa culotte, et entra dans la douche. Je soupirai de soulagement en la voyant commencer à se laver les cheveux.

Peut-être que ça pourrait aller. Peut-être.

Jason
Juillet

Elle progressa un peu. Elle voyait le Dr Malmstein une fois par semaine, et je suppose que c'est dans son bureau qu'elle disait tout, parce qu'elle ne me parlait encore que très rarement, à moi ou à qui que ce soit. Au moins, elle s'exprimait. On venait de commencer notre dernière année, et elle s'était remise à étudier à fond, comme avant, mais elle semblait le faire par automatisme plus qu'autre chose, comme une vieille habitude.

Nous n'avions pas fait l'amour depuis le jour de l'enterrement de Ben. Je ne voulais pas la pousser, lui mettre la pression ou la forcer. Je devenais fou à cause du manque, mais je savais qu'elle souffrait et j'essayais d'être compréhensif. Je n'avais rien dit, je n'avais pas essayé d'initier quoi que ce soit. Elle était toujours perdue dans ses pensées la majeure partie du temps, et chaque fois que j'engageais une conversation, elle ne me répondait que le minimum nécessaire.

Un matin, je me réveillai bien avant l'aube. La lumière grise traversait les stores ouverts qui donnaient sur la rue. Becca dormait à côté de moi, les cheveux étalés, comme des vagues noires sur le blanc de l'oreiller. Pour une fois, ses traits étaient détendus. Elle était allongée sur le dos, le visage tourné vers moi, elle respirait doucement et régulièrement, sa poitrine se gonflait, puis retombait. Je roulai sur le côté pour lui faire face, posai brièvement la main sur son ventre, puis traçai la ligne de sa mâchoire. Elle changea de position mais ne se réveilla pas. Je m'approchai plus près d'elle pour que nos jambes se touchent sous les draps et laissai ma main errer sur son bras, sous la manche de son T-shirt, puis sur sa cuisse. Je soulevai un tout petit peu son T-shirt, j'avais simplement besoin de sentir sa peau, sentir sa chaleur. Je caressai sa hanche, puis remontai le long de son buste, sur ses côtes.

J'entendis sa respiration changer et levai les yeux vers elle.

– Ne t'arrête pas, murmura-t-elle.

– Désolé, je ne voulais pas te réveiller.

Ma main s'était figée sur sa hanche.

– Ça va, continue… continue à me toucher. C-c-c-omme tu le faisais. S'il te plaît.

Elle se déplaça pour s'aligner sur moi.

– Je ne suis pas en train d'essayer… d'initier quelque chose que tu ne serais pas prête à faire.

Elle posa sa main sur la mienne, et je vis quelques larmes dans ses yeux.

– Je croyais… je croyais que tu n'avais p-p-p-plus envie de… moi. Parce que je suis trop d-d-déglinguée. Dans ma t-t-tête.

Les yeux me piquèrent, mais une vie de conditionnement empêchèrent mes larmes de couler.

– Bébé, non… Non. Je n'ai pas… je pensais que tu ne voulais pas… (Je pris une grande inspiration et me concentrai.) Tu souffres, je pensais que tu n'en avais pas envie.

– Je ne… je ne sais pas. (C'était sans doute le cas. Elle entremêla ses doigts aux miens et fit glisser nos mains unies sur son ventre.) Mais j'ai besoin de toi, maintenant. J'ai besoin de s-s-savoir que tu as toujours envie de m-m-moi.

En général, c'était à ce moment-là qu'elle prenait les choses en main. J'adorais quand elle faisait ça, quand elle me montrait avec une domination fougueuse à quel point elle avait envie de moi, à quel point elle m'aimait. Elle était si réservée, si sage et si bien élevée la majeure partie du temps que quand elle s'abandonnait au lit, ça me rendait fou.

Mais je réalisai désormais qu'elle avait besoin d'autre chose, de quelque chose de différent. Elle avait besoin que je lui montre le chemin pour revenir.

Je commençai par un baiser. Je m'approchai d'elle, mon corps face au sien. Par sur le sien, mais face à face, tous les deux allongés sur le côté. Je fis glisser mes lèvres sur sa pommette, errai sur le coin de sa bouche et l'embrassai d'abord là. Elle eut une légère suffocation et retint son souffle. Sa main était posée sur mes côtes, l'autre était repliée entre nous. J'effleurai sa bouche, la soie de ses lèvres contre les gerçures des miennes, le rugueux contre le doux. Je sentis la chaleur et l'humidité de sa bouche contre la mienne, et je bougeai mes lèvres contre les siennes pour les sceller ensemble avec la plus grande précaution.

Elle ne me rendit pas mon baiser, elle resta là, figée à côté de moi, et me laissa l'embrasser, me laissa sonder ses lèvres légèrement entrouvertes avec ma langue. Je reculai, pris son visage entre mes mains et l'embrassai à nouveau, plus profondément cette fois, avec plus d'assurance. Ses doigts se replièrent sur ma peau, et enfin sa bouche bougea contre la mienne, s'ouvrit à mon baiser et commença à me le rendre.

Je la poussai doucement sur le dos et me penchai au-dessus d'elle. Elle posa sa paume sur mon épaule, l'autre sur ma nuque, et m'embrassa pour de vrai.

Je n'en pouvais plus, mais je me calmai, j'essayai de garder le contrôle. Le gris de l'aube se transforma en rose flou et on continua à s'embrasser, comme on le faisait à l'époque où l'on n'avait pas encore franchi certaines lignes. Je l'embrassais et j'y mettais tout l'amour que j'avais pour elle, tout mon désir. Je l'embrassais pour lui montrer à quel point elle m'avait manqué. Elle avait été là physiquement, mais elle avait disparu émotionnellement. Et maintenant elle me revenait, et je l'embrassais pour lui souhaiter la bienvenue.

Ses doigts s'emmêlèrent dans mes cheveux, se plantèrent contre mon dos. Puis elle enroula son mollet autour du mien, et il fut à nouveau l'heure de repousser les limites. Je fis glisser son T-shirt vers le haut, encore et encore, arrêtai de l'embrasser pour le faire passer par-dessus sa tête, le jetai sur le côté. Elle ne portait rien en dessous –, juste sa chair ferme, lisse et mate. Ses tétons tendus et la courbe de sa taille, ses seins écartés par la gravité, lourds, les ronds larges de ses mamelons, plus sombres que sa peau. Elle tenait ma nuque à deux mains et je déposai un baiser sur son épaule, fis glisser mes lèvres sur sa peau jusqu'au bombé de son sein. Elle arrêta de respirer et je continuai. Je passai ma langue sur son téton dur et le sentis grandir entre mes lèvres, se tendre sous mon souffle. Je me servis de mon pouce pour faire durcir son autre téton, en formant des petits cercles avec la pulpe de mon doigt, puis le grattai doucement tandis que je continuais de pincer le premier avec mes lèvres et mes dents.

– Jason… soupira-t-elle.

Je ne savais pas exactement ce qu'elle me suppliait ainsi de faire.

– Dis-moi ce dont tu as envie, bébé.

– Donne-moi… p-p-plus. (Elle caressa mes mollets avec les siens.) Donne-moi… m-m-montre moi… plus.

Je fis glisser ma bouche pour inonder son autre sein de baisers, fis rouler son téton entre mes lèvres. Je descendis plus bas. Je l'embrassai entre les seins, leurs courbes inférieures, puis plus bas. J'embrassai son ventre, son nombril, chacune de ses hanches. Puis plus bas.

Je sus qu'elle avait compris où je voulais en venir, quand elle souleva ses genoux et les plaça de chaque côté de mon corps, m'encadrant en formant un V avec ses cuisses. Elle écarta les jambes pour moi, avide de recevoir tout ce que je pouvais lui donner. Elle voulait ressentir quelque chose, s'échapper, qu'on la fasse quitter terre l'espace d'un instant, se perdre dans des vagues d'extase.

C'était donc exactement ce que j'avais l'intention de lui donner. Vague après vague d'échappée belle, jusqu'à ce qu'elle me supplie d'arrêter.

Je traçai une ligne de baisers légers comme une plume, le long de sa cuisse jusqu'à son genou, puis traversai l'espace qui séparait celui-ci de l'autre, fis courir ma langue à l'intérieur de sa jambe, puis dans le creux qui séparait sa hanche de son sexe. Elle cambra légèrement le dos, un encouragement silencieux. J'embrassai les lèvres de son sexe, les écartai avec ma bouche et poussai ma langue en elle. Elle gémit de soulagement, referma ses mains sur ma tête. Je l'embrassai là, doucement, suçai son clito avec ma bouche et le fis vibrer avec ma langue, le léchai de bas en haut, puis en cercles. Quand elle commença à vraiment s'agiter sous moi, je ralentis, donnai doucement de longs coups de langue sur sa fente, puis accélérai progressivement le rythme, jusqu'à la sentir de nouveau désespérée sous moi.

Et puis je ralentis.

Elle emmêla ses doigts à mes cheveux pour m'attirer contre elle.

– S'il te plaît, Jason. S'il te plaît.

Je lui donnai ce qu'elle voulait. Ma bouche et ma langue suivirent le rythme fou de ses hanches qui se soulevaient du lit. Ses gémissements devinrent des hurlements quand elle se mit à jouir.

Quand elle m'écrasa la tête avec ses cuisses, je plongeai mes doigts entre nous, cherchai à tâtons sa fente pour trouver sa chaleur humide.

Comme la chaleur semblait résister, mon doigt insista doucement pour la pénétrer.

– Ce n'est pas… le bon endroit, murmura-t-elle, suffoquant sous le choc et à deux doigts d'exploser de rire.

– Oh… Oh ! mon Dieu, je suis désolé…

– Ne… ne t'arrête pas. C'est… ça me plaît.

Je me figeai de surprise. C'était quelque chose dont on n'avait jamais parlé, que nous n'avions jamais essayé.

– Tu es sûre ?

– Mon Dieu, oui. Ne t'arrête pas. Plus. T-tout. Plus.

Je fis vibrer son clito sous ma langue et elle se cambra au-dessus du lit en gémissant. Doucement, avec hésitation, je laissai mon majeur sonder son ouverture la plus étroite. Becca gémit et poussa sur ses hanches en descendant. Un encouragement. J'agitai un tout petit peu mon doigt, sans pénétrer plus, mais pour tester sa résistance. Elle geignit, puis arrêta de respirer, la bouche grande ouverte, tandis que j'insérais progressivement mon doigt dans son petit orifice. Ma bouche s'affairait sur son clito, ralentissait et accélérait, tandis qu'elle s'agitait sous moi. Je fis pénétrer mon doigt plus profondément en elle. Je sentis ses muscles se contracter autour de mon majeur, onduler par vagues serrées, et puis elle hurla, un cri hors d'haleine qui se transforma en un rugissement sonore quand l'orgasme la balaya. Elle jouit et elle jouit, encore et encore. Chaque contraction de ses muscles attirait mon doigt encore plus profond et, à chaque centimètre inséré, elle écartait encore plus les cuisses et baissait son bassin vers moi. Je lapai sa fente avec une implacable avidité, je refusai de la laisser redescendre de son deuxième orgasme. Les mouvements de hanches et les cris gémissants de Becca ralentirent au fur et à mesure que son orgasme s'évanouit, puis reprirent à nouveau quand le troisième approcha. Elle n'avait plus aucun souffle et réussit à peine à gémir quand les vagues de celui-ci s'apaisèrent enfin.

– J'ai besoin de… t-t-toi.

Becca me remonta contre elle, écrasa sa bouche sur la mienne.

– Est-ce que tu sens ton goût ?

– Oui…

– J'adore le goût que tu as.

– En… (Becca fouilla pour trouver mon caleçon, tira dessus jusqu'à ce que je l'aide à l'enlever.) J'ai besoin de… toi. E-e-en m-m-moi.

Je me glissai contre elle, flottai au-dessus d'elle, prêt à la pénétrer.

– Je t'aime.

Je plongeai mes yeux dans le noir des siens.

– P-p-promis ? (Elle attrapa ma lèvre inférieure entre ses dents et tira.) Pou-pou-pour toujours ?

– Et bien plus encore.

Je me glissai dans sa chaleur étroite et humide en prononçant ces mots, et elle suffoqua, la bouche ouverte, pour laisser échapper un cri silencieux.

Elle resta immobile, tremblante, ses yeux cherchait les miens ses poumons avaient cessé de fonctionner.

– Encore… Je suis déjà sur le point de jouir… encore.

– Tant mieux. Abandonne-toi, bébé.

Elle bougea contre moi, leva son bassin vers le mien, planta ses ongles dans mes épaules, griffa la peau de mon dos jusqu'à mon cul, m'attira de plus en plus fort en elle. Je résistai contre ses tentatives d'accélérer mon rythme, je glissai doucement, me retirai encore plus lentement, bougeant à pas feutrés ; chaque mouvement, chaque pénétration douce était comme une déclaration d'amour.

Nos yeux ne quittèrent jamais ceux de l'autre.

Elle enroula ses jambes autour de ma taille et bougea frénétiquement contre moi, me quittant enfin des yeux pour s'enfouir le visage contre mon épaule, tout en explosant sous moi. Elle pleura en jouissant, elle s'écrasa contre moi en sanglotant, sourit à travers ses larmes – son premier sourire depuis des jours –, m'attira contre elle, m'agrippa et psalmodia mon nom sans bégayer.

Son corps flasque sous le mien, Becca reniflait et me caressait le visage avec le dos de ses doigts.

– À ton tour.

Je me laissai alors aller. Elle se cala sur mon rythme, vint à ma rencontre à chaque pénétration, s'accrocha à mon cou et laissa nos hanches s'entrechoquer, nos chairs s'écraser l'une contre l'autre, nos bouches se cogner dans un baiser haletant et gauche. Je jouis désespérément et elle jouit avec moi. J'explosai en elle, je l'inondai, flot après flot, puis je laissai retomber mon poids sur elle, je savais qu'elle aimait quand je faisais ça après.

On s'endormit tandis qu'elle caressait mes cheveux.

– Je t'aime, Jason.

Elle le murmura doucement au milieu du silence, elle ressemblait à ma Becca d'avant cet affreux jour du mois d'avril dernier.

~

Becca

Le poids de Jason s'écrasait merveilleusement sur moi, il me gardait sur terre, dans la réalité du présent. Sa respiration commença à changer et on roula sur le côté comme on en avait l'habitude. Il me coinça dans le creux de son bras, sa chair chaude et ses muscles forts m'encadraient parfaitement.

Pour la première fois depuis des semaines, je me sentais consciente et j'allais à peu près bien.

C'est là que j'ai réalisé que je n'avais pas pris ma pilule depuis le 9 avril, depuis le jour où j'avais trouvé Ben.

16

Secrets et révélations

Becca
Septembre

J'étais enceinte. Je le savais. Je n'avais pas fait de test, je n'avais pas vu de médecin, mais je le savais. Mes règles avaient sept semaines de retard, ma poitrine était sensible et j'avais la nausée en me levant le matin. Jason m'avait regardée de façon étrange en me voyant courir vers la salle de bains, mais je ne pensais pas qu'il ait compris ni même soupçonné quoi que ce soit.

Je faisais des crises de panique tous les jours. En privé, dans les toilettes de la fac, au centre de soutien scolaire entre deux élèves, je tremblais en silence, incapable de respirer.

Enceinte ? Genre, d'un bébé ? Un petit être humain ? Non. Non.

Je ne savais pas comment on gérait ce genre de situation.

Et si Jason n'en supportait pas l'idée ? Ne me supportait pas, moi, enceinte ? Et s'il me quittait ? Je suivais toujours une thérapie pour surmonter la mort de Ben… son suicide. J'allais mieux chaque jour, j'étais moins fragile. Je n'avais plus besoin de fuir, je me remettais enfin à parler un peu plus. Je bégayais toujours, en revanche, ce qui me rendait folle. En gros, j'étais de retour à mon niveau du lycée, avant d'être avec Jason.

Lui, il déchirait tout sur le terrain. J'allais à chacun de ses matchs et je m'asseyais près de la ligne de touche, avec les autres petites amies de joueurs. On supportait nos hommes chéris en bleu et jaune. Les recruteurs lui tournaient autour, surtout La Nouvelle-Orléans et Dallas. J'avais vu le même recruteur de Dallas à chaque match que Jason avait joué, et ils s'étaient parlé à plusieurs reprises. Je savais que Jason était plus excité à l'idée de jouer avec Drew Brees qu'avec aucun autre quarterback de la NFL.

Je devais le lui dire. Il le fallait. Mais d'abord, je devais être sûre. Mon dernier cours terminé, j'achetai quatre tests de grossesse différents, rentrai à la maison et m'assis sur les toilettes en fixant le premier d'entre eux. Je finis par prendre une grande inspiration, baissai mon pantalon, urinai sur l'embout, posai le test de côté et me lavai les mains.

Je fixai mon visage pâle dans le miroir, en attendant. Je pris le test et regardai le petit écran.

Faitesquejenesoispasenceinte… Faitesquejenesoispasenceinte…

Une croix bleue : enceinte.

Merde. Putain. Merde.

Je sentis ma poitrine se serrer et se soulever frénétiquement, j'avalai et expirai l'air bien trop vite. J'étais en pleine hyperventilation. Je claquai maladroitement la lunette des toilettes pour la rabaisser, afin de m'effondrer dessus, la tête penchée entre les genoux. Après de longues minutes à me forcer à respirer profondément, tout doucement, je réussis à me calmer un peu.

Puis mon téléphone sonna.

– Allô ?

J'étais toujours hors d'haleine.

– Bonjour, Becca. C'est Rachel Hawthorne.

– Bonjour, madame… je veux dire Rachel. Comment allez-vous ?

J'essayais de ne pas paniquer, mais je ne voyais aucune raison pour elle de m'appeler, à part pour m'annoncer une mauvaise nouvelle.

– Je vais bien. Est-ce que tu as eu des nouvelles de Nell, récemment ?

Mon cœur s'emballa et j'eus du mal à respirer, j'hyperventilai à nouveau.

– N-non. Je ne l'ai pas eue au téléphone depuis des mois. Je l'ai appelée, mais suis tombée directement sur son répondeur. Elle ne m'a jamais rappelée. (J'essayais de respirer, mais je n'arrivais pas à ralentir mon souffle.) Pourquoi ? Que… que se passe-t-il ?

– Eh bien, elle est rentrée du jour au lendemain. Elle a débarqué ce matin sans prévenir. Elle… je ne sais pas, Becca. Je m'inquiète pour elle, mais elle dit qu'elle va bien. Je me demandais si tu pouvais venir ici et lui parler. Voir si tu arrives à lui tirer les vers du nez.

– Que pensez-vous qu'il s-s-se p-p-passe ?

– Je ne sais pas, pour être honnête, dit Rachel. Je sais juste… que ce n'est pas son genre de revenir comme ça un beau matin, elle a forcément une raison de le faire.

– J'ai deux examens importants de-m-m-main matin, dis-je. Mais je p-p-peux venir la v-v-v-voir après, d'accord ?

– D'accord, c'est parfait, merci, Becca.

– Prévenez-moi s'il s-s-se passe q-q-quoi que ce soit.

– Je le ferai. On se voit donc demain.

– D'accord. Au revoir, Rachel.

Je raccrochai et posai le téléphone, désormais inquiète pour Nell.

Et enceinte.

Je cachai les autres tests, je n'étais pas prête à ce que Jason les découvre, et balançai celui que j'avais utilisé tout au fond de la poubelle de la cuisine en le recouvrant. Puis, motivée par l'espoir soudain que le premier s'était trompé, je ressortis les tests, en fis un autre, me lavai les mains et attendis.

Deux lignes roses : enceinte.

Troisième test : … enceinte.

Quatrième test : … enceinte.

Je les balançai tous dans le sac et le portai à la benne à ordures. Je savais, intellectuellement, que Jason ne me quitterait pas, surtout si j'étais enceinte. Mais… le savoir dans ma tête ne signifiait pas le savoir dans mon cœur. La peur, c'était la peur. Et la peur me paralysait, j'étais incapable de lui dire.

J'essayai, sans vraiment avoir la tête à ça, d'étudier jusqu'à ce que Jason rentre du travail. Quand il passa la porte, il portait un short découpé en toile kaki, des Timberland abîmées et tachées par l'herbe, et un T-shirt vert fluo *Bob's Quality Landscaping and Snow Removal* dont il avait découpé les manches. Il portait à l'envers une casquette bleue de la fac, avec son numéro de maillot cousu au fil jaune à l'arrière. Ses écouteurs, glissés sous son T-shirt, pendaient de son col sur son torse. Il sentait le gazon, la sueur, l'essence et l'huile. Il était sale des pieds à la tête. Il avait de la poussière collée sur le front et la joue droite, ses mains étaient noires de terre, d'huile, tachées par l'herbe, et son T-shirt était trempé de sueur. Il était incroyablement sexy.

L'excitation de voir mon homme tout souillé de sa dure journée de labeur ne dura qu'un instant, et le fardeau de la réalité revint m'accabler.

Jason dut voir mon expression s'assombrir.

– Hé, bébé. Que se passe-t-il ?

Je choisis la solution de facilité.

– Nell est rentrée sans p-p-prévenir. Rachel est inquiète.

Jason fronça les sourcils.

– Et c'est tout ce qu'elle a dit ?

Il posa son téléphone et ses écouteurs sur la table, ainsi que son portefeuille et sa casquette.

– Ouais, en gros. (Je rangeai mes livres et me levai pour l'embrasser – sa lèvre supérieure avait un goût de sueur.) Je vais y aller d-d-demain après m-m-mes examens. Je sentais le poids du secret peser sur ma poitrine, mais j'étais incapable de faire sortir les mots.

– Je vais venir avec toi, dit Jason de la salle de bains, où il se déshabillait.

J'étais debout sur le seuil de la porte, je le regardais faire, j'admirais la façon dont sa peau bronzée ondulait quand ses muscles fermes se contractaient.

– Tu as cours, et tu as deux boulots, n'est-ce pas ?

– Ouais, mais c'est plus important, non ?

Je haussai les épaules.

– Peut-être. Tout ce que je sais, c'est que Nell a débarqué de n-n-nulle part et que Rachel pense que quelque chose ne va pas. Je ne suis pas à cent pour cent s-s-sûre que ce soit le cas.

Jason entra dans la douche brûlante. L'eau qui tombait devint aussitôt noire.

– C'est vrai. Prends mon camion, alors, je trouverai quelqu'un pour m'emmener et me ramener du boulot.

Un élan de désir me traversa soudain, un désir de ses mains sur moi, de sa bouche sur moi et de sa chaleur contre moi. Pour la première fois depuis qu'on était ensemble, je fis taire ce désir. Je l'écrasai et m'en allai, le laissant à sa douche. Si je succombais à mon envie, je savais ce qui allait se passer, j'allais me laisser emporter par le tourbillon d'émotions que je ressentais toujours après, et j'allais tout lui dire.

Pour l'instant, c'était mon secret à moi. J'avais besoin de temps pour savoir ce que je ressentais, enfin, ce que je ressentais, à part cette panique pure et aveuglante. Est-ce que j'étais contente ? Est-ce que j'étais bouleversée ? Est-ce que j'avais envie, tout au fond de moi, d'être mère ? Est-ce que j'étais le moins du monde prête pour ça ?

Il n'y eut qu'une question qui ne me traversa jamais l'esprit : ne pas le garder. Ce ne fut jamais une option. Peu importent mes sentiments, peu importe la réaction de Jason, j'allais le garder.

Lui. Elle.
Lui ou elle.

Je passai mes deux examens les doigts dans le nez. Je connaissais tellement mon sujet que je pouvais laisser mon esprit vagabonder, se poser mille questions, une partie de mon cerveau suffisait pour répondre aux questions de l'examen. Je quittai l'amphi et pris la route qui menait chez les Hawthorne. J'étais un peu absente pendant le trajet, la radio éteinte, mon corps et mon esprit branchés sur pilote automatique, mon âme tanguait un peu en ruminant.

Une heure et demie plus tard, je me garai dans l'allée des Hawthorne qui était vide. La porte d'entrée était fermée à clé et personne ne répondit à mes tentatives répétées de sonner ou de frapper à la porte. Je fis le tour de la maison : je savais que Rachel écoutait souvent de la musique en cuisinant et qu'il lui arrivait de ne pas entendre la porte sonner. Une fois derrière la maison, je m'arrêtai, choquée. Une planche en contreplaqué bouchait la baie vitrée, enfin, l'endroit où elle se trouvait à l'origine, vu qu'il n'en restait rien. D'après le peu que je pouvais voir, la maison était obscure et vide. En me retournant, je baissai machinalement les yeux sur le sol de la terrasse et mon cœur s'arrêta net. Des taches marron foncé traçaient un chemin sur la pelouse, traversait la terrasse jusqu'à la maison.

Les Hawthorne et les Calloway vivaient autour d'un lac privé, au-delà duquel se trouvait une immense prairie verte et, encore derrière, une forêt. Une des routes du comté traversait la forêt et je savais que Nell avait l'habitude de courir de chez elle jusqu'à la route, puis de la longer pendant quelques kilomètres jusqu'au début du champ de maïs de M. Farrell. En général, elle coupait ensuite par la forêt et revenait à travers le champ d'herbes hautes qui menait jusqu'à chez elle.

Les taches marron étaient en réalité du sang séché. Qui avait saigné ? Pourquoi ? Où diable se trouvait tout le monde ? Est-ce qu'il était arrivé quelque chose à Nell ? Est-ce qu'elle… s'était fait du mal elle-même ? Je n'étais pas sûre d'avoir la force de le découvrir.

Je pris mon téléphone dans mon sac, fis défiler les contacts de mon répertoire et trouvai celui du portable de Rachel Hawthorne. J'appuyai sur la touche d'appel, posai le téléphone contre mon oreille d'une main tremblante tout en contournant à nouveau la maison pour revenir dans l'allée où j'étais garée.

– Allô ?

C'était la voix de M. Hawthorne, qui avait décroché le téléphone de Rachel. Il avait l'air… brisé.

– Monsieur Hawthorne ? C'est B-B-Becca.

– Becca ?

Il avait l'air confus, perdu.

– Becca de Rosa. L'amie de Nell.

– Oh. Bien sûr. Oui, bien sûr… désolé. Je suis… nous sommes… Nell est à l'hôpital, Becca.

J'entendis le baragouin distant d'un haut-parleur d'hôpital.

– Que s'est… que s'est-il passé ?

– Elle… (Il s'interrompit, il avait l'air d'écouter une voix derrière lui. Oui, tu as raison, Rach.) Becca ? Viens à l'hôpital. On te… je te… on t'expliquera quand tu seras là. Au service des soins intensifs, elle est dans la chambre 141. Nous sommes dans la salle d'attente pour l'instant.

– Je serai là dans p-p-pas l-l-longtemps.

Puis je raccrochai brusquement, sans m'encombrer des formalités d'usage.

J'étais dans le camion de Jason, à fond la caisse, je conduisais comme une folle, les larmes me piquaient les yeux et me brûlaient les joues. J'étais en train de craquer. J'appelai Jason.

J'entendis le bruit assourdissant des tondeuses, des souffleurs et des faux derrière lui.

– Salut, Beck, dit Jason, en criant par-dessus tout ce bruit. Tu as vu Nell ?

– E-e-elle est à l-l-l'hôpital. Je ne sais p-p-p-as pourquoi. Il s'est passé q-q-quelque chose. Quelque chose de g-g-grave.

Je m'étouffais dans mes sanglots semi-hystériques, je pouvais à peine comprendre ce que je disais moi-même.

Jason n'eut cependant aucun mal, lui.

– Merde. Putain ! OK, je te retrouve là-bas. Attends, quel hôpital ?

Je n'avais pas demandé.

– Je n-n-ne sais p-p-pas. Je ne…

Jason m'interrompit.

– Si c'est arrivé chez eux, l'hôpital le plus proche serait le Genesee Regional.

J'entendis un bip dans mon oreille, signe que j'avais reçu un texto. Je regardai l'écran et vis un message de Rachel qui me confirmait ce que venait de dire Jason.

– Rachel v-v-vient de m'envoyer un t-t-texto. Elle est au Gen-Gen-essssss- putain ! (Je jurai de frustration : la dernière chose dont j'avais besoin à cette minute, c'était de bégayer au point d'être incohérente.) Comme… tu… as… dit.

Je m'efforçai de faire sortir les mots lentement et clairement.

– Je suis là, bébé. Tout va bien. Respire, d'accord ?

– Je… j'essaie.

Il me fallut tous les efforts du monde pour faire sortir ces deux mots sans accroc.

– Je t'aime. Je serai avec toi, quoi qu'il arrive. Tout va bien se passer.

– Oo-oui.

Une syllabe, un mensonge énorme. Tout n'allait pas bien se passer.

Je reposai le téléphone et me concentrai sur ma conduite, sur le fait de garder une respiration calme et régulière.

Une fois à l'hôpital, je trouvai Jim et Rachel assis l'un à côté de l'autre. En face d'eux, il y avait M. et Mme Calloway, Robert et Theresa. Que faisaient-ils là ?

Rachel me vit la première et courut vers moi pour me prendre dans ses bras. Elle se redressa et dut voir la peur dans mes yeux.

– Ce n'est pas ça, Becca. Ce n'est pas… elle n'a pas… elle ne s'est fait aucun mal. Pas comme ton… comme Ben. (J'eus un hoquet de soulagement.) Elle va s'en sortir.

– Qu-que s'est-il passé ? Pourquoi votre baie vitrée est-elle cassée ?

– Viens t'asseoir avec nous, dit Rachel en me guidant doucement, mais fermement, vers un fauteuil.

Mes tongs couinèrent un peu sur le carrelage ; le fauteuil en plastique était dur et froid sous mes cuisses.

Rachel prit mes mains dans les siennes et je savais qu'elle allait me dire quelque chose d'horrible.

– Dites-moi, c'est tout.

– Elle a fait une fausse couche hier soir.

Je ne dis rien, n'eus aucune réaction. J'avais de toute évidence mal entendu.

– Elle… quoi ? Elle a fait quoi ?

Rachel renifla et Jim Hawthorne se glissa à côté d'elle et posa la main sur son épaule.

– Elle était enceinte, dit Rachel. Elle est partie courir, et elle a… elle a perdu le bébé. Elle a perdu beaucoup de sang, trop. Elle va s'en sortir, mais si Colton ne l'avait pas trouvée à temps, elle aurait pu… oh, mon Dieu…

J'étais si totalement choquée que je serais tombée à la renverse si je n'avais pas été assise.

– Colton ? Colton Calloway ?

Comment Colton aurait-il pu la trouver ? Il vivait à New York… Et puis je compris enfin.

– Attendez… C'est l-l-lui le père ? demandai-je.

Rachel acquiesça ; ses fins cheveux blonds luisaient et scintillaient sous le néon violent de la lumière d'hôpital.

Robert et Theresa étaient assis sur la rangée de fauteuils en face de nous. Leurs visages étaient inquiets, perdus, préoccupés et effrayés. Je les regardai une seconde ; je ne les connaissais pas du tout. Robert Calloway était sénateur, il passait donc énormément de temps à Washington. Je ne savais pas ce que faisait Theresa, mais elle était souvent partie, elle aussi. Même enfants, nous n'avions passé que peu de temps chez les Calloway. Quand Nell et Kyle jouaient ensemble, petits, c'était toujours chez Nell, donc Robert et Theresa étaient un peu des étrangers pour moi. Robert était grand, la poitrine large avec un léger embonpoint, fort avec des traits rugueux, des cheveux poivre et sel et des yeux bleus éclatants. C'est de lui que Colton tenait les siens, de toute évidence. Theresa ressemblait plus à Kyle, fine, ciselée, des traits d'une beauté classique et des yeux marron foncé comme ceux de Kyle.

– Colton et Nell…, commençai-je, en espérant qu'on finirait ma phrase.

– Ils se sont croisés à New York, je suppose, dit Rachel. Je n'en sais pas vraiment plus. Tout s'est passé tellement vite. Nell est rentrée hier matin tôt. Elle a dû prendre le vol de nuit depuis New York, parce qu'elle a passé la porte d'entrée à 7 heures du matin. Elle avait l'air… fatiguée. Pas endormie… mais émotionnellement épuisée. Lessivée, préoccupée. Elle a dit qu'elle avait juste envie d'être un peu à la maison, que tout allait bien. Je ne l'ai pas crue, parce que je connais Nell. Je sais quand elle cache quelque chose. Je l'ai regardée cacher tellement de choses pendant si longtemps… mais elle a refusé de me parler. Elle a passé la majeure partie de la journée d'hier dans sa chambre à jouer de la guitare. Puis, tard, vers 9 heures ou quelque chose comme ça, elle est descendue et elle a dit qu'elle sortait courir. Elle était partie depuis moins de vingt minutes, quand quelqu'un a violemment ouvert la porte. J'ai eu tellement peur que j'ai fait tomber mon verre. C'était Colton. Il était… il était comme fou. Hors de lui, il a exigé de savoir où était Nell, comme s'il la cherchait depuis un moment. Je lui ai dit qu'elle était allée courir près de la ferme d'Ennis, et il est parti la chercher. Puis il… il est revenu… en la portant dans ses bras. Mon Dieu, elle était… il y avait tellement de sang. Son T-shirt à lui était couvert de son sang à elle, ça venait d'entre ses jambes. J'ai su… j'ai tout de suite su. J'ai fait deux fausses couches avant Nell. Les miennes n'ont pas été… elles n'ont pas été aussi dures que celle de Nell. Mon Dieu… ma petite fille.

Rachel tremblait et se retourna pour se lover dans les bras de son mari.

Est-ce que ça allait m'arriver ? Ce fut ma première pensée quand Rachel termina son histoire.

– Est-ce que je peux… Est-ce que je peux la v-v-v-voir ?

– Il faut demander à une infirmière, me répondit Jim. Je ne sais pas si elle est réveillée.

L'infirmière à l'accueil m'informa que Nell était réveillée et que je pouvais la voir si elle était d'accord. Je suivis un long couloir, je regardai le numéro des chambres, comptai jusqu'à 141. Un groupe de personnes étaient agglutinées sur le seuil d'une porte, serrées les uns contre les autres en silence. Je réalisai qu'il s'agissait de la chambre de Nell. Et en m'approchant, je compris pourquoi.

Quelqu'un jouait de la guitare en chantant, une voix masculine et profonde. Je ne pouvais pas encore distinguer les paroles, mais la mélodie était envoûtante, comme une berceuse brute et éraillée, des accords simples que reprenait un refrain à vous fendre l'âme en deux. Je me collai à la foule d'infirmières, de médecins et de patients jusqu'à ce que je puisse voir l'intérieur de la chambre. Colton était assis au chevet de Nell, une guitare à la main, la tête tournée, les yeux fermés, les muscles du cou tendus tandis qu'il chantait, ses biceps massifs ondulant tandis qu'il jouait et battait le rythme de cette mélodie toute simple.

Sa voix était si hypnotisante, si pleine de chagrin brute, que la puissance de la chanson était palpable : elle me parcourait la peau quand je l'écoutais.

– … Avais-tu des rêves ?
Avais-tu une âme ?
Qui aurais-tu été ?
Tu n'as jamais connu mes bras,
Tu n'as jamais connu ceux de ta mère,
Mon enfant, mon enfant, mon enfant.
Je rêverai pour toi,
Je respirerai pour toi,
J'implorerai Dieu pour toi,
J'agiterai mes poings, crierai et pleurerai pour toi.
Cette chanson est pour toi,
C'est tout ce que j'ai,
Ça ne te donne pas de nom.
Ça ne te donne pas de visage.
Mais c'est tout ce que j'ai à donner.
Tout mon amour est dans ces mots que je chante,
Dans chaque note hantée de ma guitare,
Mon enfant, mon enfant, mon enfant.
Tu n'es pas parti,
Parce que tu n'es jamais arrivé.
Mais cela ne veut pas dire
Que tu n'as pas été aimé.
Cela ne veut pas dire que l'on t'a oublié.
Toi, l'enfant qui n'es pas né.
Je t'enterre
Avec cette chanson,
Je te pleure
Avec cette chanson.

Il pinça la dernière corde et laissa flotter les notes, la tête penchée et les épaules tremblantes. La chanson me rappela ce qui grandissait en moi, ce que Nell et Colton venaient tout juste de perdre. J'étouffai un sanglot en toussant. Colton se retourna et ouvrit les yeux – il eut l'air surpris de voir tout ce monde agglutiné près de la porte. Il ne me vit pas, me reconnut encore moins. Il se retourna vers Nell. Elle était en train de se lever du lit avec difficulté, en traînant derrière elle les tubes, les tuyaux et les fils du moniteur. Elle grimpa sur les genoux de Colt, passa les bras autour de son cou et s'agrippa à lui, en pleurant si fort que c'était douloureux à entendre, à regarder. Son corps entier frémissait de façon incontrôlable, elle hurlait ses sanglots, la voix éraillée, des cris d'étouffement remplissaient la petite pièce, mêlés au bip constant du moniteur cardiaque.

Je connaissais la façon dont elle s'accrochait à Colt, comme si c'était la seule chose qui l'empêchait de voler en éclats, de n'être plus rien d'autre que la somme de ses peines. Il la tenait doucement lui caressait le dos d'un geste familier, avec une tendresse blessée. Je pouvais voir l'amour qu'il avait pour elle à la façon dont il dégagea une mèche de cheveux de ses yeux avec un doigt, à sa façon de ne pas lui dire de mots creux pour la réconforter, à sa façon de se contenter de la tenir et de laisser son amour parler en silence. Je m'éloignai de la porte, hors de leur champ de vision, et m'adossai au mur.

Je l'écoutai pleurer, elle, l'écoutai, lui, renifler doucement. Ils sanglotèrent ensemble pendant un long moment, et j'attendis. Je sentis finalement la présence de Jason. Mes yeux étaient fermés, et j'écoutais Nell et Colt se murmurer des mots incompréhensibles, ce bredouillement familier des gens qui s'aiment.

J'étais toujours sidérée par le fait que Nell et Colton forment un couple. J'attirai Jason au bout du couloir. En passant devant la porte, je jetai un œil et vis Nell à nouveau dans son lit qui tenait la main de Colt. Elle me regarda, puis détourna les yeux.

– Que s'est-il passé ? demanda Jason.

– Est-ce que tu as vu qui était dans la ch-ch-chambre de Nell ? (Jason secoua la tête.) Colton Calloway.

– Quoi ? Qu'est-ce qu'il fout dans le Michigan ?

J'avalai une grande bouffée d'air.

– Ils sont ensemble. Nell et Colton, je veux dire. Genre, ensemble. Elle… ils… Nell a fait une f-f-fausse couche.

Je lui laissai le temps d'imprimer.

La mâchoire de Jason tomba d'un seul coup, il la referma, puis se retourna pour regarder vers la porte de la chambre 141, comme s'il allait pouvoir lire une réponse quelque part.

– Elle… tu veux dire qu'elle était enceinte ? (J'acquiesçai, il pencha la tête en arrière, laissant échapper un soupir de surprise.) Putain de merde. Je me serais attendu à tout, sauf à ça.

– M-m-moi aussi. J'ai cru… J'ai eu peur qu'elle…

Jason m'interrompit en m'attirant contre son torse.

– J'ai d'abord pensé à ça aussi. Je suis content que ça ne soit pas le cas.

– Ouais.

J'appuyai le front sur sa poitrine, mon secret me pesait sur l'estomac comme une boule brûlante et dure.

Il n'y avait pas moyen que je puisse le lui dire ici, maintenant, dans ce contexte.

Jason me souleva le menton des doigts et ses yeux de jade plongèrent dans les miens. Je compris qu'il savait que je lui cachais quelque chose.

– Becca… qu'est-ce que tu as ?

Je secouai la tête.

– Pas-pas ici, d'accord ? S-s-s'il te plaît !

– Je ne suis pas fou, pourtant, hein ? Il y a quelque chose que tu ne me dis pas ?

Je tremblai, inspirai difficilement.

– Oui. Mais ça… ce n'est ni le l-l-lieu, ni le m-m-moment.

– Mon Dieu, je vais devenir dingue, putain.

J'entendais la colère et l'inquiétude de sa voix.

Je posai les mains sur ses joues et attirai sa bouche contre la mienne, un baiser bref mais profond.

– Je t'aime. Aujourd'hui et toujours, d'accord ?

Il laissa échapper une rafale de soupirs.

– Alors, tu ne me quittes pas, ou un truc du genre, hein ?

Je ne pus que rire à sa question.

– Jamais. Jamais… de la vie.

Je me dégageai de son étreinte et l'entraînai dans la chambre de Nell.

Elle prit une grande inspiration en nous voyant entrer. Colton se leva pour nous faire face, il n'avait pas l'air sûr de savoir s'il fallait nous serrer la main, nous prendre dans ses bras ou autre. Je lui fis un signe de la main, un peu gênée. J'hésitai, puis le contournai pour prendre Nell dans mes bras, je berçai doucement ses épaules.

Elle recula un peu et ses yeux gris-vert cherchèrent les miens.

– Becca, je…

– Comment est-ce arrivé ? demandai-je.

– Eh bien tu vois, quand un homme et une femme s'aiment très fort, commença-t-elle, puis elle explosa de rire.

Je lui donnai une petite tape sur le bras.

– Ne sois pas vache. Tu s-s-sais de quoi j-j-je veux parler.

Elle fronça les sourcils en m'entendant bégayer. La dernière fois qu'on s'était vues, je n'avais pas bégayé une seule fois.

– C'est… compliqué.

Je me retournai pour regarder Colton qui se tenait près de Jason, l'air très mal à l'aise.

– Sim-sim-simplifie, alors.

Elle jeta un coup d'œil à Colton et à Jason.

– Est-ce que vous pouvez nous laisser quelques minutes ? S'il vous plaît ?

Colt glissa à côté de moi et se pencha sur elle pour l'embrasser.

– Je vais aller chercher du café. (Il appuya ses lèvres contre son oreille, mais je l'entendis murmurer :) Je t'aime.

– Je t'aime aussi, Colton.

Elle l'avait dit à voix haute, elle n'avait pas pris la peine de murmurer.

Jason me serra rapidement dans ses bras, embrassa le coin de ma bouche.

– Tu veux un café ?

– Avec plaisir. Merci, bébé.

Quand ils furent partis, je m'assis dans le fauteuil abandonné par Colt et me tournai vers Nell.

– Crache.

Elle fixa un point derrière moi, comme si Colt se tenait toujours là, ou comme si elle pouvait le voir à travers les murs.

– Il est… tout ce dont j'ai toujours eu besoin sans le savoir. Je sais, ça n'a aucun sens, Becks. Je le sais. C'est le… c'est le grand frère de Kyle. Il est plutôt brut de décoffrage. Mais… mon Dieu, comment je peux expliquer ça ? Il a tellement de talent. Tu l'as entendu, je t'ai vue. Il… il me montre comment cicatriser. Comment passer à autre chose. Je n'allais pas bien du tout, Becca, même quand je prétendais le contraire. Même quand je suis partie pour New York, je sais bien de quoi j'avais l'air. Comme si je faisais enfin des progrès. Ce n'était pas le cas, pourtant. J'étais juste devenue encore plus douée pour cacher ma souffrance, chaque jour. Pour cacher combien il me manquait, chaque putain de jour. (Elle me regarda pour analyser l'effet de ses mots.) Il a vu à travers moi. Il a vu à travers tout ça pendant l'enterrement, il y a des années. Il savait que je m'empêchais de ressentir ma peine. De ressentir quoi que ce soit.

Je plongeai la tête en avant –, la douleur de revivre ce qu'il s'était passé était trop difficile à supporter.

– Il ne te… il ne te rappelle pas… Kyle ?

– Si. Beaucoup. Mais… ce n'est pas la même personne. Il est tellement, tellement différent. On n'a jamais connu Colt, tu comprends ? Quand on était enfants, on ne comprenait pas une seconde ce qu'il traversait. Il est si fort, Becca. Tu n'as pas la moindre idée de ce qu'il est fort. Être encore capable de m'aimer, de sourire, d'aller bien jour après jour après tout ce qu'il a vécu, enduré.

Elle passa un pouce sur son poignet: je vis une cicatrice récente, profonde, épaisse, en dents de scie. Elle me vit la remarquer.

– Ça n'arrivera plus jamais. Les coupures, c'est fini. Mais c'est comme une addiction, tu sais. Je serai toujours une fille qui se coupe, je refuserai… je refuserai simplement de le faire.

Je croisai son regard.

– Je crois que je c-c-comprends maintenant.

Elle entendit quelque chose dans ma voix.

– Qu'est-ce que tu veux dire ?

Elle avait dit ça en murmurant, un murmure effrayé.

Je lui montrai mes bras.

– J'ai pensé à me couper, une ou deux fois. Je ne l'ai jamais fait, mais j'y ai pensé.

– Pourquoi ?

– Ben… s'est pendu… en avril… le 9 avril.

Je m'efforçai de ralentir, comme je l'avais appris à mes cours d'élocution.

Nell se couvrit la bouche avec la main, les yeux écarquillés et torturés.

– Il s'est pendu ? Oh ! mon Dieu… Becca, je suis tellement désolée.

– J'ai essayé de t'appeler, mais tu n'as jamais répondu. Tu ne m'as jamais rappelée. Jason a essayé aussi.

J'essayais de ne pas avoir l'air amère, sans vraiment y parvenir.

– Je sais. Je suis désolée. J'ai juste… je n'avais pas d'autre solution pour ne pas devenir folle, pour tenter de survivre jour après jour. Entre Colton et moi, c'était… tumultueux, c'est le moins qu'on puisse dire. (Elle me prit la main.) Je suis désolée, Becca. Je suis désolée d'être une amie aussi pourrie. Je n'étais pas là pour toi quand tu en avais besoin, alors que toi tu as toujours été là pour moi.

Je haussai les épaules.

– Tu avais… tes propres problèmes à gérer. Je peux comprendre.

– Qu'est-ce qu'il s'est passé ? Pourquoi a-t-il fait ça ?

Je secouai la tête.

– C'est une longue histoire. Il n'allait pas bien depuis toujours, tu le sais. Tout ça… la vie… c'est devenu trop difficile à supporter pour lui. C'est la seule façon qu'il ait trouvée pour… pour s'en sortir, je suppose.

– C'est pour ça que tu bégaies à nouveau ? Ça s'était vraiment amélioré à une époque, pourtant, non ?

J'acquiesçai.

– Ouais. (Je fixais le sol entre mes pieds.) Je l'ai trouvé. Il avait laissé une lettre, et puis je l'ai trouvé. Il venait… il venait de le faire. Il… il tremblait encore. Je fais encore… des cau-cauchemars. Je crois qu'ils ne cesseront jamais.

– Mon Dieu, Becca. Je ne sais pas, je ne sais pas quoi dire.

– Je vais mieux, maintenant. Je suis retournée voir le Dr Malmstein.

– Ta thérapeute ? Celle que tu as vue à la mort de Kyle ?

Elle l'avait dit de façon simple et calme, ça forçait mon admiration.

– Ouais. J'ai refusé d'y aller pendant un moment. Je me suis refermée sur moi-même en quelque sorte, pendant plusieurs mois.

Je ne bégayais pas. Je parlais toujours sur ce ton un peu apprêté, préparais les mots dans ma tête comme avant, mais c'était en soi une amélioration. C'était presque comme si le fait que Nell ait besoin de moi en tant qu'amie m'avait donné une raison de reparler correctement, une raison que même Jason n'avait pas pu me donner.

– Refermée ? demanda Nell.

– Ouais. En gros, j'ai arrêté de parler. Pendant environ deux mois. Jason m'a forcée à reprendre la thérapie.

– Eh bien, je suis ravie qu'il l'ait fait. Je suis contente que tu ne te sois pas coupée.

Je soupirai doucement.

– Moi aussi. (Je jetai un œil à Nell.) Comment tu vas, Nell ? Pour de vrai.

Elle se laissa retomber et s'enfonça encore plus dans le matelas et la montagne d'oreillers.

– Je ne sais pas encore. J'ai perdu le bébé. J'étais enceinte et j'ai eu peur. Je n'ai pas réussi à le lui dire. J'aurais dû. Mais je n'ai tout simplement… pas pu. Je n'arrêtais pas d'angoisser sur ce qu'il allait dire, comment il allait réagir. S'il m'aimerait toujours, s'il me détesterait de l'enchaîner avec un enfant. Je sais maintenant que… j'aurais dû être moins stupide. J'aurais dû lui dire, j'aurais dû lui faire confiance.

Je n'arrivais plus à respirer. Est-ce qu'elle savait ? Elle ne me regardait pas, elle tirait machinalement sur un fil qui dépassait de sa vieille couverture râpeuse d'hôpital toute blanche.

– Qu'est-ce… Qu'est-ce qu'il va se passer ? Entre toi et Colton ?

– Il n'aime pas qu'on l'appelle « Colton », tu sais. Enfin, à part moi. En général, il se fait appeler « Colt ». Elle passa les doigts dans ses cheveux, cligna des yeux en étirant ses muscles, le corps toujours endolori. Je ne sais pas ce qu'il va se passer. On sera ensemble. Je vais sans doute rester ici un moment, au moins quelques semaines, jusqu'à ce que j'aille mieux. Que j'aille mieux physiquement. Je finirai probablement par aller voir un psy, moi-aussi. Dieu sait que j'aurais dû le faire il y a longtemps. Colton et moi… on s'aime. Il me comprend. Je sais que beaucoup de personnes ne vont pas comprendre, cependant. Comment je peux être amoureuse de lui alors que c'est le grand frère de Kyle ? J'ai lutté contre ça pendant des semaines. J'ai résisté comme personne. Je ne voulais pas. Je ne voulais pas me laisser aller – je ne voulais ni recevoir d'amour ni le laisser percer ma carapace. Je savais qu'il me forcerait à rendre les armes d'une façon ou d'une autre.

Elle pinça l'arête de son nez, soupira puis chercha mon regard.

– Tu sais que je n'ai jamais pleuré la mort de Kyle ? Pas une fois. Je refusais de ressentir quoi que ce soit, je refusais de faire le deuil. C'est pour ça que je me suis coupée. Ça… permettait d'échapper à la douleur, ça me permettait de penser à autre chose, de ressentir autre chose que le chagrin de l'avoir perdu.

Elle prit une grande inspiration, puis une autre. Je voyais son mal à la façon dont elle fronçait les sourcils, dont elle contenait le tremblement de son menton.

– C'est toujours douloureux. Je pense encore à lui… Je le vois toujours mourir dans mes cauchemars. Mais je sais – je sais – que je ne peux pas vivre éternellement dans ce cercle infernal. La seule façon d'en sortir, c'est de le traverser. Quant à ça, perdre… le bébé ? Pareil. La seule façon de surmonter sa peine, c'est de s'autoriser à la ressentir. Tu ne peux pas y échapper. Tu ne peux pas l'ignorer. La douleur, le chagrin, la colère, la détresse… rien ne s'en va – au contraire, tout ça ne fait qu'augmenter, fusionner et empirer. Il faut les vivre, accepter leur présence. Tu dois accepter la douleur.

– Écoute-toi, tu es devenue si sage.

J'essayais de rire pour détendre l'atmosphère, mais ma blague tomba à plat.

Elle cligna des yeux.

– Loin de là. Mon Dieu, je suis le contraire de sage. Tout ce que je connais, c'est la douleur. Tout ce que je viens de dire, c'est Colton qui me l'a expliqué. Il a traversé tout ça, lui aussi, il a traversé tellement de choses. On traverse tout ça ensemble.

– Je suis contente que tu aies quelqu'un pour t'aider à surmonter tout ça.

Elle se tourna vers moi.

– Je suis à peu près sûre que je serais morte aujourd'hui, s'il n'avait pas été là.

– Est-ce que tu as besoin qu'il aille bien ?

Elle haussa les épaules.

– Oui et non. Je sais pourquoi tu t'inquiètes. Je te promets que ce n'est pas un de ces cas de codépendance. J'ai besoin de lui, parce qu'il est juste… il est tout. Mais je sais désormais qu'il faut que je continue à vivre, en dépit de ce qui se passera dans ma vie. Je serais perdue sans lui, mais j'aime à penser que je m'en sortirais du mieux que je peux.

– Mais tu n'as pas à être sans moi, dit Colton derrière nous. Je ne vais nulle part.

Je me levai du siège pour le laisser passer et je sentis le bras de Jason se poser sur ma taille. Il avait une tasse en polystyrène de café brûlant dans chaque main, et j'en pris une. Le café était vraiment, vraiment brûlé, mais j'en bus quand même une gorgée.

Nell me jeta un coup d'œil.

– Je suis très fatiguée. Je vais dormir un peu. Tu repasses demain ?

– On sera là, dis-je.

Nous partîmes, et Colt pencha son corps impressionnant et musclé sur Nell pour l'embrasser, lui caresser les cheveux et la border. Il se retourna pour me regarder, ses yeux bleus percèrent les miens. Je lui souris, j'essayai de lui faire comprendre qu'ils avaient tout mon soutien. Je ne comprenais pas exactement comment ils avaient fini ensemble, comment ça s'était passé, mais ça n'avait pas d'importance, au fond. J'avais entendu l'amour dans sa voix quand elle parlait de lui, et je l'avais vu dans la façon dont ils se regardaient, dont il l'embrassait.

Nous étions à la moitié du chemin de retour, quand je réalisai quelque chose.

– Comment es-tu venu jusqu'ici ? C'est moi qui ai ton camion.

– C'est maintenant qu'elle se pose la question, dit Jason en riant. Bob m'a emmené. Je lui ai dit que c'était une urgence familiale.

– Merci d'être venu.

Il me regarda, tout en changeant de voie pour dépasser une semi-remorque qui n'avançait pas.

– C'est Nell. Bien sûr que j'allais venir.

Il y eut quelques minutes de silence, puis il aborda le sujet. Est-ce que tu vas me dire ce qui te ronge depuis deux mois ?

Je sentis mon cœur tambouriner contre ma poitrine. J'essayai de me calmer en m'efforçant d'inspirer profondément, mais je ne réussis qu'à hyperventiler. Je sentis la main de Jason se poser sur mon dos tandis que je me penchais en avant, la tête entre les jambes, appuyée sur la boîte à gants.

– Respire, bébé. Tout va bien. Respire. Profondément, d'accord ? Calme-toi.

Sa voix m'envahit, ses murmures m'apaisaient.

Je me redressai et dégageai les cheveux de mon visage, me concentrai sur ma respiration et sur les mots que je m'apprêtais à prononcer. Quand j'eus repris un semblant de contrôle, je me tournai vers Jason.

– Tu devrais sans doute t'arrêter.

Jason haussa un sourcil interrogateur, mais s'exécuta, il traversa les deux voies de droite pour reprendre la sortie. Il s'arrêta sur le parking d'un Mc Donald's, enclencha le frein à main et se tourna vers moi.

– Bon sang, que se passe-t-il, Beck ?

Je pris plusieurs inspirations profondes et me forçai à le regarder dans les yeux.

– Je… je suis… je suis enceinte.

Il cligna plusieurs fois des yeux en me fixant – son expression se figea quelques secondes.

– Tu es enceinte ?

– Oui. J'ai fait quatre tests.

– Tu le sais depuis quand ?

Sa voix était particulièrement calme, son ton précis et maîtrisé.

– Je ne le sais avec certitude que depuis hier.
– Mais tu t'en doutais depuis un moment ?
J'acquiesçai.
– Quand on a fait l'amour, la fois où ça n'était pas arrivé depuis si longtemps ? J'ai réalisé en m'endormant que je… que j'avais oublié de prendre ma pilule depuis… depuis la mort de Ben. J'ai simplement… oublié.
Je ne pouvais pas le regarder. Je fixais le tableau de bord, les ombres formées par les rayons du soleil à travers le pare-brise.
– Je suis désolée, dis-je en murmurant.
– Pourquoi est-ce que tu t'excuses ?
Il attrapa mon menton, essaya de tourner mon regard vers lui, mais je me dégageai. Je ne voulais pas pleurer, mais ça allait arriver. Il avait l'air en colère et j'avais tellement peur.
– Hé… regarde-moi, s'il te plaît.
J'avais envie d'ouvrir la portière en grand et de m'échapper, mais je plongeai mon regard embué de larmes dans ses yeux trop verts.
– J'ai peur, Jason. J'ai tellement peur. (Ma voix trembla, frissonna, se brisa.) Tu as l'air en colère. Je ne veux pas que tu… me quittes. Je sais que nous n'avons pas p-p-parlé de ç-ç-ça. Nous… nous ne sommes pas p-p-prêts p-p-pour ça. Je sais que n-n-non. Je suis désolée de ne pas te l'avoir dit plus tôt, mais j'avais… j'avais peur.
J'entendis le clic et le bzz de la ceinture qu'on détache et qui s'enroule. Je sentis sa main aller de mon bras à ma joue. Il m'attira contre lui et je me jetai dans ses bras.
– Bébé, murmura-t-il, un râle affirmé et tendre dans le creux de mon oreille. Becca, bébé, je ne suis pas en colère. Vraiment pas. Je suis surpris, ça oui. Je ne m'en doutais pas. Tu avais un comportement… étrange ces derniers temps. Les nausées, et tout ça. J'avais peur que tu m'annonces que tu aies un cancer ou un truc comme ça. Ne t'excuse pas.

– Et puis… J'ai appris pour N-Nell, et j'ai eu encore plus peur. Et si… et si ça m'arrivait, à moi aussi ?

– Ça ne t'arrivera pas.

– Je ne pourrais pas… je ne pourrais pas perdre encore quelqu'un, Jason. J'ai à peine l'impression de m'en sortir aujourd'hui.

– Il s'agit de nous, là, d'accord ? (Jason me souleva le menton et m'embrassa doucement.) Je t'aime. C'est une surprise, c'est sûr, mais je ne suis pas en colère. Je ne sais pas ce que je ressens exactement, mais la colère n'en fait pas partie.

Quelques millimètres à peine séparaient nos lèvres. Je me sentais si vulnérable, j'avais tellement besoin de réconfort.

– Promis ? C'est juste… j'avais si peur que tu m'en veuilles de ne pas avoir fait attention.

Il caressa ma joue avec la sienne.

– Non, bébé. Non. Tu étais tellement perdue après ce qui est arrivé à Ben. Ce n'est pas ta faute. Et de toute façon… Ce n'est pas une histoire de faute. C'est arrivé, et c'est comme ça. On va gérer ensemble, un jour après l'autre, d'accord ?

– Je suis juste… Tu dois savoir que je vais le garder. Quoi qu'il arrive.

– Bien sûr. C'est ce que je veux, moi aussi.

Il puait la sueur, l'herbe coupée et l'essence. J'avais les lèvres pleines de sueur de son baiser, et la peau tachée d'huile de ses caresses, mais je ne me serais éloignée de lui pour rien au monde. Je m'agrippai à lui de chaque fibre de mon corps, j'avais besoin qu'on me rassure.

On allait avoir un bébé…

17

L'annonce, des voix divergentes

Jason
Deux mois plus tard

J'étais assis au bord du canapé, les mains moites. Becca était à côté de moi, sa main serrait fort la mienne pour me faire comprendre qu'elle était aussi nerveuse que moi. Tout ça, dire à ses parents qu'elle était enceinte, c'était vraiment terrifiant.

En comparaison, la session de recrutement de la NFL, quelques semaines auparavant, avait été une promenade de santé. Ma prestation ce jour-là, ajoutée à mes records universitaires, avait fait de moi un candidat idéal pour être recruté dès le premier tour. J'étais en contact avec des agents depuis pas mal de temps. J'en avais choisi un, et la question des négociations et des contrats était réglée. Maintenant, il ne restait plus qu'à attendre le *mercato* du mois d'avril, mais il était fort probable que je joue l'année prochaine pour les Saints de La Nouvelle-Orléans.

Je secouai la tête pour la vider de toutes ces pensées footballistiques. Enzio et Leena de Rosa étaient assis sur la méridienne en face de nous, le bras d'Enzio entourait les épaules de sa femme, et ses doigts épais tapaient négligemment contre le coussin derrière elle.

– Maman… Père, commença Becca. Elle me regarda moi, puis son père. Papa, je veux dire. Je… Jason et moi avons quelque chose à vous dire.

Enzio et Leena se regardèrent, comme s'ils se parlaient en silence. Leurs yeux étaient assombris d'un chagrin qu'ils portaient depuis trop longtemps. Ils avaient changé, depuis la mort de Ben. Ils nous avaient invités à dîner, Becca et moi, à plusieurs occasions, et semblaient sincèrement s'intéresser à nous, à moi. Becca avait remarqué ces changements, et elle faisait donc un effort pour réparer ce qui avait été brisé dans sa relation avec eux. Elle s'était même mise à appeler son père « papa », au lieu de « Père », comme elle le faisait depuis si longtemps.

Becca sortit une petite enveloppe de son sac à main et la tendit à Leena, qui écarquilla les yeux en sortant les photos de l'échographie.

– Je suis enceinte, dit Becca.

– De quoi ? demanda Leena avec son accent prononcé, puis elle se racla la gorge. Je veux dire, depuis combien de temps ?

– Depuis quatre mois. (Le regard de Becca allait et venait de sa mère à son père, pour essayer d'analyser leur réaction.) Je ne connaîtrai pas le sexe avant encore quelques semaines, en revanche.

Elle avait dit ça pour son père, je crois, vu que sa mère, en tant que pédiatre, devait savoir ce genre de chose.

Enzio se racla la gorge, puis se redressa.

– Ce n'était pas… prévu, *non è vero* ?

– Non, monsieur, ça ne l'était pas, répondis-je.

– Et que penses-tu de cet… imprévu ? me demanda-t-il.

Je pris une grande inspiration et choisis mes mots avec précaution.

– Ce n'était peut-être pas prévu, monsieur, mais ça ne veut pas dire que ce n'est pas bienvenu. J'aime votre fille de tout mon cœur. Je pense que vous le savez, désormais. Je serai avec elle tout au long du chemin. Je prendrai soin d'elle et de notre enfant.

Enzio acquiesça.

– Fut une époque où je vous aurais sans doute demandé de l'épouser *immediatamente*, sur-le-champ, c'est ça ? Mais… maintenant ? Elle est heureuse avec vous. Ça, je l'ai vu. Elle ne l'a jamais été sans vous. Vous l'aimez, je l'ai vu aussi. Elle est… c'est mon seul enfant, désormais. Je ne veux que son bonheur. (Sa voix trembla et il détourna le regard, se racla à nouveau la gorge et ferma les yeux.) Je m'inquiète, évidemment, que tout cela interfère avec son plan de carrière, mais c'est son choix.

– Monsieur de Rosa… Enzio, monsieur, ce choix n'appartient qu'à elle. Je veux qu'elle fasse ce qui la rend heureuse. Je ferai tout ce qui est en mon pouvoir pour m'assurer qu'elle finisse ses études et qu'elle ait un métier, si c'est ce qu'elle veut. (Je m'arrêtai, puis repris :) Je ne sais pas ce que vous savez de mes projets pour la suite, mais j'ai été suivi par les recruteurs de la NFL ces dernières saisons, et il ne fait plus aucun doute que je vais passer pro. Je m'occuperai de votre fille et je m'en occuperai bien. L'argent ne sera pas… ce ne sera pas un problème.

Il acquiesça et regarda sa femme, puis nous deux.

– Et le mariage ? Vous en avez parlé ?

Becca répondit pour nous deux.

– Oui, on en a parlé. Nous ne sommes pas encore officiellement fiancés, mais nous allons nous marier. J'espère que nous aurons votre bénédiction et que vous serez présents au mariage, que vous participerez à notre vie.

– Bien sûr que oui, *figlia*, dit Enzio. Je sais… je sais que j'ai été souvent très dur avec toi, mais c'est… je voulais juste ce qu'il y a de mieux pour toi. Je suis simplement désolé que ça ait pris… qu'il ait fallu que ton frère meure pour que nous – pour que *je* réalise…

Les mots parurent lui manquer, et il s'interrompit de façon un peu étrange.

– Ce que ton père essaie de dire, c'est que nous formons une famille, nous tous. (Leena se leva, se glissa sur le canapé où Becca et moi étions assis, et prit sa fille dans ses bras.) Je t'aime, Rebecca, je n'arrive pas à croire que je vais être grand-mère !

Enzio se laissa retomber contre les coussins du canapé –, il avait l'air ébahi.

– Et je… je vais être *nonno*. Incroyable !

On discuta, enfin, Leena et Becca discutèrent de la *baby shower* et des salles de réception potentielles pour le mariage. On ne mentionna pas mes parents, ce qui ne me posa aucun problème, personnellement. Je ne leur avais pas parlé depuis que j'étais parti avec Becca, et je n'avais aucune intention de le faire un jour. Je ne les contacterais ni l'un ni l'autre, jamais. Je n'avais pas pensé à eux depuis très longtemps, mais toutes ces discussions à propos de mariage et de bébé m'avaient d'une façon ou d'une autre fait penser à mon père et à ma mère. Je me demandais ce qu'ils auraient pensé du fait que je devienne père. Je me demandais si papa aurait trouvé que c'était une bonne idée de jouer pour les Saints. Sans doute que non. Il était probable que quelle que soit l'équipe que je choisisse, ça n'aurait pas été la bonne, mais je n'étais plus assez idiot pour chercher à avoir sa bénédiction.

Quand on rentra chez nous tard, ce soir-là, Becca ne pouvait pas s'arrêter de parler des projets qu'elle avait faits avec sa mère. Apparemment, nous aurions un petit mariage de printemps vers le mois de mars. Nous n'inviterions que les personnes les plus proches, en gros, Enzio et Leena, Nell, Colt et leurs parents, quelques amis de Becca de la fac, Coach Hoke et une partie de mes meilleurs potes de l'équipe. Becca serait sur le point d'accoucher à ce moment-là, puisque la naissance était prévue pour la fin avril. Apparemment, sans que je le sache, Becca avait déjà cherché des robes de mariée et en avait trouvé une parfaite sur Internet qu'elle pourrait porter à huit mois de grossesse. Je n'étais pas sûr de savoir pourquoi on ne se mariait pas plus tôt, genre, en décembre ou en janvier, mais quand j'avais suggéré l'idée, Leena et Becca s'étaient toutes les deux tournées vers moi avec le même regard, qui disait *Mais tu es complètement stupide, ou quoi ?*.

– Je ne vais pas me marier en hiver, avait déclaré Becca pour mettre un point final au débat.

Enzio m'avait souri, amusé, puis il m'avait fait signe de le suivre dans son bureau, où il m'avait servi un verre d'un épais scotch ambré. Je ne buvais pour ainsi dire jamais, le scotch me brûla donc la gorge et l'œsophage, puis me pesa sur l'estomac comme une tonne de briques. Mais après quelques gorgées, je commençai à apprécier la chaleur du liquide.

– Il vaut mieux laisser les femmes décider de certaines choses, m'avait dit Enzio en me donnant une tape sur l'épaule. Elles te demanderont peut-être ton avis, mais ça n'aura aucune importance, à moins que tu ne sois assez idiot pour dire que tu t'en moques, ce qui est la pire des réponses. Je me rappelle le mariage de ma nièce, j'ai tout suivi. Le pauvre garçon que Maria épousait était totalement perdu, il ne comprenait pas qu'on lui demande quelle serviette il préférait ou quel était le meilleur arrangement floral, et qu'on ne choisisse jamais celui qu'il aimait. « Pourquoi me poser la question, si tu ne m'écoutes pas ? » demandait-il constamment. Je lui avais dit que les femmes étaient comme ça. On ne peut pas comprendre leur mode de fonctionnement, surtout quand il s'agit de mariages ou de fêtes.

Il parlait et j'acquiesçais, tout en sirotant mon scotch. Je sentais les vibrations chaudes s'installer en moi, tandis que je finissais mon verre de cet alcool fort. Becca prit le volant pour rentrer quand elle réalisa que j'étais un peu ivre, et gloussa chaque fois que je disais quelque chose en bafouillant un peu.

– Tu es drôle, quand tu es ivre, dit-elle en me poussant dans l'appartement et en me guidant vers notre chambre.

– C'est bizarre. Je n'aime pas trop ça, lui dis-je. Je me sens déconnecté.

– Eh bien, peut-être que tu devrais juste t'allonger et me laisser m'occuper de tout, alors. (Becca me poussa, je trébuchai et tombai sur le lit. Elle m'attrapa les pieds, délaça mes baskets, les enleva, puis fit de même avec mes chaussettes.)

– Ça me va, personnellement, bafouillai-je, en la regardant saisir le bouton de mon short.

Après m'avoir complètement déshabillé, elle fit un pas en arrière, balança ses ballerines, passa les mains derrière elle pour défaire la fermeture Éclair de sa jupe et la laissa tomber au sol. Mon sexe se durcit en voyant ses cuisses et ses jambes musclées, le V en dentelle rouge de sa culotte. Elle déboutonna lentement sa chemise, de bas en haut, dévoilant progressivement un soutien-gorge assorti à sa culotte. J'avalai ma salive en la regardant là, debout en sous-vêtements, sa peau ferme et mate, ses yeux noirs qui vagabondaient sur mon corps. Je ne bougeais pas, j'attendais, je me léchais les lèvres et reculais sur le lit en croisant les bras derrière ma tête pour la soutenir. Elle dégrafa son soutien-gorge et le jeta à travers la pièce –, ses seins lourds rebondissaient à chaque mouvement qu'elle faisait. Elle enleva ensuite sa culotte. Elle était nue et rampa sur le lit jusqu'à moi, en m'embrassant çà et là tout en remontant le long de mon corps, avec ses yeux de prédateur. Elle posa ses genoux de chaque côté de mes hanches, puis se pencha au-dessus de moi, ses seins chauds et lourds effleurèrent mon visage, elle descendit le long de mon corps, embrassa mon menton, ma joue, mon épaule et mon torse… Elle descendit, encore et encore, son corps s'aligna sur le mien jusqu'à ce que mon sexe appuie sur sa fente mouillée et chaude et que je me glisse en elle. Elle ne s'était jamais arrêtée de descendre, elle avait guidé son sexe jusqu'au mien pour joindre nos corps, hanches contre hanches. Nous bougions désormais ensemble, ses avant-bras appuyés sur ma poitrine, ses mains autour de mon visage et ses lèvres qui dévoraient les miennes, qui glissaient légèrement chaque fois que nos corps tanguaient.

Becca se mit vite à gémir en rythme avec nos va-et-vient, ses mouvements devinrent frénétiques et fous, puis elle s'effondra sur moi de tout son poids et laissa échapper une suffocation, à bout de souffle, contre mon épaule, tout en tremblant et en explosant. Elle bougea alors comme une folle contre moi. Elle se redressait et soulevait son corps en appuyant sur ses cuisses, puis replongeait avec un abandon violent. Elle tenait ses cheveux en arrière avec les mains, la tête penchée vers le plafond, se balançait sans effort, me chevauchait frénétiquement, toute sa poitrine s'agitait à chaque mouvement. Je pris ses seins dans mes mains, me redressai pour attraper un de ses tétons avec ma bouche et le sucer. Elle laissa échapper un gémissement et je me laissai retomber quand mon propre orgasme m'envahit. J'agrippai le creux de ses hanches et l'écrasai contre moi, regardai son visage se tordre sous son second orgasme, regardai ses seins rebondir à la perfection, et je jouis en elle, encore et encore, l'appelant par son nom dans un grognement profond. Mon orgasme me faisait encore trembler, quand je me redressai et enroulai ses jambes autour de ma taille, saisis sa nuque et l'embrassai tendrement, sa main à elle posée dans le creux de mon cou, près de mon épaule, le drap autour de nous, nos hanches bougeant en parfaite harmonie, et nos cœurs battant en même temps.

– Épouse-moi, dis-je en murmurant.

Becca se figea, me regarda au fond des yeux, puis se mit à sourire de façon hystérique.

– Oui. Oui ! Oh ! Jason, oui.

– Je sais que je suis censé avoir une bague et me mettre à genoux, mais…

– Non, c'est parfait. Ça n'aurait pas été toi autrement. (Elle attira ma bouche contre la sienne dans un baiser passionné, puis recula juste assez pour pouvoir parler, ses lèvres murmurait contre les miennes.) J'adore cette demande. C'est parfait. Elle nous ressemble.

Elle resserra les jambes autour de moi en bougeant légèrement, comme pour vérifier si j'étais prêt pour le deuxième round. J'étais toujours enfoui en elle, et la tiédeur luisante de son corps autour du mien était pour moi une véritable drogue, et son odeur qui balayait mes narines un aphrodisiaque puissant. Ses lèvres contre les miennes et ses mains qui parcouraient mes bras, mon dos et mon torse revigorèrent mon sang, et je fus prêt à repartir. Je me durcis et grandis à nouveau en elle, j'avais besoin de la prendre encore une fois.

Je me redressai sur les genoux en tenant Becca dans mes bras, puis me laissai retomber en avant et m'écrasai contre elle, le bassin entre le V de ses cuisses. Elle ne défit aucunement ses jambes de ma taille et refusa de lâcher mon cou, m'attirant contre elle et balançant ses hanches contre les miennes, nos corps affamés frottant l'un contre l'autre à un rythme fou et effréné. Chacun prenait ce dont il avait besoin et donnait tout ce qu'il avait en criant, en grognant, en soupirant, en gémissant et en murmurant le nom de l'autre. Elle jouit la première, comme à chaque fois. Je la suivis peu après. Puis nos corps s'enlacèrent comme ceux de deux serpents exsangues, et l'on s'endormit.

Jason
Septembre, un an plus tard

Je courais à toute vitesse le long de la ligne de touche, les pointes de mes crampons creusaient la pelouse, juste au bord de la ligne blanche. J'avais les bras tendus, la tête relevée et tournée, les yeux rivés sur cette torpille marron et blanc qui fonçait vers moi dans un mouvement de spirale parfait. Je pouvais sentir les défenseurs, devant et derrière moi, me bousculer, me tirer, mais je les ignorais, je fonçais à travers eux. Le ballon était comme un rayon laser parti de la main de Drew pour arriver à l'endroit exact où j'allais me trouver dans… trois secondes. Encore dix foulées. J'accélérai encore, je faillis perdre l'équilibre mais je luttai pour rester à l'intérieur de la ligne, entre les défenseurs, en suivant la vitesse d'arrivée de la balle. J'étais hors d'haleine sous mon casque et j'entendais à peine les cris des supporters qui hurlaient mon nom. J'aimais cette partie du jeu, je devais bien l'admettre.

Et puis j'entendis sa voix à elle, couvrant toutes les autres.

– Vas-y, vas-y, vas-y ! Attrape-la !

Une voix si douce, qui criait à pleins poumons uniquement pour moi, une distraction momentanée tandis que le ballon tourbillonnait dans la cage qui l'attendait, celle de mes doigts tendus. J'étais en suspension dans les airs, même si je ne me souvenais pas d'avoir sauté. La balle commença à glisser de mes doigts et le désespoir m'envahit. Une seule seconde de distraction, causée par le simple son de sa voix, mais suffisante pour peut-être nous coûter le match si je n'attrapais pas ce ballon. Nous n'avions qu'un touchdown de retard et je pouvais égaliser, nous donner une chance de gagner mon premier match en tant que receveur de la NFL. Je flottais toujours dans les airs. Je retombai sur un pied et le ballon se stabilisa dans ma paume. Mon autre pied atterrit. Poussé par la gravité, je manquai de m'écraser au sol et retins mon souffle.

Je tenais la balle à deux mains, désormais, serrée entre mes gants.

Bam.

Un défenseur fonça sur moi par-derrière, ses bras costauds s'agrippèrent à ma taille, son épaule se planta dans mes côtes. Je m'envolai avec lui, son tacle me renvoyant flotter dans les airs. Je rassemblai chaque gramme de force que je possédais pour ne pas lâcher la balle. Le temps s'arrêta pendant que je plongeais en avant ; la pelouse verte et les lignes blanches devinrent floues. Je vis un cône orange à l'intersection de deux lignes blanches et réalisai que j'étais proche de la ligne de but. J'étirai mon corps vers cette ligne épaisse, la limite du terrain, tirai sur mes bras aussi loin que possible, étendis le geste pour qu'il m'entraîne assez loin. Le temps reprit son cours et la terre s'écrasa sous moi, j'eus le souffle coupé quand le défenseur atterrit sur moi. J'entendis un rugissement lointain, mais il pouvait s'agir du sang dans mes tempes comme de la foule en délire. Je luttai pour reprendre ma respiration, une douleur aiguë me serra la poitrine, signe d'une côte cassée ou froissée. L'autre joueur, une brute épaisse nommée Nate Johnston, était aussi une nouvelle recrue de NFL –, j'avais joué contre lui plusieurs fois à la fac. Nate roula loin de moi, chancela pour se relever, puis tendit la main vers moi, sa peau noire luisait de sueur, je vis le blanc étincelant de ses dents quand il me fit un sourire malicieux sous son casque.

– Putain, c'était une réception spectaculaire, Jay, marmonna-t-il en me tirant d'un coup pour m'aider à me relever.

– Merci, dis-je, haletant.

Je me penchai en avant, toujours incapable de reprendre mon souffle. J'étais plié en deux par mes coéquipiers qui s'étaient rassemblés autour de moi, qui me bousculaient et me tapaient dans le dos. Je compris alors que j'avais réussi le touchdown, et regardai la ligne de touche où se tenait Becca avec notre fils Ben collé contre sa hanche. J'embrassai le bout de l'index et du majeur et les pointai vers eux. Becca me sourit, puis souleva Ben encore plus haut, prit son petit bras dans sa main pour l'agiter en ma direction.

Benjamin Kyle Dorsey était né le 19 avril, il avait les cheveux noir d'ébène de sa mère et mes yeux verts. Il était le centre de mon monde et le rayon de soleil de chacune de mes journées. Becca et moi nous étions mariés le 20 mars, un dimanche ensoleillé et frais. Tous ceux que nous aimions étaient présents, à part Kyle et Ben. On leur avait gardé une place à chacun à la table principale, on avait même posé des cartes avec leurs noms sur les assiettes de porcelaine qui auraient dû être les leurs.

Je lançai un dernier regard à Becca, puis me retournai pour célébrer avec le reste de l'équipe le premier touchdown de ma carrière. Je bataillais encore pour retrouver ma respiration. Je suivis l'équipe d'attaque sur le banc pour le point supplémentaire, je m'assis en appuyant sur mes côtes, à l'endroit où un poignard semblait s'enfoncer chaque fois que je respirais.

Doug, l'entraîneur adjoint, s'approcha de moi.

– Ça va, Dorsey?

Je haussai les épaules.

– J'ai du mal à respirer. Je me suis peut-être pété une côte en retombant.

Doug s'agenouilla devant moi, me tâta et m'ausculta à travers le rembourrage de mon équipement, puis il se releva en grimaçant.

– Je crois que c'est sans doute cassé. On devrait aller au vestiaire pour que je jette un œil.

– Ça va aller. Mets-moi juste un bandage pour que je puisse retourner sur le terrain.

Doug secoua la tête.

– Ne sois pas stupide, Dorsey. Tu ne peux pas jouer avec une côte cassée.

– Eh bien, on a qu'à dire qu'elle n'est pas cassée.

Je ne pris pas la peine de lui dire combien de fois j'avais joué avec des côtes froissées.

Je n'avais cependant jamais joué avec une côte cassée, mais je savais qu'il fallait que je le fasse. Je n'avais aucune intention de passer mon premier match sur le banc. Chaque respiration, chaque mouvement me faisait agoniser, putain, à tel point que les yeux me piquèrent et s'humidifièrent quand je me levai. Je m'étirai avec précaution, suffoquai un peu quand le mouvement me fit me tordre de douleur.

Cependant, Doug voyait clair dans mon jeu. Il m'avait vu grimacer.

– Tu nous as fait revenir à égalité, Jason. Jarred s'occupe de la prochaine action. Viens au vestiaire avec moi, et laisse-moi regarder.

Je savais qu'il fallait au moins que je le laisse me coller une bande, je le suivis donc et quittai le terrain.

– Jason, qu'est-ce qui ne va pas ?

J'entendis la voix de Becca, sur le côté, et la vis fendre la foule le long de la rambarde des gradins, berçant le petit Ben contre sa poitrine.

Je m'approchai de la rambarde et levai la tête vers elle.

– Je vais bien, bébé. Nate est tombé sur mon flanc, mais ce n'est rien. Ne t'inquiète pas, d'accord ?

Mais Becca me connaissait et elle vit la douleur dans mon regard.

– Ne te la joue pas gros dur, s'il te plaît, d'accord ? Fais-toi remplacer si tu es blessé.

– Trop pas, putain. Je vais bien.

– Fais attention à ton vocabulaire en présence de ton fils, Jason Michael Dorsey.

Doug ricana derrière moi.

– Oups, elle t'a appelé par ton nom entier.

Je lui lançai un regard noir.

– Tais-toi, Doug. (Je me retournai vers Becca.) Désolé, bébé. Mais ça va, promis.

Doug se mit en route en me faisant signe de le suivre ; il regarda Becca.

– Je vais m'assurer qu'il aille vraiment bien, m'dame. Ne vous inquiétez pas. Il ne peut pas jouer si je ne lui en donne pas l'autorisation.

Becca eut l'air soulagée, mais ses yeux semblaient toujours pleins d'inquiétude. Je fis un effort pour rester immobile tandis que Doug examinait ma côte –, je refusais ne serait-ce que de cligner d'un œil.

– Bon, je ne crois pas qu'elle soit cassée, mais c'est sûr qu'elle est froissée, voire fêlée. On va devoir faire quelques radios pour être sûrs. En revanche, il est hors de question que tu joues dans cet état.

– Oh, que si, putain. Pose-moi une bande et je retourne sur le terrain.

Je le défiai du regard.

– Mec, sérieusement. (Doug était plus jeune que moi ; mince et musclé, il dégageait une certaine autorité naturelle malgré son poste récent.) Ça n'en vaut pas la peine. Tu n'as rien à prouver. Tu viens de faire une réception qui va passer en boucle demain à la télévision. Passe le reste du match sur le banc, prends soin de toi. Sois intelligent, et tu pourras recommencer à jouer encore plus vite. Si tu joues et qu'elle se casse un peu plus, tu seras indisponible pendant des semaines.

Je penchai la tête en avant et me caressai la nuque. Je savais que si mon père avait été là, il aurait insisté pour que je joue. Les hommes vont jusqu'au bout, ils ne restent pas assis sur le banc. À moins que tu ne puisses plus bouger, tu joues, fin de la discussion.

Je pouvais presque entendre sa voix : *Ne sois pas une putain de mauviette, Jason. Va sur le terrain et marque. Tu es mon fils et tu es un gagnant. Les gagnants n'abandonnent jamais. Si tu n'y vas pas et que tu ne joues pas, tout le monde verra que tu n'es qu'une petite fiotte en sucre.*

Je ne m'étais jamais arrêté, jamais. Pour quoi que ce soit. Quelle que soit la blessure, j'avais toujours joué. Les mots étaient ancrés en moi depuis le jour où je les avais entendus, à onze ans, quand je m'étais blessé pour la première fois en jouant. Je m'étais foulé le poignet et mon père s'était agenouillé devant moi, m'avait craché ces mots à la figure, l'haleine chargée de whisky, à tel point que cela m'avait piqué les yeux, tout comme les larmes que je n'avais pas le droit de verser. J'étais retourné sur le terrain, j'avais joué et j'avais marqué. Il s'était contenté de me faire un signe de tête, il n'avait pas eu le moindre mot gentil à mon égard.

Je serrai les dents et me levai.

– Pose… une putain de bande… sur mes côtes, grognai-je à l'intention de Doug, en contractant chaque muscle de mon corps et en serrant les poings pour faire monter l'adrénaline en moi.

Je laissai ma colère envers mon père prendre le dessus : tous les souvenirs de son poing s'enfonçant dans ma chair refirent surface, toutes ses insultes. Je sentis la pression exploser en moi, la chaleur irradier de ma peau, la colère sortir de mes yeux.

Doug devint pâle.

– D'accord, mec. D'accord. C'est ta carrière, pas la mienne.

Il attrapa le rouleau de bandage sur le comptoir, colla l'embout à mon sternum et l'enroula en serrant autour de mon buste, en tirant fort pour que cela recolle mes côtes ensemble.

Je serrai les dents et les poings, les yeux fixés sur le mur derrière lui. Il enroula mon torse, encore et encore, serra aussi fort que possible en appuyant sur les rebords pour les lisser. Une fois la bande posée, j'agonisais toujours à chaque respiration, mais la douleur fut un peu plus supportable. Je renfilai mon équipement, mes gants, et serrai fort sur les cordes du corset.

Doug m'arrêta en posant une main sur mon épaule. Il me regarda de ses yeux bleu pâle.

– Jason, je te le redis, tu ne devrais pas jouer. Je vais dire au Coach Payton que tu joues contre ma recommandation. Tu n'as rien à prouver. Je ne sais pas ce qui te pousse à le faire à cette minute, mais tu ne vas faire que te blesser encore plus. Ça va mettre un terme à ta saison, voire plus. Une côte cassée peut te perforer un poumon.

Je le contournai, déterminé, en cognant son épaule avec la mienne. Un éclair de douleur me parcourut. Ça n'allait vraiment pas être drôle de se faire tacler.

Becca m'attendait. Elle me vit avec mon équipement, vit l'expression sur mon visage. Mais je ne m'arrêtai pas, pas même quand elle m'appela par mon prénom. Cependant, les babillements de Ben me coupèrent dans mon élan. Je me retournai pour le regarder, son visage innocent s'illumina, il tendit les bras vers moi. Puis je levai les yeux vers ceux de Becca et me mis à fondre.

Je marchai vers les gradins et Becca posa Ben sur son autre hanche pour pouvoir me prendre la main.

– Ne le laisse pas t'atteindre, murmura-t-elle à mon oreille. (Je pouvais à peine l'entendre, avec le bruit du stade.) Il n'est pas là. Moi, je suis là, et je suis fière de toi.

Ses mots réussirent à percer le brouillard de colère et de rage dans lequel je m'étais plongé tout seul. J'embrassai ses doigts, puis longeai la ligne de touche et m'assis sur le banc à côté de Coach Payton.

– Tu es prêt, Dorsey ? demanda-t-il sans me regarder. On a arrêté leur progression. C'est à toi. Allons gagner ce match.

Je regardai à nouveau Becca, qui me suppliait des yeux. Elle savait exactement ce qui me poussait à agir comme ça, et elle détestait ça.

Je suis là et je suis fière de toi.

Quand mon père avait été blessé, on lui avait dit de ne pas jouer, mais il l'avait fait quand même. Un tacle lui avait déglingué la cheville et s'il l'avait laissée guérir, il aurait fini par pouvoir rejouer. Je réalisai que les choses auraient pu être différentes pour lui. L'entraîneur adjoint qui bossait pour les Jets à l'époque m'avait reconnu au camp d'entraînement de Floride quelques semaines auparavant, car apparemment j'étais la copie conforme de mon père au même âge. Il m'avait raconté l'histoire en secouant la tête avec regret et en se lamentant pour la façon stupide dont il avait gâché ce qui aurait pu être une putain de grande carrière.

Tout ça traversa mon esprit par flashes, dans la nanoseconde où mes yeux croisèrent ceux de Becca.

La voix du Coach me tira de mes pensées.

– Dorsey ? C'est à toi.

– Non, monsieur. Faites rentrer Jarred.

Les mots étaient sortis avant que je ne puisse les arrêter.

Il me jeta un coup d'œil.

– T'es sûr, fiston ?

J'acquiesçai.

– Je préfère ne pas prendre de risque. C'est que ça fait vraiment mal, putain.

Il me regarda en coin, jeta un œil à son écritoire, puis acquiesça en posant la main sur le dos de Jarred Fayson pour le pousser vers le terrain.

– Sage décision. Va t'asseoir.

Fayson finit par marquer le touchdown de la victoire. Je rentrai à la maison avec ma femme et mon fils, plutôt que d'aller faire la fête avec le reste des mecs de l'équipe. Ça ne les avait pas surpris, cependant. Certains se moquèrent un peu de moi, en affirmant que je ne portais pas la culotte à la maison. Mais je savais que, au fond, ils me respectaient tous d'être comme j'étais.

Becca me montra combien elle était fière de moi ce soir-là. Elle me le montra en utilisant simplement sa délicieuse bouche et ses mains si douces, d'une façon qui me fit gémir à la fois de douleur et d'extase.

18

Notre pour toujours à nous

Becca
Novembre

Jason avait son bras autour de moi. Six autres de ses coéquipiers étaient avec nous, ainsi que leurs petites amies et leurs femmes. Nous étions tous entassés dans le carré VIP du bar. Les gars chahutaient et les filles piaillaient, la plupart d'entre eux ayant déjà bien bu dans la limousine qui nous avait tous conduits jusqu'ici. Jason et moi sirotions une bière, la première depuis la naissance de Ben, voire depuis plus longtemps encore. Mes parents étaient venus nous rendre visite à La Nouvelle-Orléans et ils gardaient Ben ce soir-là pour qu'on puisse sortir tous les deux. Ben avait dix-sept mois, il marchait, parlait et charmait chaque personne qu'il croisait. Il me rappelait plus souvent qu'à son tour celui dont il portait le prénom, mon frère, à sa façon de rire, à son sourire et à certains traits de son visage.

Les lumières s'éteignirent et le bar se fit plus silencieux. Un présentateur surgit sur scène, un micro à la main suivi d'un long câble noir.

– S'lut tout l' monde. Bienvenue au Circle Bar. J' m'appelle Jimmy et j'ai l'honneur d' vous présenter nos invités d' ce soir. Certains d'ent' vous les connaissent p'têtre déjà, en tout cas après c' soir, vous allez tous les adorer, bon sang, ça j' vous l'garantis. Merci d'accueillir chaudement... Nell et Colt !

Le bar entier se leva quand Nell traversa la scène. Sa guitare, pendue à son épaule, balançait sur le côté de son corps. Les applaudissement remplirent la salle, firent trembler le sol sous nos pieds. Colt était juste derrière elle, il tenait le manche de sa guitare d'une main – pas de sangle. Ils s'assirent l'un à côté de l'autre sur des tabourets, installèrent leurs instruments sur leurs genoux et ajustèrent leurs micros.

– S'lut tout l' monde, dit Colt en s'approchant du micro. (Sa voix couvrit les derniers applaudissements.) J'ai le droit de dire ça ? Je ne suis pas du Sud, mais on dira que ça passe, n'est-ce pas ? Cool. Donc, bref, je m'appelle Colt, et voici l'amour de ma vie, Nell. (Il se retourna vers elle, la bouche collée au micro.) Dis bonjour, bébé.

Nell lui sourit, puis s'adressa au public.

– Salut les gars. Merci de nous recevoir ici. Il ne reste plus qu'à commencer, hein ? La première chanson est une reprise que Colt et moi avons eu le droit d'arranger. Elle s'appelle *Breath Me,* et elle est d'une artiste incroyable qui s'appelle Sia. J'espère qu'elle vous plaira.

Elle gratta sa guitare, s'arrêta pour ajuster quelques cordes et se remit à jouer. La mélodie s'installa. Colt attendit quelques mesures, puis se mit à jouer une contre-mélodie, remplissant les creux de son rythme à elle par un air plus élaboré. Puis Nell se mit à chanter. La chanson était au plus aigu de son registre, mais cela se mariait parfaitement à la musique.

Je n'avais jamais vu Nell sur scène auparavant, et j'étais en admiration totale. Quand elle m'avait dit, il y a longtemps, qu'elle allait intégrer une école de musique, les bras m'en étaient tombés et j'avais été pour le moins sceptique. Elle n'avait jamais montré le moindre intérêt pour la musique auparavant, aucun talent particulier ni aucun enthousiasme pour le chant. Ses propos m'avaient semblé sortis de nulle part. J'avais pris ça comme une preuve de plus que ma meilleure amie était complètement déconnectée du réel. Quand elle était sortie de l'hôpital après sa fausse couche, elle avait parlé de rentrer à New York avec Colt et de jouer quelques concerts avec lui, mais elle ne m'avait jamais rien joué, à moi. On s'était vues quasiment tous les jours pendant le mois de sa convalescence, elle avait pris un peu de temps pour se remettre, émotionnellement aussi. Elle m'en avait dit plus sur sa relation avec Colt, comment ils s'étaient connus et le rôle fondamental qu'avait joué la musique entre eux.

Comme elle avait fini par rentrer à New York avec Colt, on ne s'était pas vraiment revues depuis un an. Elle était venue à mon mariage, bien sûr, mais elle avait dû rentrer juste après, car elle et Colt donnaient une série de concerts dans la région de New York. J'avais eu quelques nouvelles depuis, de temps en temps, elle m'envoyait des liens par mail sur des articles concernant leur nouvelle célébrité en tant que duo d'auteurs-interprètes. Ils avaient un talent incroyable pour reprendre des chansons, tous les articles le disaient, et ils reprenaient toutes sortes de musique, du jazz classique au folk en passant par des morceaux de swing, de rock ou de pop qui passaient en boucle à la radio.

Nell et moi avions plusieurs fois essayé de nous organiser pour nous voir. Mais après la signature de Jason chez les Saints, nos vies s'étaient accélérées sans nous laisser une minute de répit. Nous avions déménagé à La Nouvelle-Orléans, j'avais posé ma candidature pour le troisième cycle d'orthophonie de la LSU (université de l'État de Louisiane). Et j'avais été prise. Les journalistes sportifs avaient suivi les moindres faits et gestes de Jason pendant les quelques mois qui avaient précédé son premier match. Et puis il avait fait cette réception spectaculaire. La blessure qui en avait découlé l'avait encore plus placé sous le feu des projecteurs. Il était resté sur le banc pendant deux matchs d'affilée, puis était retourné jouer. Il était littéralement en feu depuis, il marquait plusieurs touchdowns par match, instaurant une moyenne qui, à la fin de la saison, exploserait tous les records du club pour le plus grand nombre de passes réceptionnées et la plus grande distance parcourue.

Pendant ce temps, Nell et Colt étaient eux aussi devenus célèbres, en sortant un album autoproduit avec des compositions originales, ainsi que quelques-unes de leurs reprises les plus populaires. Ils avaient été ensuite approchés par une multitude de labels, mais avaient refusé toutes leurs propositions. Ils préféraient rester indépendants. Ils étaient d'ailleurs en train d'enregistrer et de produire un deuxième album dans le studio d'un ami qui sortirait moins d'un an après le premier.

La presse avait de plus en plus parlé d'eux au fil des mois. Ils avaient même fini par passer au *Late Late Show* de Jimmy Fallon, ce qui les avait rendus célèbres à l'échelle nationale.

Ils étaient en train de finir leur première tournée, qui allait de la côte est jusqu'au golfe du Mexique. Ils avaient fait exprès d'y inclure La Nouvelle-Orléans pour pouvoir nous rendre visite à Jason et moi, et à notre fils Ben.

Je regardai Nell chanter et me surpris à pleurer silencieusement de fierté. Elle avait parcouru tellement de chemin, enduré tellement de choses, et elle était désormais là, sur scène, devant des centaines de personnes tous les soirs, à chanter avec cette voix douce et cristalline que je ne lui connaissais pas. Nell irradiait – il n'y avait pas d'autre mot pour la décrire. Elle était captivante, ses yeux gris-vert caressaient le public, sa voix voguait sur nous avec une beauté hypnotisante. Colt était lui aussi talentueux à couper le souffle. Il avait le don pour enrouler sa voix à la sienne, la compléter en parfaite harmonie, d'une façon presque magnétique, ce qui soulignait encore plus la beauté de la voix de Nell. Colt était un guitariste vraiment excellent, et, à deux, ils envoûtaient littéralement le public.

Jason me serrait contre lui et me donna un petit coup en réalisant que je pleurais. Je lui souris en secouant la tête, pour lui dire que tout ça n'était que des larmes de joie.

– Ils sont incroyables, murmura-t-il à mon oreille.

– Je sais. Je suis si fière d'elle. Elle est époustouflante.

Nell et Colt jouèrent le premier de leurs deux sets, puis nous rejoignirent, Jason, les autres et moi, pour un verre à l'entracte. À la fin du concert, Nell se leva pour quitter la scène, mais Colt l'en empêcha.

– J'ai une petite surprise, dit-il dans le micro. (Il se tourna sur le côté pour faire face à Nell et se rapprocha encore un peu de son micro.) Cela fait un certain temps que je prépare mon coup, mais je n'avais pas trouvé le bon moment jusqu'à aujourd'hui.

– Qu'est-ce que tu fais, Colt ?

Nell était clairement déstabilisée, ses yeux allaient sans cesse de Colt au public, elle tirait nerveusement sur les cordes de sa guitare. Cela ne faisait, de toute évidence, pas partie de leur numéro habituel.

– Tu n'as qu'à voir par toi-même, dit Colt en lui souriant avec malice. (Il gratta quelques cordes, en ajusta une ou deux, puis continua :) C'est la première chanson que j'ai écrite à propos de nous deux. Tu te souviens quand je l'avais jouée dans ce petit bar miteux ? J'ai pensé en écrire une autre, ou faire une reprise, mais j'ai réalisé que celle-ci avait tellement d'histoire. Elle signifie juste… tellement pour moi. La chanson a un peu changé depuis, mais… bon. Voilà.

TE SUCCOMBER
Il semblerait que toute ma vie,
Je n'aie fait que tomber,
Échouer,
Lutter,
Gardant à peine ma tête hors de l'eau.
Et puis un jour,
Je t'ai vue toi
Debout sous un arbre en fleurs,
Tu refusais de pleurer,
Mais déjà j'avais vu
Le poids de la douleur dans tes yeux,

Et déjà j'avais voulu,
Là sous cet arbre,
Te la prendre tout entière.
Mais je n'avais aucun mot pour te guérir,
Je n'en avais aucun pour me guérir moi.
Et maintenant que le destin a choisi
De nous unir l'un à l'autre,
Malgré les années entre nous,
Malgré le poids de la douleur
Derrière nos deux regards,
Malgré les fantômes qui nous suivent
Comme des âmes envoûtantes et brumeuses,
J'essaie encore de trouver les mots pour te guérir,
Pour prendre ton chagrin et le faire mien
Afin que tes beaux yeux puissent sourire,
Afin que tu sois en paix.
Et maintenant que le destin a choisi
De nous unir l'un à l'autre,
Je ne peux pas résister à l'envoûtement de tes yeux,
La tentation de ta beauté,
L'enchantement de ta voix
Qui murmure mon nom
Dans le réconfort obscur de mes draps,
Je ne peux pas te résister bébé,
Parce que je tombe encore,
Je te succombe.

Le public ne bougea pas pendant plusieurs secondes, n'applaudit pas, ne fit pas un bruit. Les gens se contentèrent de rester assis, envoûtés. Avant qu'ils ne puissent faire quoi que ce soit, Colton posa sa guitare au sol, fouilla dans sa poche et en sortit une petite boîte noire. Nell retint son souffle en posant la main sur sa bouche, les yeux brillants.

– Nell, bébé. (Colton arracha le micro du trépied et glissa de son siège pour s'agenouiller aux pieds de Nell.) Je te l'ai dit il y a très longtemps, avant même d'écrire cette chanson. Je ne me contente pas de tomber amoureux de toi, Nell, je te succombe. C'est de ça dont parle la chanson. Eh bien, c'est fait, je t'ai succombé désormais. Jusqu'au bout. Je t'aime tellement, tellement fort. Plus que je ne pourrais jamais l'exprimer par des mots ou une chanson. Plus que mille ans d'amour ne pourraient l'exprimer.

Pas un son n'émanait du public. Colton ouvrit l'écrin avec le pouce et le tendit vers Nell. La lumière se refléta sur les facettes d'un diamant étincelant dans l'ambiance tamisée du bar. Nell glissa de son tabouret et s'agenouilla près de Colt.

– Tu es censée rester debout jusqu'à ce que je prononce la phrase, bébé, dit Colt en riant.

Le public rit avec lui, mais redevint vite silencieux.

– Oui ! dit Nell, le mot murmuré amplifié par le micro.

– Je n'ai pas encore posé la moindre question, bébé. (Colt sortit la bague de l'écrin, prit la main de Nell et glissa le bijou autour de son doigt.) Nell, veux-tu m'épouser ?

– Oui, oui, oui !

Nell sauta au coup de Colt, le micro émit un son assourdissant quand ils le cognèrent en s'étreignant. Comprimé entre leurs deux corps, il renvoyait le son du battement de leurs cœurs, dont les rythmes s'entrelaçaient.

– Ça, c'est une demande, marmonna Jason.

Je me tournai et me collai contre lui en enfouissant le nez dans son cou.

– Ta demande était parfaite. Je t'aurais tué si tu l'avais faite en public.

Il serra mon épaule et on se joignit au reste du public pour siffler et applaudir. Colt et Nell s'embrassaient passionnément, debout sur la scène, comme s'ils avaient oublié l'espace d'un instant qu'une masse de gens les regardait. Après quelques minutes, ils traversèrent tant bien que mal la foule, en répondant en chemin aux nombreuses tapes dans le dos et aux multiples félicitations. On bavarda un peu avec les coéquipiers de Jason puis on s'éclipsa, en laissant le Circle Bar pour prendre le tramway de la ligne Saint-Charles. On atterrit dans un minuscule café, loin des sentiers battus, après être descendus du tramway et avoir vagabondé à pied à travers la ville jusqu'à ce qu'on entre dans cet endroit encore ouvert, attirés pas les odeurs de pâtisserie.

Une fois nos cafés et nos beignets servis, Nell et moi nous mîmes inévitablement à parler mariage, tandis que les garçons parlaient de voiture, de football et de la dernière saison d'une série qu'ils regardaient tous les deux.

– Tu seras mon témoin, bien évidemment, dit Nell.

– Bien évidemment. Alors ? À quand le mariage ?

Nell haussa les épaules en sirotant son café.

– Aucune idée. Je ne savais pas qu'il préparait tout ça. Je n'en avais sincèrement pas la moindre idée. Je l'espérais, bien sûr, et il m'est arrivé de lui faire une ou deux allusions au cours de nos conversations…

– Nelly, ma belle, tes allusions sont comme des coups de matraque en pleine figure. (Colt gloussa en balançant sa réplique.) Tu le mentionnais au moins six fois par jour.

Elle fronça les sourcils en le regardant.

– Je n'étais pas si terrible que ça.

Colt se contenta de la fixer.

– Tu as enregistré au moins dix épisodes de *Mariée en folie* sur le magnéto.

Nell plongea la tête en avant.

– Et alors ?

Les yeux bleu électrique de Colt se radoucirent.

– Et alors, j'ai compris le message.

Jason ricana.

– J'ai une nouvelle pour toi, mon pote. Ces épisodes de *Mariée en folie*, ça ne va faire qu'empirer, crois-moi. Ensuite, il y a *Quatre mariages et un enterrement de vie de jeune fille*, puis il y a la petite sœur du premier, *Demoiselles d'honneur en folie*… Oh, et ouais, sans oublier *Mariée en folie spécial Atlanta*. Celle-là, il ne faut vraiment pas la louper.

Le visage de Colt devint visiblement pâle.

– Putain sa mère, marmonna-t-il. Cette émission me fait grincer des couilles. J'ai toujours l'impression de devoir démouler un cake, ou d'aller faire du sport ou un truc comme ça, juste pour retrouver mon taux normal de testostérone après qu'elle a regardé ces conneries.

Jason rit si fort qu'il en tomba presque de sa chaise.

– Fais-moi confiance, je ne connais que trop bien la situation. On s'assoit pour regarder la télé, et je me dis *New York, police judiciaire* (ou *Dexter*) ou un truc du genre, mais non, elle allume la télé sur ces conneries et j'ai le choix entre m'asseoir et regarder, ou changer de pièce et me retrouver tout seul, ou alors s'engueuler. Mais quand tu as passé la journée dehors et que tu veux juste te détendre avec ta meuf… merde, tu n'as pas vraiment le choix, n'est-ce pas ? La fin de la virilité ce n'est pas de tenir le sac à main de ta femme pendant qu'elle est dans une cabine d'essayage, ou de rentrer à la maison au lieu de traîner avec tes potes. Oh ! non, la fin de la virilité, c'est regarder six épisodes d'affilée d'une émission qui parle de putains de robes de mariées parce que c'est plus facile que de s'engueuler. Le pire, c'est quand tu te mets à avoir un avis concret sur les robes, ou à préférer une vendeuse du magasin plutôt qu'une autre. Tu sais que tu as perdu ta carte de membre du club des vrais mecs le jour où ça t'arrive. (Il se pencha en avant et enfourna la moitié d'un beignet dans sa bouche, comme pour confirmer ce qu'il venait de dire.) Mais la seule vraie chose à retenir, c'est la suivante : les vrais mecs regardent ces conneries pour filles avec leurs femmes, et ils ne s'en plaignent pas. Et tu sais pourquoi ? Parce que, une fois ces conneries pour filles terminées, ta femme est heureuse. Et que fait une femme heureuse ? Elle t'emmène au plumard et te baise jusqu'à ce que tu t'évanouisses.

Nell grogna de rire et Colt s'esclaffa si fort qu'il manqua de cracher son café. Je me tournai vers Jason en lui donnant une tape sur le bras.

– Ça va, l'homme des cavernes ? dis-je.

Il haussa les épaules en souriant, amusé.

– Je ne fais qu'exposer une vérité. Est-ce que j'ai tort ?

Je fis les gros yeux en le regardant.

– Il se trouve que non, tu n'as pas tort. Mais tu aurais pu l'expliquer avec moins de gros mots.

– Ça enlèverait toute sa saveur à la chose, dit Jason en souriant. J'adore dire des gros mots. Ça rend les choses plus intéressantes.

– Tout à fait d'accord, dit Colton en tendant le poing. Jason répondit à son geste en lui donnant un coup avec le sien.

– Donc, dit Nell dans un effort pour changer de sujet, quand est-ce qu'on rencontre votre fils ?

– Vous êtes en ville pour combien de temps ? demanda Jason.

– Jusqu'à lundi, répondit Colt. On donne un concert à Biloxi, mardi.

– Je m'entraîne toute la journée pendant la semaine, mais l'entraînement du samedi dure un peu moins que les autres, vu qu'on joue le dimanche. Donc, vous pouvez peut-être venir dîner à la maison samedi ?

– Ça me semble parfait, dit Nell. Ça nous donnera un peu de temps pour explorer La Nouvelle-Orléans.

On était mercredi, et j'avais une énorme dissertation à rendre pour le vendredi. Quand on rentra à la maison, Jason et moi, quelques heures plus tard, mon père et ma mère étaient endormis sur le canapé, Ben était affalé sur leurs genoux, vautré comme seuls les tout-petits peuvent le faire. Jason porta Ben jusqu'à son lit, tandis que je secouai mes parents pour les réveiller et pour qu'ils aillent se coucher dans la chambre d'amis.

Une fois au lit, Jason se tourna vers moi, les yeux pleins de fatigue.

– Est-ce que Nell connaît le second prénom de Benny ?

Je soupirai.

– Je ne crois pas. Le sujet n'a jamais été mis sur la table, je suppose. Je l'appelle juste Ben ou Benny.

Dès qu'on avait su le sexe du bébé qui grandissait en moi, j'avais décidé de l'appeler Ben, et Jason avait été d'accord.

Ç' avait donc été naturel de lui donner également le nom de Kyle. Je savais que Nell allait cent fois mieux ces temps-ci, mais je savais aussi que les rappels étaient toujours difficiles. Après tout, j'avais moi-même toujours du mal à parler de mon frère sans que les sanglots m'étouffent, j'imaginais donc que c'était pareil pour Nell.

Becca
Trois jours plus tard

Mes parents étaient rentrés dans le Michigan, et Jason était toujours à l'entraînement. J'étais donc seule à la maison avec Benny et j'essayais de préparer le dîner et de nettoyer l'appartement avant l'arrivée de Colt et Nell. Le salaire de Jason, même en tant que nouvelle recrue, était suffisant pour qu'on puisse se permettre d'avoir une aide à domicile, mais je trouvais bizarre de payer quelqu'un pour s'occuper de mon enfant ou nettoyer mes toilettes. J'avais donc refusé. À cet instant, cependant, je me disais que ça n'aurait pas été une mauvaise chose d'avoir quelqu'un pour garder un œil sur Benny.

Mon petit garçon n'avait strictement peur de rien. Il n'avait aucun scrupule à grimper sur l'arrière d'un canapé, puis à se lancer dans le vide, juste pour voir ce qu'il se passerait ensuite. Il avait également un penchant pour se hisser sur la table de la cuisine et se laisser tomber en arrière. Les quelques premières fois où j'avais entendu le boum et le cri qui s'ensuivait logiquement, j'avais eu l'impression d'être la pire mère au monde. J'avais eu beau n'avoir tourné le dos que cinq secondes pour remplir sa tasse d'eau, j'avais toujours la sensation de n'avoir pas su le surveiller comme il fallait. Mais il ne s'était jamais blessé. Les pleurs qui suivaient sa chute de la table étaient plus des larmes de peur et d'embarras que de douleur à proprement parler, car il semblait ne jamais retenir la leçon. Il tombait, se cognait la tête sur le sol, se mettait à hurler et donnait des coups de pied dans tous les sens. Dans ces cas-là, je le prenais dans mes bras et l'embrassais jusqu'à ce qu'il aille mieux. Mais on pouvait être sûr que cinq minutes après, il était à nouveau debout sur la table à ricaner, en dansant la macarena... jusqu'à ce qu'il tombe à nouveau.

J'étais donc en train de dégraisser des blancs de poulet, et j'avais les mains trempées de jus, quand j'entendis le gloussement espiègle et caractéristique de Ben quand il faisait quelque chose qu'il regretterait d'avoir fait dix secondes plus tard. Je me retournai donc pour scanner la cuisine américaine et le salon, je tenais toujours mon couteau aiguisé pointé vers le haut, et j'essayais d'écarter mes mains poisseuses de mon corps pour ne pas me tacher.

– Benny ! Mon Dieu, espèce de petit chenapan ! soupirai-je.

Il était debout sur la console de la télé, qui était bien à un mètre vingt du sol, il avait un marteau en plastique rouge et jaune dans une main et sa girafe en peluche préférée dans l'autre. Il sautait dans tous les sens, le bout du marteau coincé dans la bouche étouffant ses ricanements. Il me mettait au défi de venir le chercher, ça, je le savais. Il avait poussé sa minichaise pliante du Club Mickey jusqu'à la console pour s'en servir de marchepied, et il faisait désormais sa danse de « viens donc me chercher maman, si tu l'oses », en agitant monsieur Girafe sous mon nez.

Je posai le couteau et ouvris le robinet avec mon poignet pour me laver vite fait les mains, tout en gardant un œil collé sur Benny. J'étais bien à cinq mètres de lui, de l'autre côté de la cuisine, donc, s'il tombait, je n'aurais pas pu faire grand-chose pour l'en empêcher. Je m'essuyai les mains à la hâte au torchon qui était accroché à la poignée du micro-ondes et m'approchai de Ben. C'était un peu comme un lion qui traquait sa proie. Si je bougeais trop vite, Benny tomberait sûrement en essayant de s'échapper, il fallait donc se déplacer doucement, sans menace, jusqu'à être suffisamment proche pour se jeter sur lui. Dès que je fus à sa portée, Benny rampa sur le ventre en arrière et chercha la chaise avec ses petits orteils, sans cesser de ricaner et en me regardant par-dessus son épaule. Je le soulevai et le retournai pour exposer son petit bidon bronzé. Il eut beau hurler et balancer des coups de pied, il ne put empêcher mon attaque de bisous sur son ventre rebondi. Il ne voulait pas vraiment que je m'arrête, en vérité, mais se débattre faisait pour lui partie du jeu.

– Tu n'as pas le droit de monter là-dessus, petit singe, lui dis-je entre deux attaques de bisous. Tu n'as pas le droit de grimper sur la console, espèce de clown. Non, Benny. Non.

Je pointai la télé en disant «non», de façon désormais très sérieuse.

Ben remarqua la sévérité de mon ton et s'agita pour descendre.

– Si. (Il grimpa de nouveau sur la chaise et voulut se hisser sur la console. Il tapota la surface de bois noir avec sa petite main.) Si.

Je le pris à nouveau dans mes bras et traversai le salon, puis le jetai sur le canapé.

– Non, Benny, non. On ne grimpe pas sur les meubles.

Il me regarda, en colère, et me donna une tape sur le bras.

– Si.

J'attrapai sa main avant qu'il ne puisse m'en donner une autre et fis les gros yeux.

– Non, jeune homme. On ne tape pas. On ne tape pas maman.

Il se frotta alors les yeux – ses mains serraient toujours fermement ses jouets.

– Maman.

Il se pencha en avant, cogna son front sur mon genou en faisant semblant de pleurer.

Je le pris dans mes bras et le posai sur mes genoux.

– Voilà. Sois gentil avec maman. (Je soulevai son visage vers le mien.) Un bisou ?

Il appuya sa joue sur mes lèvres pour que je l'embrasse, puis glissa vers le sol aussi vite que les petits peuvent le faire, en gloussant.

– Si, si !

Il courait à nouveau vers la table. Je soupirai, attendis qu'il soit bien installé dessus, et le pris pour le relaisser tomber sur le canapé.

– Que dirais-tu d'un dessin animé pour que maman puisse finir le dîner pour tata Nell et tonton Colt ?

Il agita son marteau et sa girafe en direction de la télé.

– Club, club, club ! répéta-t-il, ce qui signifiait qu'il voulait regarder le *Disney Club*.

Je lançai son épisode préféré, que nous avions enregistré, et ébouriffai ses boucles noires.

– Maintenant, sois sage pendant au moins cinq minutes d'affilée, s'il te plaît.

J'avais fini de cuisiner quand Jason arriva, en claquant la porte du garage avec son pied.

– Où est mon grand garçon ? appela-t-il, en laissant tomber son sac de sport sur le sol de la buanderie et en ôtant son débardeur taché par la transpiration. Jason détestait prendre sa douche dans les vestiaires de l'équipe, il rentrait donc toujours à la maison en sueur et sentant mauvais. Mais c'était peut-être parce qu'il savait que cela m'excitait. Je ne m'étais pas encore changée, je n'eus donc aucun problème à le laisser m'enlacer et m'embrasser à perdre haleine.

Benny arriva en courant à cet instant, il avait totalement oublié son émission. Il s'écrasa contre les jambes de Jason et s'agrippa à son short en essayant de grimper. Jason le souleva et le fit sauter en l'air, le rattrapa, lui mordilla le ventre jusqu'à ce que Benny crie et se dégage en se tortillant.

– Fais un bisou à papa, dit Jason en s'agenouillant devant Ben.

Benny se jeta sur lui et posa un baiser baveux, la bouche ouverte, sur son menton.

Je soupirai d'exaspération.

– Je vois. Il te fait un bisou, mais pas à moi. Moi, il m'autorise juste à lui en faire un, mais pas l'inverse. Ce n'est pas juste.

Jason se mit à rire.

– C'est juste qu'il m'aime probablement plus.

Il serra Ben très fort contre lui, avec un air ironique, pour se moquer de moi.

Je pris une expression triste et me retournai en faisant semblant de pleurer.

– Je veux un bisou, dis-je en gémissant.

Du coin de l'œil, je vis Ben regarder son père, consterné, puis moi.

– Tu ferais mieux de lui faire un bisou, lui conseilla Jason. Maman devient très triste quand elle n'a pas de bisou.

Benny se dégagea des bras de Jason et se tortilla jusqu'à moi, il entoura ses bras autour d'une de mes jambes et leva les yeux vers moi, inquiets.

– Manman ?

Je m'agenouillai et le pris par les épaules.

– Est-ce que je peux avoir un bisou comme papa ?

Benny me sourit et me fit un baiser baveux sur la joue.

– Si, dit-il, mot qu'il employait pour à peu près chaque situation.

– Je vais aller prendre une douche et me changer vite fait, puis je finirai le dîner pour que tu puisses te préparer, dit Jason. Ils arrivent à quelle heure ?

– À 18 h 30, et il est déjà moins le quart, alors dépêche-toi.

Quand je sortis enfin de ma chambre après m'être douchée et changée, Nell et Colt étaient déjà arrivés, et ils étaient assis par terre dans le salon, à jouer avec Benny, tandis que Jason finissait les accompagnements et mettait la table. Je m'arrêtai au milieu de l'escalier, sans que personne ne me remarque, et regardai Nell aider Benny à empiler des cubes que Colt s'évertuait à renverser, au grand amusement de l'enfant. Dès qu'ils avaient empilé quatre ou six cubes de couleur en bois, Colt fonçait avec un camion droit sur la pyramide, en faisant ce genre de bruit de moteur déchaîné qui explose, que seuls les garçons savent faire. Benny hurlait et riait chaque fois que la tour s'effondrait, puis il se tournait vers Nell, les bras chargés de cubes pour qu'elle puisse recommencer à les empiler.

Je les regardai faire plusieurs fois de suite, et fus de moins en moins capable de contrôler mes émotions. Quelque chose dans le fait de voir Nell jouer avec mon fils me fit monter les larmes aux yeux. Elle était si heureuse, si pleinement sereine, et à cet instant, ses yeux brillaient de joie sans la moindre retenue. Colt le remarqua également, il ne pouvait pas la quitter du regard tandis qu'elle jouait avec Benny. Je vis l'amour qu'il avait pour elle et cela ne me fit que sangloter un peu plus. Je ne me souvenais que trop du jour où j'étais entrée dans sa chambre au moment où elle appuyait une lame de rasoir sur son poignet. Je me souvenais de l'odeur alcoolisée de son haleine et du désespoir de ses yeux, de la douleur enfouie tout au fond de son cœur.

Je descendis le reste des marches, m'assis par terre à côté d'elle et l'aidai à empiler les cubes.

Elle me sourit et désigna Ben du menton.

– Il est incroyable. C'est le gamin le plus adorable que j'aie jamais vu.

– Merci. C'est un chenapan qui n'a pas son pareil, mais il compense en étant mignon.

– Il vous ressemble tellement à tous les deux, dit-elle. (Elle me regarda avec hésitation.) Tu lui as donné le nom de ton frère ?

J'acquiesçai et déglutis avec difficulté.

– Ouais. Nous n'avons même pas envisagé un autre prénom. Ce fut à mon tour d'être hésitante. Il… son deuxième prénom, c'est Kyle.

Nell prit une petite inspiration. Colt se contracta, mais continua à jouer avec Ben aux collisions de camions.

– Benjamin Kyle. (Nell fixait la moquette entre ses jambes en tailleur.) C'est un beau nom. Il ressemble même un peu à Kyle.

– Je crois que ce sont ses yeux. La couleur n'est pas la même, mais ils ont la même forme que ceux de Kyle.

Nell acquiesça.

– C'est un super gamin.

Elle ne savait pas quoi dire d'autre, de toute évidence. Elle fixait Benny comme s'il s'agissait de Kyle, d'une certaine manière. Elle était visiblement en train de rassembler ses esprits, d'éloigner les souvenirs que je voyais défiler dans ses yeux.

– Donc, Colt et moi avons évoqué des dates possibles pour le mariage.

– Oh ! mon Dieu, dit Colt. Je crois que je vais aller aider Jason.

Il se leva, Benny le suivit et attrapa son pouce en marchant à côté de lui.

– Ah ! les hommes, dit Nell en riant. Pourquoi ont-ils aussi peur de l'organisation du mariage ?

Je ris avec elle.

– Je ne sais pas. Jason se comportait comme si chaque décision lui coûtait des années entières de sa vie. Soit ça, soit, quand je lui donnais le choix entre deux options, il prétendait ne pas voir la différence. C'était assez comique.

On regarda Colt et Benny dresser la table. Benny grimpait successivement sur chaque chaise pour poser une fourchette et une cuillère sur chaque assiette, tandis que Colt le suivait avec les couteaux et réarrangeait les couverts de chaque côté de l'assiette. Je faillis dire quelque chose, mais décidai de laisser faire. Bien évidemment, une fois que Benny eut fini la dernière assiette, il se rendit compte de ce que faisait Colt et le fixa.

– Moi si.

Benny glissa de la chaise, se dirigea vers l'endroit de la table où avaient été posés les trois couverts et les reposa dans l'assiette en fixant Colt pour s'assurer qu'il ait compris le message.

– Benny a ses habitudes concernant certains points, dis-je à Colt. Les couverts vont sur l'assiette, dans cette maison.

Colt fixa Benny, puis moi, puis l'assiette, puis finit par hausser les épaules.

– D'accord. Sur les assiettes, alors.

Il fit à nouveau le tour de la table en posant les couverts dans les assiettes.

Benny le regarda, satisfait, puis le traîna jusqu'au frigo en lui tendant sa tasse.

– Jus.

Nell et moi regardâmes Colt et Ben, puis nos regards se croisèrent.

– Est-ce que ça fait partie du futur, ça, pour vous deux? demandai-je en agitant la main vers son fiancé et mon enfant.

Nell haussa les épaules.

– Je ne sais pas. On n'en a pas encore parlé. Je crois que ça va venir après ce soir.

– Tu en penses quoi?

Nell ne dit rien pendant un moment, puis haussa de nouveau les épaules.

– Je ne sais pas. Une partie de moi est très excitée à l'idée d'avoir un enfant. Benny est tellement mignon, tellement drôle. Colt serait un père vraiment incroyable. Mais... ça me fait peur aussi. Et si... et si je faisais une autre fausse couche? Le docteur a dit que c'était juste un de ces trucs qui arrivaient parfois. Que je n'avais rien fait de mal et qu'il n'y avait aucune raison médicale pour que je ne puisse pas mener une grossesse à terme, mais… je suis quand même inquiète. Parfois, je me sens encore… fragile, sur le plan émotionnel. Je crois que je serai toujours en phase de guérison, d'une façon ou d'une autre, toute ma vie. Est-ce que je suis capable d'être mère ? Je veux dire, qu'est-ce que je vais dire à cet enfant sur la manière dont j'ai connu son père ? C'est déjà dur de l'expliquer à un adulte, alors à un enfant ? Et si notre enfant me pose des questions sur les cicatrices de mes poignets ? Je lui dis quoi ?

Je réfléchis un long moment à ma réponse.

– Je ne veux pas minimiser tes inquiétudes, Nell, mais je crois que tu réfléchis trop. Toutes ces questions, il faudra y répondre le moment venu. Mais avoir un enfant ? Tant que tu t'entends bien avec Colt, ça ira. Avoir un bébé… ça change les choses. Ça te change, toi. Ça change ta relation. C'est dur, je ne vais pas dire le contraire. Devenir parent, c'est à la fois la chose la plus dure et la plus terrifiante qui soit, mais aussi la plus gratifiante que tu feras dans ta vie. (Mes yeux se posèrent sur Jason, qui sortait le poulet du four et le coupait pour vérifier sa cuisson.) Jason et moi nous n'étions pas prêts à avoir un enfant, Nell. Vraiment pas. Benny était une surprise totale. Tu le sais. Et on se demande parfois ce qu'on lui dira quand il demandera pourquoi son anniversaire tombe à peine un mois après celui de notre mariage. Il comprendra un jour, et il faudra qu'on lui donne des réponses. Mais… ça n'a pas vraiment d'importance, au fond. Colt et toi, vous vous aimez. Vous êtes partis pour durer. Ne vous empêchez pas d'avoir un enfant, juste parce que vous avez peur de tout ces « et si… ». Si vous êtes prêts, vous êtes prêts. Les réponses viendront en temps et en heure. La première fois que tu tiens ton bébé dans les bras tu… tu le sais, c'est tout. Tout a changé, et même si tu avais la possibilité de revenir en arrière, tu ne le ferais pas. Je ne changerais ma vie pour rien au monde, parce que tout ça m'a conduite jusqu'ici. J'ai épousé l'amour de ma vie, mon meilleur ami, mon… mon tout. Je n'ai jamais été avec quelqu'un d'autre, et je ne le serai jamais, peu importe ce que l'avenir me réserve. Et j'ai mon petit garçon, mon adorable Benny. Si changer, ne serait-ce qu'une seule chose de ma vie, signifiait ne pas être où je suis aujourd'hui, alors ça n'en vaudrait pas la peine.

Nell gratta une tache de jus sur la moquette avec son ongle.

– Je comprends ce que tu dis. Je suis tellement heureuse aujourd'hui. Enfin, la plupart du temps. J'ai Colton et je voyage dans tout le pays pour jouer de la musique. C'est un rêve devenu réalité, un rêve que je ne me savais même pas avoir, jusqu'à ce qu'il se réalise. Je ne peux pas m'imaginer vivre une autre vie, vraiment pas. Enfin, il m'arrive parfois, au milieu de la nuit, de ne pas arriver à dormir et de me demander où j'en serais si… si Kyle était toujours en vie. J'aurais été à Stanford et on aurait sûrement déjà un enfant ou deux. Je travaillerais dans un bureau, je porterais des tailleurs très chers et ferais des présentations Powerpoint pour les cadres de ma boîte. (Elle haussa les épaules de façon théâtrale.) Je suis contente d'avoir évité cette carrière… je me demande ce qu'elle aurait été. Ce n'était pas pour moi, cette vie qui, de toute façon, n'a pas existé, et dont la qualité aurait été discutable. Je n'ai pas de regrets, parce que… mon Dieu, j'ai lutté si longtemps… Et j'ai beau avoir adoré Kyle, Colton est parfait pour moi.

– Et puis Kyle et toi, vous étiez si jeunes, tu sais, il est impossible de dire ce qu'il se serait passé entre vous deux.

– Pas plus jeunes que Jason et toi, quand vous vous êtes mis ensemble. On a le même âge, vingt-quatre ans. Ça fait combien de temps que vous êtes ensemble, maintenant ?

– Huit ans.

– Tu as vingt-quatre ans et cela fait huit ans que tu es avec Jason ? C'est plus long que la plupart des relations, tous âges confondus.

– D'une certaine façon, j'ai l'impression que nous n'en sommes qu'au tout début. Benny a presque deux ans, mais j'ai l'impression d'avoir accouché hier. On parle d'en avoir un autre, à vrai dire. Jason voudrait une petite fille.

Jason annonça que le dîner était prêt, on interrompit donc notre conversation, mais je surpris Nell à regarder Benny d'un air perplexe. Colton le remarqua aussi, mais il avait la même lueur dans les yeux chaque fois qu'il se penchait pour écouter Benny bafouiller la bouche pleine.

J'avais la sensation qu'on m'annoncerait une grande nouvelle d'ici quelques mois.

Becca
Le mois de mai suivant

Je fis un effort pour retenir mes larmes en défroissant la traîne de la robe sublime de Nell. C'était un bustier taille Empire, avec un décolleté en cœur, le corset était brodé de perles avec élégance, et l'échancrure du dos plongeait jusqu'à sa chute de reins. Ses cheveux blond vénitien étaient rassemblés sur sa tête en un chignon savamment torsadé, dont quelques mèches s'échappaient pour encadrer son magnifique visage. Elle se tourna pour que je puisse réajuster le jupon de sa robe, et je vis ses yeux gris-vert briller d'excitation.

Je pris son bouquet de lilas, avec ses bourgeons d'un violet sombre, et le tins avec mon bouquet qui lui était assorti. Colt… comment dire… J'étais une femme heureuse en ménage, plus amoureuse de Jason jour après jour, mais Colt était si beau qu'il était presque douloureux de le regarder. Il avait fait couper proprement ses cheveux d'habitude si longs et était rasé de près, ce qui faisait ressortir sa mâchoire saillante et robuste. Ses yeux bleu électrique brillaient tellement que je les vis en entrant depuis le fond de la chapelle. Son smoking était coupé à la perfection, noir et blanc, très formel, et tombait si parfaitement sur sa silhouette musclée qu'on aurait pu croire qu'il était né avec.

Jason se tenait à deux mètres de Colt, et il me fallut toute la volonté du monde pour ne pas l'attirer derrière l'église et en faire mon quatre-heures. Colt était peut-être incroyablement beau, mais Jason? C'était mieux qu'un rêve, un vrai fantasme. Ses cheveux blonds étaient fraîchement coupés, ses mèches savamment ébouriffées, ses yeux verts reflétaient le soleil comme deux morceaux de jade. Ses bras gonflaient les manches de sa veste de costume, et les muscles de son cou tiraient sur le col de sa chemise. En un mot, on aurait dit une statue. Michel-Ange lui-même n'aurait pas su sculpter un homme aussi parfait. Enfin, c'était mon avis.

Nell marcha jusqu'à l'autel et prit les mains de Colt dans les siennes. Les portes de l'église s'ouvrirent à nouveau, et tout le monde se retourna. Benny, qui venait d'avoir deux ans, se tenait sur le seuil. Les cheveux peignés en arrière, il portait lui aussi un petit costume, de minuscules chaussures vernies et ce genre de cravate qu'on clippe sur les cols de chemise. Je pouvais le voir rassembler son courage, figé là, sur le seuil, tenant à bout de bras le coussin qui portait les alliances. Il balaya la foule des yeux et fronça les sourcils en réalisant combien de personnes le regardaient.

Et puis il prouva qu'il était bien le fils de son père. Il se redressa, leva la tête très haut et marcha avec assurance vers l'autel sans ciller. Il fixait « tata Nell », qu'il avait depuis le temps appris à adorer. Il savait qu'il était censé aller vers elle : on lui avait répété environ un million de fois que son boulot, c'était de bien lui apporter les bagues.

Nell, de son côté, gâtait Ben dans des proportions délirantes. Elle avait même réarrangé l'ordre de passage dans l'église pour qu'il soit le clou du spectacle, même si les mariages étaient censés faire la part belle à la mariée. En général, la petite fille avec les fleurs et le gamin qui portait les alliances entraient après les demoiselles d'honneur et les témoins du marié, et avant la mariée. Ou un truc comme ça. Cependant, Nell avait insisté pour que Benny soit le dernier à entrer, et qu'il apporte tout seul les alliances.

Il avançait donc dans la longue allée, ignorant tous les murmures, les doigts pointés et les éloges vantant son air absolument adorable. Je sentis mon cœur se serrer en le voyant si concentré sur sa tâche, dans son smoking si grand.

Benny monta avec précaution les marches de l'autel, puis, pas du tout comme on le lui avait fait répéter, il alla se fourrer entre Colt et Nell, et leva le coussin au-dessus de sa tête aussi haut que possible.

– Z'ai les bagues, Nelly. Ici.

Il leva les yeux vers elle, et il y eut un ooooh! général parmi l'assemblée.

Nell le regarda et sourit, lâcha les mains de Colt et souleva son jupon pour s'agenouiller devant Benny.

– Merci, Benjamin.

– Moi bien? lui demanda-t-il, la voix pleine d'appréhension.

Nell l'embrassa sur le front en riant.

– Tu as été parfait, petit gars.

– Avoir 'sieur Girafe maintenant?

Nell me jeta un coup d'œil, pas sûre de savoir ce qu'il voulait exactement. *Nonno* – le mot italien pour dire «grand-père», à savoir mon père à moi – arriva à la rescousse et prit Ben sur ses genoux après que le prêtre eut pris les alliances. Ben tira sa girafe en peluche, plus connue sous le nom affectueux de «'sieur Girafe», de la poche de veste de son *nonno*. Il se mit à grogner et à aboyer comme un animal féroce en faisant rebondir sa peluche sur l'épaule de papa. Tout le monde se mit à rire aux singeries de Ben, surtout la mariée, qui se reprit assez vite et se retourna vers Colt.

Ce fut un beau mariage, Nell rayonnait de bonheur plus que jamais. La fête, très animée, eut lieu dans une salle de réception non loin de la chapelle où avait été célébré le mariage. À la fin du dîner, Nell avait l'air pensive. Elle sirotait négligemment son eau gazeuse avec une tranche de citron vert en regardant Colt, puis se perdit dans le lointain.

J'étais assise entre elle et le témoin de Colt, un Black sublime à l'air dur nommé Split. Nell prit une grande inspiration et soupira, comme si elle avait pris une décision. Elle se pencha vers Colt, posa la main sur sa nuque et lui murmura quelque chose à l'oreille. Quoi que soit ce qu'elle lui dit, il en écarquilla les yeux de surprise, puis de bonheur.

– Tu l'es ? Tu en es sûre ? demanda-t-il, pas vraiment à voix basse.

Nell acquiesça. Colt jeta un œil sur son ventre, puis son visage, et je sus ce qu'elle lui avait murmuré.

– J'en ai eu la confirmation hier, mais je voulais attendre une occasion particulière pour te l'annoncer.

Colt la prit dans ses bras, la serra avec force et murmura à son oreille. J'entendis Nell renifler, les bras posés sur ses larges épaules, les paumes tremblant légèrement.

– Est-ce que je peux l'annoncer ? demanda-t-il.

Nell recula.

– Là, tout de suite ?

Colt sourit malicieusement.

– Putain, oui ! Je suis surexcité !

Nell pencha la tête et colla sa joue contre la sienne.

– Tu es complètement fou. (Elle leva les yeux vers lui.) Et si jamais…

Colt posa deux doigts sur ses lèvres.

– Non… Juste… non.

Nell acquiesça et ouvrit la bouche pour mordre les doigts de Colt.

– Si tu veux l'annoncer, vas-y.

Colt se leva de sa chaise et fit signe au DJ de lui apporter un de ces micros sans fil.

– Je suppose que ce moment n'est pas pire qu'un autre pour faire un discours, non ? J'ai un public concentré, vu que l'on est presque tous encore à table. Donc voilà, c'est le plus beau jour de ma vie. J'ai eu pas mal de jours merveilleux dans ma vie, et d'autres franchement moins terribles, comme tout le monde. Mais aujourd'hui… aujourd'hui, c'est vraiment le meilleur d'entre tous. Parce que j'ai la chance d'épouser Nell. Oui, oui, vous avez le droit d'être jaloux, ne vous gênez pas, les amis, parce que cette femme incroyable, talentueuse, belle et sexy qui se trouve juste là n'appartient qu'à moi. Je ne vais pas vous embêter en vous racontant la façon un peu dingue dont on s'est rencontrés, puisque la majeure partie d'entre vous connaisse plus ou moins l'histoire à ce stade. L'important, ce qu'il faut que vous sachiez, c'est que je suis l'homme le plus chanceux du monde. Elle m'a sauvé, et je ne serai jamais en mesure de l'aimer autant qu'elle le mérite. Mais bon sang, je promets d'essayer.

Il s'arrêta, et les invités, déchaînés, comblèrent ce blanc en sifflant et en applaudissant.

– Ouais, merci. Bref, si cette journée est aussi la plus belle de ma vie, c'est parce que Nell vient de m'annoncer une grande nouvelle. Lève-toi, bébé, approche-toi.

Il tenait le micro d'une main et attira Nell de l'autre. Il baissa les yeux vers elle et eut un immense sourire.

– Vous voyez, elle vient de m'annoncer, il y a une minute, qu'on allait avoir un bébé.

Les cris de joie furent assourdissants, mais personne n'applaudit ni ne hurla aussi fort que moi.

– C'est pour quand, bébé, est-ce que tu sais ?

Nell posa la tête sur le bras de Colt.

– C'est prévu pour décembre.

Colt la quitta des yeux pour fixer le plafond, l'air pensif.

– Ce qui veut dire que cet enfant a été conçu en… mars. (Un sourire malicieux apparut progressivement sur son visage.) Je crois que je sais exactement quand on a…

– Colton ! hurla Nell en lui arrachant le micro des mains et en lui frappant l'épaule.

– Désolé. Je suis juste trop content.

La foule riait et applaudissait, puis quelqu'un au fond de la salle commença à faire retentir sa cuillère contre son verre, et toute la salle le suivit.

Colt tendit le micro à son ami Split, et serra Nell dans ses bras.

– Avec plaisir, l'entendis-je murmurer, tandis qu'il l'embrassait d'un long baiser profond.

Après quelques secondes, Split se leva et porta le micro à sa bouche.

– On s' calme, on s' calme. Gardez ça pour plus tard, vous deux.

Split se retourna vers Colt, qui s'asseyait avec Nell pour l'écouter.

– J'ai connu mon pote Colt à l'époque où il était rien d'autre qu'un p'tit Blanc tétanisé, perdu au milieu de la téci. Il a traversé plus de trucs que vous tous ne pourriez l'imaginer, et s'il est encore là aujourd'hui, c'est parce qu'il a toujours été le plus malin et le plus fort de tous les gars que j' connais. Bon, j' vais pas vous mentir, j' lui ai sauvé les miches une ou deux fois, mais il a plus été là pour moi que l'inverse. C'est comme un frère pour moi… un frère et un reufré, si vous voyez ce que je veux dire.

Split jeta un œil à la salle, les gens étaient assis en silence autour des tables rondes, captivés.

– Bon, vu que vous êtes quasiment tous des p'tits Blancs, peut-être que vous ne voyez pas. Je suppose que je suis là pour le quota black des invités, hein ? C' pas grave, c' pas grave. Ce que j'essaie d' dire c'est que, après tout ce que Colt a traversé, y a pas plus heureux que moi dans cette pièce de le voir se marier. Surtout à une bombe de meuf comme Nell. Quand j'ai rencontré Nell pour la première fois, j'étais un peu sceptique. Elle était sympa, mais… bon… je n'ai pas vu combien elle était forte sur le coup. Elle a pris Colt sous son aile et elle lui a donné une seconde chance dans la vie, même si ça a l'air con, dit comme ça. C'est ce qu'elle a fait pourtant, les gars. Elle l'aime et elle le comprend. Et c'est ça qui compte. Alors… Colt, Nell, z'êtes ma famille tous les deux. Z'êtes la famille qu' j'ai jamais eue, c'est la vérité. J' vous aime tous les deux et j'suis heureux pour vous. Félicitations.

Il leva son verre d'eau glacée vers le ciel et trinqua avec Colt.

Je me rendis compte que c'était à mon tour. J'avais passé des jours à me préparer. Split me tendit le micro et je me levai, avalai ma salive et me concentrai sur ma respiration.

– Bonjour, je m'appelle Becca. Nell est ma meilleure amie depuis le premier… le premier jour de maternelle. Elle m'avait volé ma colle et mes gommettes. On est amies depuis ce jour-là. (Je me retournai vers Nell.) Je vais essayer d'aller jusqu'au bout sans pleurer ni bégayer, mais je ne peux rien te promettre. On a toutes les deux vécu des choses… intéressantes. Je ne vais pas plomber l'ambiance, c'est un mariage, mais Nell, tu sais de quoi je parle. Il y a eu des jours où je m'inquiétais vraiment pour toi. Tu m'as dit une fois que tu n'étais pas sûre d'aller bien à nouveau un jour. Eh bien, regarde-toi aujourd'hui. Tu as épousé un homme extraordinaire et tu vas bientôt être maman. Je suis fière de toi, Nell. Tu… tu as traversé t-t-tellement d'épreuves, et tu as su trouver le bonheur. Tu as su retrouver le chemin pour aller bien. Tu vas être une mère m-m-merveilleuse et Colt, tu vas être un père merveilleux. Je n'ai aucun doute là-dessus. Mon fils vous adore, et il vous écoute plus que moi à certains moments. N'est-ce pas, Benny ?

Benny était assis sur les genoux de Jason, un morceau de pain à la main, et une fourchette qu'il tenait maladroitement à l'envers avec de la purée au bout. Il entendit son nom et me regarda, puis tendit la fourchette vers moi.

– Z'ai patates. En veux, manman ? Veux des patates ?

Je ne pus m'empêcher de rire.

– Merci, mon petit bonhomme. J'en ai déjà mangé. Est-ce que tu aimes tata Nelly et tonton Colt ?

Benny fit oui de la tête.

– Voui. Colt c'est cheval. Ze conduis le cheval.

– Et Nell ?

Il regarda Nell et réfléchit.

– Voui. Nelly a plus des bonbons ? Plus nem-en-nems ?

Nell se mit à rire et se pencha vers lui.

– C'était censé être un secret. Tu n'avais pas le droit d'avoir des bonbons.

Je jetai un œil à Nell, qui se mit à rougir et à feindre l'innocence.

– C'étaient juste quelques M&M's, admit-elle.

Je secouai la tête.

– C'est donc pour ça qu'il était incapable de rester en place, hier. (Je lui souris.) J'espère que tu t'en souviendras, le jour où je te ramènerai ton gamin après l'avoir gavé de sucreries. On verra qui ça fera rire à ce moment-là.

J'ouvris la bouche pour reprendre mon discours, quand un pet sonore retentit dans la pièce. Le bruit venait de Ben. Il regarda autour de lui, surpris, comme s'il se demandait d'où venait le son, puis il se retourna vers moi.

– Manman, vais caca.

Les gens hurlèrent de rire.

Je m'enfouis le visage dans la main, mortifiée.

– On dirait bien que mon discours a été piraté par un petit chenapan puant, dis-je. Nell, je vais conclure en disant que je t'aime. Je suis fière et heureuse pour toi. Félicitations.

Quand je revins dans la salle après avoir changé Ben, Robert Calloway finissait son discours, le dernier de la soirée. Après quoi, on découpa et dégusta le gâteau, puis la fête commença. Nell et Colt marquèrent la fin de la réception par leur chanson *Te Succomber*, que passaient toutes les radios du pays depuis la demande en mariage au concert de La Nouvelle-Orléans.

Je dansai avec Jason et Ben, serrant mes deux hommes contre moi, et regardai Nell gratter sa guitare, entourée par son immense robe de mariée qui tombait jusqu'au sol. Sa voix captivait les gens, on lisait la joie sur son visage.

Les jeunes mariés partirent peu après, et je pris Nell dans mes bras juste avant qu'elle ne monte dans la limousine.

– Merci, Becca, me murmura-t-elle. Je ne sais pas ce que j'aurais fait sans toi, quelquefois. J'ai hâte qu'on soit mamans ensemble.

Jason serra la main de Colt, puis passa son bras autour de moi, en tenant Ben sur l'autre hanche.

– Alors, Nell est en cloque, hein ? dit-il d'un air songeur. Il était temps. On devrait peut-être penser au deuxième, qu'est-ce que tu en dis, bébé ?

Je me tournai et levai les yeux vers lui, avec un sourire un peu nerveux.

– Je crois que je suis pour cette idée.

Les yeux de Jason s'illuminèrent.

– Alors, Benny, qu'est-ce que tu dirais si maman avait un bébé ?

– Un bébé ? Suis pas un bébé. Suis un grand garçon, affirma Ben.

– Je sais que tu l'es, mon pote, dit Jason. On aurait deux enfants. Toi et un autre bébé.

– Deux bébés ? demanda Benny, perdu.

– Deux bébés, confirma Jason.

Je souris en regardant Benny essayer de comprendre ce que voulait dire « deux bébés ».

– Moi le bébé ? demanda-t-il.

Jason lui chatouilla le ventre.

– Non. Toi, tu seras le grand frère.

Benny fronça les sourcils. Ses yeux, comme ceux de Jason, plus verts que verts et si expressifs, demeuraient pensifs. Puis il brandit sa peluche et passa à autre chose.

– Z'ai 'sieur Girafe. T'as des nem-en-nems ? Il ouvrit la bouche comme un oisillon, comme s'il attendait qu'on y dépose un M&M's.

Nonno arriva à la rescousse. On entendit le froissement de l'emballage, et Benny se retourna dans les bras de Jason, son attention désormais toute concentrée sur le bruit du papier de bonbon. Mon père jeta un à un les M&M's dans la bouche de Benny, à ma grande horreur.

– Papa ! Il est 11 heures du soir ! Il ne va jamais dormir maintenant !

Papa se contenta de hausser les épaules.

– C'est un mariage, *figlia*. Au diable les règles.

Il était largement minuit passé quand Jason et moi réussîmes enfin à endormir Benny dans le petit lit de notre chambre d'hôtel. On enleva nos habits de mariage et on se coucha l'un contre l'autre, en cuillère.

Jason ne dit rien pendant un moment, il somnolait.

– J'espère que ce sera une fille. On l'appellera Bella.

Un grognement m'échappa.

– Hors de question que notre fille ait le nom d'une héroïne de *Twilight*.

– J' déconne, bébé.

– Que penses-tu d'Evelyn ?

– Hummm. Pourquoi pas ?

Il était en train de s'endormir. Je le laissai méditer sur des prénoms de filles et de garçons jusqu'à ce que je m'endorme, moi aussi. Dans la nuit, Benny grimpa dans notre lit en coinçant son petit corps chaud entre les deux nôtres. Jason passa son bras par-dessus Benny, le posa sur ma hanche et se mit à me caresser le ventre tout en dormant.

Je somnolais à moitié, sentant la respiration de Benny sur mon épaule et la main de Jason sur ma peau. Mon plaisir était total, j'étais merveilleusement heureuse.

ÉPILOGUE

Colt tenait sa fille dans ses bras et berçait son petit corps dans le creux de son coude. Ses petits doigts serraient son pouce, elle balançait entre le sommeil et l'éveil, les paupières lourdes. Elle était emmaillotée dans une couverture toute douce couleur ivoire. On aurait dit un personnage de dessin animé, avec ses immenses yeux verts qui s'ouvraient et se fermaient constamment. Son nom, Kylie, était brodé au fil vert sur le revers du tissu.

Quand Kylie se mit à remuer dans sa couverture, en ronchonnant et en pleurnichant pour rester éveillée, Colt se leva du rocking-chair et fit les cent pas dans la nurserie, la faisant doucement rebondir dans ses bras. Elle ouvrit les yeux un peu plus grands, regarda son papa en louchant, et laissa échapper quelque gémissement. Colt prit la tétine dans le berceau et la lui colla dans la bouche, puis fredonna quelques mesures. Quand il réalisa que cela semblait la faire dormir, il prit une inspiration et se mit à chanter, de sa voix profonde et caressante :

Tu as les yeux de ta maman, tu sais,
Ma toute petite fille,
Un seul de tes souffles, et mon cœur est conquis,
Tu as le nez de ta maman, tu sais,
Ma toute petite fille.
Tu agrippes mes doigts de toutes tes forces,
Et tu tiens mon âme dans tes toutes petites mains.
J'ai rêvé de toi,

Ma toute petite fille.
J'ai rêvé de toi,
Toutes les nuits pendant neuf longs mois.
Mais je n'ai jamais rêvé
Que tu m'envoûterais comme ça avec tes yeux,
Qui ressemblent tant à ceux de ta maman.
Tous les pères ont un fantôme, tu sais,
Ma toute petite fille,
Ils sont hantés par tout ce qu'ils pourraient faire de mal.
Je ne peux que te serrer contre moi,
Et espérer bien faire,
Espérer t'aimer assez
Espérer te donner tout ce que tu mérites.
J'ai rêvé de toi, tu sais,
Ma toute petite fille
Qui as les yeux de ta mère.
Je rêve encore de toi,
Je rêve de ce que tu deviendras,
Et de ce que tu feras.
Je rêve de voir tes premiers pas
Et d'entendre ton premier mot.
J'ai un autre fantôme,
La peur latente de tous les pères,
Il suffit qu'on ferme les yeux une seconde,
Et te voilà au volant d'une voiture,
Une autre seconde,
Et te voilà à ton premier rendez-vous
Avec un garçon qu'on ne peut pas voir,
Une autre seconde, et tu es diplômée du lycée,
Une autre seconde, et je te conduis jusqu'à l'autel.
Alors, ne grandis pas,
Ma toute petite fille.
Reste petite, tiède et douce,
Juste assez grande pour mes bras
À t'endormir au son de ma voix.
Ne grandis pas

Ma toute petite fille.

Ou du moins pas trop vite.

Kylie dormait profondément, quand la voix de Colt se tut. Il la posa dans son berceau, se pencha et l'embrassa tendrement. Nell les regardait, debout sur le seuil de la porte. Elle se glissa contre Colt et ils contemplèrent ensemble leur fille en train de dormir.

– Est-ce que tu arrives à croire qu'on ait fait quelque chose d'aussi parfait ?

Colt sourit en regardant sa femme.

– Oui, j'y arrive, mon amour.

C'était dans des moments comme celui-ci que les cicatrices s'oubliaient, que les cauchemars disparaissaient et que les peurs s'apaisaient. Chaque souffle, chaque baiser pour dire bonne nuit, chaque berceuse chantée éloignait encore un peu plus le passé, jusqu'à ce que les lames de rasoir cachées et les nuits de larmes refoulées ne soient plus que les vieux souvenirs d'une autre vie.

Dans des moments comme celui-ci, l'innocence d'un bébé pansait les blessures les plus profondes.

Dans des moments comme celui-ci, tout allait enfin bien.

PLAYLIST

Demons, des Imagine Dragons
I Drive Your Truck, de Lee Brice
Sure Be Cool If You Did, de Blake Shelton
Whatever It Is, de Zac Brown Band
Flightless Bird, d'Iron & Wine
Singers and the Endless Song, d'Iron & Wine
(Kissed You) Goodnight, de Gloriana
Must Be Doin' Somethin' Right, de Billy Currington
First Day of My Life, des Bright Eyes
We're Going To Be Friends, des White Stripes
Falling Slowly, de Glen Hansard et Markéta Irglovà
Come and Goes (In Waves), de Greg Laswell
God's Gonna Cut You Down, de Johnny Cash
Your Long Journey, de Robert Plant et Alison Krauss
Been a Long Day, de Rosi Golan
Please Remember Me, de Tim McGraw
Ten Cent Pistol, des Black Keys
The Blower's Daughter, de Damien Rice
Longing To Belong, d'Eddie Vedder
City, de Sarah Bareilles
Dream, de Priscilla Ahn
To Travels and Trunks, des Hey Marseilles
Rhythm of Love, de Plain White T's
Kingdom Come, des Civil Wars
Sleepless Nights, d'Eddie Vedder et Glen Hansard
Breathe Me, de Sia

Remerciements

Comme pour le livre précédent, la musique est le sang qui fait battre le cœur de cette histoire. Je suis tombée amoureuse de Jason et Becca en écrivant cette histoire, et ces chansons sont la bande originale de cet amour. Chaque chanson raconte sa propre histoire, et toutes ensemble, elles tissent une tapisserie unique au monde. Tout comme vous me soutenez en achetant mes livres, je vous encourage à soutenir ces incroyables musiciens en achetant leur musique. L'art – quelle que soit sa forme – est la véritable expression de nos âmes. L'art est ce qui fait de nous des êtres humains. Il nous unit en tant que société, en tant que culture et en tant que monde. Soutenez l'art, toute forme d'art. Achetez-le, partagez-le, créez-le. Comme Neil Gaiman nous encourageait à le faire dans son discours, désormais célèbre, à l'université des arts de Philadelphie : « Commettez des erreurs intéressantes, incroyables, glorieuses et fantastiques. Brisez les règles. Faites de l'art digne de ce nom. »

Imprimé en France
par Corlet Imprimeur
14110 Condé-sur-Noireau
Dépôt légal : octobre 2014
N° d'impression : 167483
ISBN : 978-2-7499-2328-4
LAF 1911